IVRESSE
de Catherine McKenzie
Traduit de l'anglais (Canada) par Nadia Lakhdari King

IVRESSE

CATHERINE McKENZIE

Traduit de l'anglais (Canada)
par Nadia Lakhdari King

www.quebecloisirs.com

UNE ÉDITION DU CLUB QUÉBEC LOISIRS INC
Avec l'autorisation de Les Éditions Goélette et Catherine McKenzie
© Éditions Goélette, Catherine McKenzie, 2011

Traduction : Nadia Lakhdari King

Dépôt Légal --- Bibliothèque et Archives nationales du Québec, 2012
ISBN Q.L. 978-2-89666-149-7
Publié précédemment sous ISBN 978-2-89690-004-6

Imprimé au Canada

À mes grands-parents, Roy et Dorothy McKenzie

et à mes amis, les meilleurs amis du monde.

CHAPITRE 1

DOIT AIMER LA MUSIQUE

Voici comment j'ai perdu l'emploi de mes rêves.

La veille de mes trente ans, je reçois un appel de *The Line*, qui est tout simplement LE magazine musical le plus prestigieux de la planète, peut-être même de l'univers. D'accord, peut-être que *Rolling Stone* est en première position, mais *The Line* est définitivement en deuxième.

Depuis aussi longtemps que je m'en souvienne, j'ai voulu écrire pour *The Line*. Je n'arrive toujours pas à croire qu'il y a des gens qui sont payés pour travailler là. Moi, je serais prête à payer juste pour pouvoir assister à une de leurs réunions éditoriales. En fait, j'assisterais même aux réunions de leur comité de recyclage si ça me permettait d'y avoir mes entrées.

Alors, il ne faut pas être surpris d'apprendre que je suis pratiquement tombée de ma chaise quand j'ai vu leur petite annonce dans la section *Emplois* du journal, un dimanche matin tranquille. Je me précipite sur mon ordinateur et j'attends avec impatience que le branchement téléphonique se fasse (oui, j'utilise encore l'Internet à branchement téléphonique. C'est tout ce que la journaliste en herbe que je suis peut se permettre). Quand la plainte rauque cesse, je tape l'adresse de leur site Web et je clique sur l'onglet « Travaillez avec nous ! », comme je l'ai déjà fait maintes fois auparavant, sans succès. Et voilà. Une job, une vraie job !

The Line *cherche journaliste motivé pour position à l'interne. Doit aimer la musique plus que l'argent parce que le salaire est microscopique ! Envoyez votre CV et vos qualifications de mélomane à kevin@theline.com.*

Je passe les vingt-quatre heures suivantes à l'agonie, tentant de compléter la portion « mélomane » de ma candidature. Comment diable suis-je censée résumer mes influences musicales en trois lignes ? Mais comment puis-je m'attendre à décrocher un boulot de critique musicale si je ne suis même pas capable de dresser la liste de mes groupes préférés ?

Je finis par laisser iTunes décider pour moi. Si j'ai écouté une chanson neuf cent quarante-six fois (ce qui, en l'occurrence, est le nombre de fois que je semble avoir fait jouer *Black Horse and the Cherry Tree*, de K.T. Tunstall), c'est que je dois vraiment l'aimer, non ? Ce n'est pas une méthode parfaite, mais c'est tout de même mieux que les listes trop réfléchies jetées en boule dans ma corbeille.

Et ça marche ! Quelques jours plus tard, je reçois un courriel avec une entrevue écrite en pièce jointe. J'ai quarante-huit heures pour compléter le questionnaire et le renvoyer. Si je fais l'affaire, j'obtiendrai une vraie entrevue, en personne, dans les bureaux de *The Line* ! Juste d'y penser, je danse comme une folle dans mon salon.

Heureusement, remplir le questionnaire est un jeu d'enfant :

• *Choisissez cinq chansons de Dylan et expliquez en quoi elles sont remarquables.*

• *Choisissez cinq chansons d'Oasis et expliquez en quoi elles sont nulles.*

• *D'après vous, quelles seront les influences musicales clés de la décennie?*

• *Allez voir le spectacle d'un groupe que vous ne connaissez pas et écrivez cinq cents mots à son sujet.*

• *Achetez un CD de musique country et écoutez-le cinq fois, puis décrivez en cinq cents mots les émotions que vous aurez ressenties.*

Je reste debout toute la nuit, fumant cigarette sur cigarette et passant à travers deux bouteilles de vin rouge de ma colocataire Joanne. Elle passe son temps à acheter du vin («c'est un investissement», dit-elle), mais elle n'en boit jamais. Quel gaspillage!

Quand le soleil se lève, je relis ce que j'ai écrit et si j'ose le dire moi-même: c'est un texte sublime. Il n'y a pas une question qui me fasse hésiter ni une opinion que je ne maîtrise pas. J'ai même reproduit à la perfection le style d'écriture caractéristique de *The Line*.

Ça fait longtemps que j'attends une telle chance, et je ne raterai pas mon coup.

Du moins, pas encore.

Je bous d'impatience les deux jours suivants. Mon cerveau s'emplit de pensées négatives. Peut-être que, finalement, je ne connais rien du tout à la musique... Peut-être qu'ils n'en ont rien à faire de quelqu'un qui se contente de copier leur style d'écriture... Peut-être qu'ils cherchent une nouvelle voix, et que ce n'est pas la mienne... Peut-être devraient-ils m'appeler avant que je ne perde la tête!

Quand ces pensées menacent de m'engloutir, j'essaie de me changer les idées. Je nettoie notre minuscule appartement de fond en comble. J'invente trois nouvelles recettes de soupe à base de nouilles Ramen. Je vais voir quelques spectacles et j'écris des comptes rendus pour le journal local auquel je contribue. Je vide mon placard, je classe mon courrier, je retourne des appels que j'ignorais depuis des mois. J'écris même une lettre à ma grand-mère de quatre-vingt-dix ans, la remerciant pour le chèque qu'elle m'a envoyé pour l'anniversaire de ma sœur.

Le reste du temps, j'oscille entre la relecture compulsive de tout le contenu du site Web de *The Line* (dont les numéros des six années précédentes que j'ai déjà lus maintes et maintes fois) et l'observation d'une jeune star dont la vie est en train d'exploser en direct dans la presse à scandale.

Il s'agit d'Amber Sheppard, mieux connue sous le nom de « La Fille D'À Côté » (ou sous le diminutif « LFDAC »), d'après le personnage qu'elle a interprété de quatorze à dix-huit ans dans une comédie télévisée intitulée ... attendez... *La fille d'à côté*. Elle est la nouvelle « *It Girl* » d'Hollywood. Quand son émission a été annulée, elle a joué dans deux films d'horreur à succès pour ados, puis s'est distinguée dans un rôle sérieux, en nomination pour un Oscar, celui de Catherine Morland dans *Northanger Abbey*. Elle travaille sans arrêt depuis, et tient l'affiche de quatre longs métrages qui paraîtront au cours des cinq prochains mois.

Quand elle a terminé de tourner le quatrième film, juste après son vingt-troisième anniversaire, elle a annoncé qu'elle prendrait un congé sabbatique à durée indéterminée afin de se reposer et de se recentrer.

Et c'est à ce moment-là que ça lui a pété à la figure.

N'importe qui cherchant réellement à relaxer aurait loué un chalet dans les bois et aurait disparu de la circulation. Pas LFDAC. Elle a plutôt entrepris de faire la fête toute la nuit, de dormir toute la journée, et a perdu dix kilos d'une photo à l'autre. La rumeur voulant qu'elle prenne des drogues dures s'est mise à apparaître sur un tas de sources Internet crédibles, comme People.com, TMZ et Perez Hilton. Un journaliste a même écrit dans le *National Enquirer* que sa famille avait dû intervenir et l'avait envoyée en cure de désintox. Bref, on dirait qu'on sort tous les jours une nouvelle histoire, une nouvelle photo scandaleuse ou un nouveau site Web dédié au moindre de ses faits et gestes, et je les dévore tous.

Voilà ce à quoi carbure mon cerveau oisif tentant de résister à la folie pendant que j'attends.

La veille de mon anniversaire, je reçois enfin l'appel de *The Line* à 8 h 55 du matin.

Je ne suis pas une personne matinale, et ce jour-là, ma fatigue est exacerbée par la consommation d'une autre bouteille de vin issue de la collection «investissement» de Joanne, ainsi que par la fascinante nuit passée devant la télévision, à suivre l'évasion de LFDAC d'un centre de désintox (il semblerait que le *National Enquirer* avait raison, après tout). Elle n'y a passé que deux jours, avant de se sauver dans son VUS Ford Hybride. Évidemment, les paparazzis qui suivent chacun de ses gestes l'ont photographiée sous tous les angles. On croirait revivre l'affaire O. J. (sans, bien sûr, l'épouse assassinée), et les images de sa fuite ont passé en boucle sur CNN et ailleurs pendant des heures. Je m'en suis finalement fatiguée vers 3 h du matin. J'ai donc l'impression que c'est quelques secondes plus tard que la sonnerie du téléphone me secoue en plein sommeil paradoxal. Je réponds, la voix enrouée :

– Moui ?

– Est-ce que je parle à Kate Sandford ?

– Moui.

– C'est Élizabeth, de *The Line*? Nous voudrions organiser une entrevue avec vous?

Sa voix a une tonalité de plus à la fin de chaque phrase, comme si elle posait une question.

Je me redresse dans mon lit, le cœur dans la gorge.

– Vraiment?

– Êtes-vous disponible demain matin à 9 h?

Demain. Mon anniversaire. Bien sûr que je suis disponible!

– Oui, oui, je suis disponible.

– Super. Alors, présentez-vous à nos bureaux à 9 h et demandez à me voir, d'accord? Mon nom est Élizabeth?

– Super. Parfait. À bientôt, alors.

Je repousse mes couvertures, saute hors de mon lit et me mets à danser de joie.

C'est le plus beau cadeau d'anniversaire de toute ma vie! Je vais faire un malheur! Après des années et des années passées à écrire pour quiconque acceptait mes articles, je vais enfin avoir la chance d'écrire pour un vrai magazine! Pour LE magazine! Yé, yé, yé!

– Katie, mais qu'est-ce que tu fais?

Joanne est debout dans l'encadrement de la porte de ma chambre et elle a l'air furieux. Ses cheveux roux frisés forment une auréole autour de son visage pâle. Elle ressemble à la petite orpheline Annie, mais en version adulte. Sa robe de chambre est d'ailleurs rouge avec une garniture blanche, comme celle qu'Annie porte tout le temps.

– Je célèbre?

– Non mais, tu sais l'heure qu'il est?

Je jette un coup d'œil au réveil près de mon lit.

– Euh... 9 h?

– Oui. Et à quelle heure je commence à travailler, aujourd'hui ?

Je sais que c'est une question piège.

– Tu ne travailles pas ?

– Exact, c'est ma journée de congé. Alors, veux-tu bien me dire pourquoi tu danses et tu cries comme si tu étais dans un rassemblement de scouts ?

Malgré cet interrogatoire, mon cœur bat joyeusement la chamade.

– Parce qu'on vient de m'offrir l'entrevue la plus fabuleuse au monde.

Mon bonheur évident n'apaise pas le courroux de Joanne.

– Je pense que la bonne réponse serait plutôt : « Parce que je suis une colocataire sans gêne qui ne se soucie de personne d'autre que d'elle-même. »

– Joanne…

– Baisse le volume, veux-tu ?

Elle se retourne et quitte la pièce d'un pas rageur.

En la regardant partir, je me demande pour la centième fois pourquoi j'habite toujours avec elle. Il y a trois ans, j'avais répondu à sa petite annonce « *Cherche coloc* » sur Craigslist, et nous entretenons depuis une relation amour-haine. Bien sûr, elle est rangée, paie sa part du loyer rubis sur l'ongle et ne me réveille jamais en hurlant de joie quand j'essaie de dormir.

Cela dit, je n'ai jamais vu Joanne hurler de joie.

Oh, mon Dieu ! J'ai une entrevue chez *The Line* !

Je recommence ma danse de la joie, mais cette fois-ci avec le volume à zéro.

● ● ●

Je passe le reste de la journée à alterner entre nervosité extrême et assurance suprême. Entre ces fluctuations émotives, je m'arrache les cheveux en essayant de décider ce que je vais porter pour l'entrevue. Je place mes quelques options sur le lit :

1) Un tailleur noir offert par ma mère lors de ma graduation universitaire. Elle croyait que j'aurais des tonnes d'entrevues où je pourrais le porter. Désolée, maman.

2) Un jean skinny, avec des bottes hallucinantes, un tee-shirt d'un groupe obscur et avant-gardiste des années 90, et un veston en velours côtelé noir.

3) Une jupe noire moulante et un pull en faux cachemire avec des bijoux originaux.

J'opte finalement pour le troisième ensemble, espérant trouver le juste milieu entre une apparence professionnelle et ce que j'imagine être l'ambiance à *The Line* : branchée et sérieuse, mais sans l'être trop.

En fin d'après-midi, je reçois un texto de ma deuxième meilleure amie, Greer.

T libre ce soir ?

Non. Truc tr important demain matin

Fo fêter

Anniv demain

J sais. Exam ds 2 jrs. Fiesta ce soir

Non

J insiste

Dodo. Doit être belle pr truc

Fo pas se fier à beauté pr truc. J insiste tjrs

LOL. Cherche nvelle amie. Peux pas ce soir

T'attends @F @20 h

Non
LOL. 1 verre
C jamais juste 1
Ce soir oui, promis
Peux pas
J $$
Bof… p-être juste 1
Parfait. @20 h

Je repose mon téléphone, le sourire aux lèvres, et j'essaie de décider si l'un de mes ensembles fera l'affaire pour une soirée avec mes amis universitaires.

J'ai presque trente ans, mais j'ai beaucoup d'amis à l'université parce que la seule manière que j'aie trouvée pour survivre depuis ma graduation (et depuis que la banque a arrêté de me prêter de l'argent) est de continuer à vivre comme quand j'étais étudiante, notamment en ingurgitant le plus de bouffe et d'alcool possible lors des nombreuses soirées vins et fromages de l'université. J'ai rencontré Greer en faisant cela, deux groupes d'amis plus tôt. Elle est la seule qui soit restée mon amie après avoir gradué. Elle croit que je suis en train de faire des études supérieures et que j'écris des articles sur la musique pour m'aider à payer mes frais de scolarité. Elle croit aussi que, demain, c'est mon vingt-cinquième anniversaire.

Mes amis de mon âge ont tous déménagé dans des quartiers plus huppés de la ville. Ils travaillent pour des cabinets d'avocats ou de grandes banques, ont les yeux cernés et le teint pâlot. Leur salaire annuel fait le double de ce que mes études m'ont coûté, et les seules soirées vins et fromages qu'ils fréquentent sont celles organisées par leur société pour attirer de nouveaux clients.

Règle générale, ils n'approuvent pas mon mode de vie, ou du moins ce qu'ils en connaissent. Mais je m'en fous. Je vis mon rêve. Mon rêve d'enfance d'être critique musicale. Ça ne paie pas des tonnes, mais c'est la vie que j'ai choisie. Et la plupart du temps, j'en suis satisfaite.

Si je décroche l'emploi à *The Line*, je serai tout simplement au septième ciel.

• • •

Peu après 20 h, je rejoins Greer à notre pub favori, vêtue de l'ensemble numéro deux : le jean skinny enfoncé dans des bottes bourgogne, le tee-shirt du groupe obscur et le veston en velours côtelé noir qui me protège de la brise printanière.

Le pub a l'air d'un bar irlandais typique (papier peint vert forêt, comptoir en chêne foncé, miroirs arborant la marque *Guinness*, odeur de bière éventée), mais nous apprécions son ambiance relax, ses pintes de bière à bon prix et les équipes de rugby qui le fréquentent de temps à autre.

Assise sur son tabouret favori, Greer drague le barman. On entend la chanson de Black Eyed Peas, *I Got a Feeling*, crachée par les haut-parleurs. Greer me commande une bière et un *shooter* de whisky. Je m'assois à ses côtés.

– Hé, tu m'avais promis juste un verre.

– Un *shooter*, ce n'est pas un verre. C'est une mini-introduction à l'alcool.

Greer est écossaise. Elle a de longs cheveux châtains, des yeux verts, un teint de porcelaine et un accent qui rend les hommes fous. Parfois, je la déteste.

16

Ce soir, elle porte un pull couleur herbe fraîche parfaitement assorti à ses yeux et un jean usé à la perfection qui souligne à merveille sa taille fine et élancée. Je suis contente d'avoir pris le temps de coiffer mes cheveux noisette et d'avoir appliqué la couleur précise de mascara qui fait ressortir le bleu ciel de mes yeux. Personne n'a envie d'être éclipsé à son presque trentième anniversaire.

Elle fait tinter son verre de whisky contre le mien.

– Joyeux anniversaire, *lass*[1]. Cul sec !

Je ne devrais pas, mais... oh, et puis tant pis. Après tout, demain, c'est mon anniversaire.

Je bois le *shooter* et je prends quelques bonnes gorgées de bière pour en chasser le goût.

– Merci, Greer.

– De rien. Alors, parle-moi de cette entrevue du siècle. C'est pour un postdoc ?

Un postdoc ? Ah oui, ce boulot affreux qu'on obtient après avoir terminé un doctorat. Le principal inconvénient d'avoir un alter ego universitaire, c'est de devoir se souvenir des détails de mes deux vies.

– Non... En fait, je commence à envisager de changer de branche. C'est une job de journaliste pour un magazine musical.

– Le croirez-vous ? Notre *bairn* grandit !

Greer aime saupoudrer son discours de mots et d'expressions écossaises comme « *bairn* » (un enfant), « *steamin* » (soûl) et son insulte ultime, « *don't be a scrounger* » (« paie-moi un verre, espèce de salaud avare »). Selon le nombre de verres qu'elle a bus, il est parfois impossible de la comprendre sans traduction.

---

1. « Jeune fille » en écossais. (NDT)

– Ça devait bien arriver un de ces jours, poursuit-elle.

Steve, le barman, nous apporte deux autre *shooters*, que Greer paie d'un sourire. En fait, il lui fait seulement payer le quart de ce qu'elle consomme, mais comme je profite souvent de cette générosité, je ne vais pas m'en plaindre.

Elle pousse l'un des verres vers moi.

– Non, je ne peux pas.

– Un *wee dram*[2] ne te fera pas de mal.

– Ne viens pas me dire que vous dites encore *wee dram*? Je pensais que c'était juste bon pour les touristes.

– Je ne peux pas briser le code d'honneur de mon pays. Et c'est *honour* épelé à la britannique, avec un « u ». Et maintenant, *lass*, bois ton verre si tu ne veux pas que je le boive pour toi.

Je vide le verre d'un trait et je manque m'étouffer quand Scott me donne une grosse claque dans le dos. Il est étudiant en histoire. Je l'ai rencontré il y a environ un an dans une soirée, vous l'aurez deviné, de vins et fromages. Nous avons tissé des liens en nous disputant pour déterminer qui avait la connaissance la plus approfondie de U2 et de Counting Crows (moi et moi). Son allure athlétique, ses cheveux blonds et son visage franc sont agréables à regarder, et considérant que nous sommes tous les deux célibataires, je ne sais pas trop pourquoi il n'est jamais rien arrivé entre nous. Peut-être parce qu'il a vingt-deux ans, ce qui le place aux limites de la règle de la moitié-plus-sept (30 / 2 + 7 = 22). Une bonne règle à suivre pour éviter tout imbroglio romantique causé par une différence d'âge inconvenante.

Scott commande à nouveau une tournée. Quand elle arrive, il fait glisser le *shooter* numéro trois vers moi. Je

---

2. « Un petit verre » en écossais. (NDT)

proteste, mais il me décoche un immense sourire souligné par son regard bleu, et il finit par me convaincre... de boire ce verre-là et le suivant. Quand Rob et Toni arrivent un peu plus tard, ils paient les deux coups suivants. Puis, la pièce devient un peu floue et je perds le compte des verres qui suivent.

Le reste de la soirée se déroule comme une série de flashs d'images disparates : Rob et Scott qui chantent des chansons grivoises. Toni qui me raconte qu'elle a cru être enceinte la semaine dernière. Moi qui répète sans cesse que je vais leur en mettre plein la vue, à mon entrevue de demain, plein la vue ! Greer qui parodie les filles de *Coyote Ugly* sur le bar en croulant sous les *shooters* que lui offre Steve. Quelqu'un qui me dépose devant chez moi, qui sonne à la porte et qui repart en ricanant. Joanne qui semble déçue et résignée, puis qui me recouvre d'une couverture.

Je suis couchée dans le fauteuil du salon avec la pièce qui tourne en rond autour de moi, heureuse d'avoir de si bons amis et un boulot extraordinaire qui n'attend que moi.

Demain, demain, demain. Je soulève ma montre près de mon visage pour voir les chiffres qui brillent dans le noir : 3 h 40 du matin. C'est donc déjà aujourd'hui. Hé, ça veut dire que c'est mon anniversaire ! « Joyeux anniversaire à moi, joyeux anniversaire à moi, joyeux anniversaire à moi, joyeux anniversaire... »

• • •

– Katie !
Quelqu'un me secoue violemment.
– Katie ! Réveille-toi !

19

On me secoue de plus en en plus fort.

– Veux-tu bien me lâcher !

– Katie, tu dois te lever. Maintenant !

Joanne arrache la couverture que je tenais sur mon visage, et la lumière du jour m'aveugle.

– C'est quoi, ton foutu problème ?

– Katie, écoute-moi. Ton entrevue est dans quinze minutes !

Les mots font lentement leur chemin dans mon cerveau encore intoxiqué.

Mon. Entrevue. Est. Dans. Quinze. Minutes.

Oh, mon Dieu. *The Line*. La job parfaite. L'entrevue où je dois leur en mettre plein la vue. L'entrevue qui est dans quinze minutes.

Je saute du fauteuil et je titube jusqu'à la salle de bain. Le visage qui m'accueille dans le miroir est un désastre. Mes cheveux sont dressés dans les airs et mes yeux sont cernés par le mascara et l'ombre à paupières de la veille. Je n'en suis pas entièrement certaine, mais je soupçonne que je suis un peu verte.

Je prends quelques bonnes respirations et je m'ordonne de me ressaisir. Sous l'œil empli de reproches de Joanne, je me lance dans une rafale de préparatifs, lavant mon visage avec vigueur pendant que je brosse furieusement mes dents pour en déloger l'arrière-goût d'hier soir. Après quelques coups rageurs de peigne, j'attache mes cheveux et je saisis les vêtements toujours étendus sur mon lit.

– Qu'est-ce qui t'est arrivé hier soir ? demande Joanne.

J'enfile ma jupe et le pull.

– Rien.

– Oui, ça, c'est évident.

– Merci de m'avoir réveillée.

– Tu sais, un de ces jours, je ne serai plus là pour m'occuper de toi.

– Joanne...

– Allez, tu ferais mieux de filer.

Je jette un coup d'œil à mon apparence dans le miroir (pas trop mal, considérant la situation...), et je pars en courant sur le trottoir, cherchant désespérément un taxi. J'avais prévu de prendre le métro pour épargner de l'argent, mais ce plan-là est de toute évidence tombé à l'eau.

Par chance, un taxi s'arrête dès que je lève la main. Tandis qu'il progresse vers le centre-ville, je combats la nausée qui m'envahit et je regarde avec nervosité les minutes s'égrener sur le cadran de la voiture.

8 h 56. 8 h 57. 8 h 58. 8 h 59.

S'il vous plaît, s'il vous plaît, s'il vous plaît.

9 h.

Merde, merde, merde.

9 h 01.

Respirons. Non, impossible.

9 h 02.

Oh, Dieu merci !

Je lance un billet au chauffeur de taxi en bondissant de la voiture et je traverse en courant la rue en pleine heure de pointe. Les freins des voitures crissent et les klaxons retentissent, mais je réussis quand même à atteindre le trottoir en un seul morceau. Une fois dans le hall en marbre et en verre, je ne me souviens plus du tout de l'étage où je dois me rendre.

À 9 h 03 et 9 h 04, j'attends mon tour au comptoir d'informations. Le vingt-neuvième étage, merci !

À 9 h 05, l'ascenseur arrive enfin.

9 h 06 et 9 h 07 s'éternisent tandis qu'on s'arrête à ce qui semble être chaque foutu palier entre le rez-de-chaussée et le vingt-neuvième étage.

Je déboule de l'ascenseur, ouvre d'un coup sec la porte vitrée de *The Line* et essaie de marcher calmement jusqu'au bureau de la réceptionniste. Elle a les cheveux mauves en brosse et une boucle dans le nez. Elle ne peut pas avoir plus de dix-neuf ans.

– Tu es Kate ?

– Oui.

– Ah, enfin, tu es là.

C'est alors que je remarque l'horloge derrière elle.

9 h 15.

Je suis morte.

– J'ai été retenue par la circulation, dis-je faiblement. J'ai l'impression d'être en train de lui débiter une excuse du genre « Le chien a mangé mes devoirs. »

– Oui, c'est vrai qu'à cette heure-là, la circulation peut être assez terrible.

– Oui...

– Ils t'attendent dans la salle Nashville Skyline. C'est au bout de ce corridor.

– Merci.

Je longe un couloir décoré d'affiches représentant des pages couvertures marquantes de *The Line*. Je passe devant une série de salles de conférences. Abbey Road. Pet Sounds. Nevermind. Nashville Skyline.

OK. Ça y est.

Je jette un coup d'œil à mon reflet dans la vitre qui recouvre une photo légendaire de Dylan tenant sa guitare contre sa poitrine et souriant à la caméra. Ce n'est peut-être pas tout à fait l'impression que je désirais donner, mais ma peau n'est sans doute pas réellement de cette couleur, ça doit être un effet d'optique...

Je cogne à la porte.

– Entrez.

Je prends une profonde inspiration et je fais mes premiers pas dans la pièce. Il y a en face de moi six hommes et six femmes assis au bout d'une longue table en chêne massif. Sur le mur, derrière eux, trône une autre photo de Dylan, cette fois en train de chanter avec Joan Baez, leurs deux bouches sur le micro.

Je souris, nerveuse.

– Bonjour. Je m'appelle Kate Sandford. Désolée de mon retard.

Une femme aux cheveux bruns ternes, qui semble avoir la jeune vingtaine, se lève pour m'accueillir. Elle porte une robe noire moulante qui met en évidence ses courbes généreuses.

– Salut, Kate ? Je suis Élizabeth, nous nous sommes parlé au téléphone ? Assieds-toi, je t'en prie ?

Je prends place, seule face au groupe. J'ai de la difficulté à me concentrer sur leurs visages.

– Merci beaucoup de prendre le temps de me rencontrer... Désolée de mon retard. Beaucoup de trafic.

– Nous comprenons ? Tiens, voici Kevin, Bob, Cora, Elliott et Laetitia ? C'est bon, tu as les noms en tête ? Alors, commençons ?

– D'accord.

– Kate, nous avons lu tes articles et les apprécions beaucoup, dit un homme d'une trentaine d'années qui me semble être Bob. Ou peut-être Elliott.

– Merci, Bob.

– C'est Kevin.

– Pardon.

– Pas de problème. Pourquoi veux-tu travailler à *The Line*?

Je me racle la gorge.

– Eh bien, évidemment, ç'a toujours été mon rêve. Bien sûr, ce serait un rêve. En tout cas, j'aime la musique et je lis *The Line* depuis toujours, et… je sais pas, mais croyez-vous aux âmes sœurs? Parce que j'ai toujours pensé que ce magazine était un peu comme mon âme sœur journalistique.

Ma tête se met à cogner. Quel est mon foutu problème? Une âme sœur? Ai-je réellement utilisé les mots « âme sœur » lors d'une entrevue d'embauche?

Nerveuse, je scrute le visage de mes interlocuteurs. Cora (ou Laetitia?) semble avoir de la difficulté à retenir un fou rire.

– Que crois-tu pouvoir apporter au magazine? En quoi es-tu différente de tous les autres candidats?

La voix chantante d'Élizabeth menace de faire remonter la nausée que j'ai combattue dans le taxi.

Essayons encore. Avec émotion, cette fois.

– Eh bien… J'ai un amour inconditionnel pour la musique, vous savez? Comme sur mon questionnaire? J'ai eu beaucoup de difficultés à restreindre la liste de mes influences musicales parce que j'aime vraiment toutes sortes de musiques. Je peux m'éclater… euh… sur une chanson de

Britney Spears, et la minute d'après, je peux écouter, vous savez, du Korn.

Est-ce que je viens de dire que j'aimais la musique de Britney Spears?

Cora/Laetitia ne se donne même plus la peine de dissimuler son hilarité, et je ne l'en blâme pas. La manière de parler d'Élizabeth semble contagieuse, et je suis de moins en moins éloquente. J'ai l'impression que je vais bientôt vomir.

– Parle-moi des groupes dont tu as fais la critique récemment. Quels sont ceux qui se démarquent? demande un homme plus âgé dont le prénom m'échappe complètement.

– Eh bien, j'aime beaucoup ce petit groupe local qui s'appelle... euh... attendez... ça va me revenir dans une minute...

Le rouge envahit mes joues. J'ai un trou de mémoire complet.

– Euh... Je suis sûre que leur nom va me revenir dans un instant... En tout cas, leur musique est un super mélange de... vous savez, ce groupe qui passe toujours à la radio...

Panique totale! J'ai su et mémorisé plus de détails sur l'industrie musicale que la majorité des garçons de quatorze à dix-huit ans, mais me voilà incapable de me rappeler le nom d'un des groupes les plus populaires de l'heure. Une de leurs chansons jouait pourtant à la radio, dans le taxi.

C'est complètement foutu.

– Kate? Ça va? demande Élizabeth.

– Je me sens un peu étourdie. Puis-je m'absenter une minute pour aller à la salle de bain?

Kevin/Bob, ou qui qu'il soit, fronce les sourcils, mais Élizabeth m'indique où se trouvent les toilettes et dit que le groupe m'attendra.

Je longe rapidement le corridor, passant devant les salles Pet Sounds et Nevermind pour me rendre aux toilettes. En arrivant sur place, une odeur âcre de désinfectant me saute aux narines. Je me rafraîchis le visage avec de l'eau et j'agrippe le bord de l'évier pendant que la pièce tourne autour de moi.

Ça ne peut pas être en train de m'arriver. S'il vous plaît, s'il vous plaît, s'il vous plaît... Pas aujourd'hui, pas aujourd'hui, pas aujourd'hui...

Mon estomac se serre, et je me précipite dans l'un des cabinets pour vomir.

Encore.

Et encore.

Quand j'ai terminé, je m'écroule sur le plancher et je presse ma tête douloureuse sur le mur de céramique froid en souhaitant disparaître. Le plus beau jour de ma vie est tout à coup devenu le pire. Je ne peux pas croire que l'entrevue que j'ai attendue toute ma vie en soit arrivée là.

– Kate? Tu es là?

Élizabeth. Fantastique. S'il vous plaît, s'il vous plaît, faites que le sol s'ouvre et m'avale Peut-être même pourrait-il m'emmener directement en enfer, là où je suis certainement attendue. Je bredouille, la bouche pâteuse:

– Je sors dans une minute.

Je tente de me lever, mais la pièce tourne à nouveau autour de moi. Je me jette donc sur la cuvette, et ce qui restait dans mon estomac achève de se vider.

Élizabeth cogne à la porte.

– Kate? Que se passe-t-il là-dedans? Kate?

– Je me sens juste un petit peu malade...

Je vomis encore, et cette fois, ce qui en sort ne ressemble à rien que j'aie déjà pu manger ou boire, en plus de laisser un goût rance et métallique dans ma bouche.

– Tu es soûle, c'est ça?

– Quoi? Non! J'ai simplement mangé quelque chose d'avarié... Je pense que c'était du sushi.

– Écoute, je le sens d'ici? C'est de l'alcool?

Lorsque mon cerveau assimile ces paroles, je retombe sur le plancher, les jambes soudainement trop faibles pour rester debout.

– Peut-être que ce n'est pas de mes affaires, mais j'ai déjà vu ça? Il y a des endroits super, tu sais? Pour les gens avec des problèmes d'alcool?

– Je sortirai dans une minute, d'accord?

– Je pourrais te donner quelques noms? Tu connais le groupe des AA?

Je chuchote, les larmes aux yeux:

– J'ai seulement besoin d'une minute... Juste d'une minute.

– Je ne crois pas qu'il soit nécessaire de continuer l'entrevue? finit-elle par dire. Tu sais où est la sortie?

Immobile, je l'entends quitter la pièce.

Je sais que je devrais prendre mes jambes à mon cou, mais je n'en ai pas la force.

C'est le pire, pire jour de ma vie.

Mon trentième anniversaire est le pire jour de ma vie.

CHAPITRE 2

REDEMPTION SONG[3]

Quand je réussis enfin à m'arracher du sol, je m'enfuis et réussis, je ne sais trop comment, à regagner mon appartement et mon lit.

Et je n'en bouge plus les deux jours suivants. Je ne réponds pas au téléphone. J'ignore tous les textos qui arrivent sur mon cellulaire. Le seul courriel que j'ouvre est celui de *The Line*, très formel, qui me dit en quelque sorte « Merci, mais non merci ».

Quand je n'en peux plus d'être au lit, je déménage ma carcasse dans le fauteuil du salon et je regarde la télévision vingt-quatre heures sur vingt-quatre, perdue dans une espèce de brouillard de vin et de déprime.

Il y en a pas mal à voir. Après le fiasco de l'évasion-de-désintox-plus-chasse-haute-vitesse, LFDAC a disparu. On dit qu'elle se terre quelque part avec son copain intermittent, Connor Parks, un acteur qui a huit ans de plus qu'elle.

La carrière de Connor a explosé lorsqu'il a joué dans le premier film de la franchise *Le Jeune James Bond,* il y a quatre ans. Aujourd'hui, il récolte dix millions de dollars par film. Et il ne s'en cache pas, ayant supposément (selon certaines

---

3. Titre d'une chanson de Bob Marley. (NDT)

sources) loué une île dans le Pacifique sud. C'est là que LFDAC se cacherait selon la presse.

– Comment peux-tu regarder cette merde toute la journée? me demande Joanne de sa voix de fille de vingt-sept ans qui aime prétendre en avoir quarante, le cinquième matin consécutif où elle me trouve enroulée dans un nid de couvertures dans le fauteuil.

Je dissimule une bouteille de vin sous mes pieds.

– Qu'est-ce que ça peut bien te faire?

– Rien du tout. Mais j'aimerais bien avoir le droit de regarder ma propre télé, de temps à autre.

Ah, zut. Qui aurait cru que Joanne avait des sentiments?

– Désolée, Joanne, je ne fais pas exprès d'être aussi empoisonnante.

Elle m'accorde un mince sourire.

– J'accepte tes excuses, à une condition.

– Laquelle?

– Que tu prennes ta douche, que tu t'habilles et que tu sortes.

– Ça m'a plutôt l'air de plusieurs conditions.

– Marché conclu?

– Marché conclu…

Et parce que Joanne a raison, je prends une douche et je sors de l'appartement pour la première fois de la semaine. L'air est propre et doux, comme seul le printemps peut le permettre. Les premiers bourgeons apparaissent dans les arbres, et tout le monde sourit dans la rue ou, du moins, c'est l'impression que j'ai.

Pour la première fois de la semaine, je souris moi aussi. Il est dur de se complaire dans son malheur quand son visage est baigné des chauds rayons du soleil et que l'odeur de fleurs de cerisier emplit ses narines.

Je marche dans mon quartier, réfléchissant à l'état dans lequel je suis. Où s'en va ma vie ? Pourquoi ai-je pourchassé un rêve pendant huit longues années, sans jamais vraiment avancer ? Quelque chose doit changer. Et j'ai bien l'impression de savoir ce que c'est.

Alors, lorsque je rentre chez moi, j'appelle ma meilleure amie, Rory. Nous venons du même village, situé à quelques heures au nord d'ici, et nous sommes amies depuis la maternelle.

Je lui raconte pourquoi ça fait si longtemps qu'elle n'a pas eu de mes nouvelles.

– Et ensuite, elle a dit que j'avais besoin d'une cure de désintox, peux-tu le croire ?

– Euh... à quelle heure veux-tu me voir ?

Rory est banquière d'affaires, sur le point de se voir offrir une promotion monstre. Nous nous rejoignons pour le dîner à son bureau – le seul endroit où je sois sûre qu'elle n'annulera pas notre rencontre à la dernière minute. J'attends nerveusement qu'elle arrive devant le comptoir chromé du *diner* de style années 50 qui se trouve dans un coin du hall d'entrée de la bâtisse.

– Katie !

– Rory !

Je la serre rapidement dans mes bras, en prenant soin de ne pas froisser son tailleur marine de banquière. Son teint hâlé a rarement besoin de maquillage, mais aujourd'hui, elle est pâle et a les traits tirés. Elle semble aussi plus mince que d'habitude, et les cernes sous ses yeux bleu cobalt lui donnent plus l'air d'une héroïnomane chic que d'une grosse pointure du centre-ville.

– Ils ne te laissent jamais aller dehors, ou quoi?

Elle fait une grimace.

– J'irai dehors quand je serai nommée directrice.

– Tu pourrais au moins aller dans un salon de bronzage, tu sais. Ou encore, il y a maintenant des crèmes hydratantes qui ont de l'autobronzant dedans. Ça donne un effet assez naturel.

– Tu peux bien parler! Ne viens-tu pas de passer la semaine terrée dans ton appartement?

– OK, t'as raison...

La serveuse prend notre commande, et nous mettons à jour le menu détail de nos vies respectives.

– Alors, pourquoi tenais-tu à me voir? demande Rory pendant qu'elle picore dans son assiette.

– Ai-je besoin d'une raison pour voir ma meilleure amie?

– Je pensais que l'autre fille, Greer, était ta nouvelle meilleure amie.

– Ne sois pas ridicule! Je fais la fête avec elle, c'est tout.

– Si tu le dis.

– Rory, tu sais que tu es irremplaçable, même si tu deviens une espèce de directrice importante et imbue d'elle-même, qui n'a jamais le temps de voir ses amis.

Elle fronce les sourcils.

– Si je deviens?

– Pardon, je voulais dire «quand tu deviendras».

– Je l'espère bien. Mais ne t'en fais pas, j'aurai encore du temps pour toi.

– Et je te promets de ne pas m'offusquer si tu as honte d'avouer aux gens mon boulot.

– Et qu'est-ce que tu fais, comme boulot, exactement?

Je commence à déchirer ma serviette en papier en petits carrés.

– Oui, eh bien, c'est un peu de cela dont je voulais te parler aujourd'hui.

– Que se passe-t-il?

– Euh... j'espérais que tu puisses me dénicher une job. Je suis prête à tout faire, à commencer dans le département postal ou à être ta secrétaire. Il faut ce qu'il faut.

Elle semble étonnée.

– Tu veux travailler à la banque?

– Bien sûr. Pourquoi pas?

– Mais qu'en est-il de ton rêve de devenir journaliste?

Aïe. Moi qui pensais que j'étais déjà journaliste... Peut-être pas très prospère, mais quand même...

– J'en ai marre de manger des nouilles Ramen, dis-je en tentant de tourner sa remarque à la blague.

– Pourtant, tu fais vraiment des trucs fabuleux avec les nouilles Ramen.

– Ouais, je devrais peut-être écrire un livre de recettes. Alors, qu'en dis-tu?

Elle prend une petite bouchée de sandwich pendant qu'elle réfléchit.

– Tu es sûre que c'est ce que tu veux?

– Oui.

– Bon, d'accord. Je vais voir ce que je peux faire.

– T'es la meilleure, Rory.

– Et ne l'oublie pas!

– Tu ne m'en donnerais pas la chance, de toute façon.

• • •

Deux semaines plus tard, après plus d'entrevues qu'il ne devrait en falloir pour devenir président de la banque, je deviens officiellement la deuxième assistante du directeur du département des fusions et acquisitions. On me donne un petit bureau à côté de l'assistante numéro un et on me dit que je gagnerai cinquante mille dollars par an.

Tandis que j'encaisse ce qui m'arrive, je me sens à la fois excitée à l'idée d'être solvable et malade à celle de travailler dix heures par jour dans une pièce sans fenêtre. Mais bon, je ne peux pas faire la fine bouche et je suis reconnaissante que Rory ait accepté de m'aider.

En dehors de l'argent, l'aspect le plus excitant de ce boulot est le fait de voir Rory de manière assez régulière. Le premier jour, dès que j'ai terminé la visite du bureau, nous étalons notre dîner sur sa petite table de travail incroyablement encombrée.

– Je sais que tu vas sûrement me dire que tu as un système, mais comment diable fais-tu pour trouver quoi que ce soit là-dedans ? dis-je en croquant l'un des cornichons que Rory enlève de son sandwich.

– C'est du camouflage, me répond-elle en prenant une serviette en papier et en la glissant dans le col de sa chemise.

– Bureau occupé, femme occupée, c'est ça ?

– Précisément.

– Tu es très astucieuse.

Ses lèvres esquissent un sourire.

– Merci bien.

– Et merci pour la job.

– De rien.

– On devrait vraiment sortir ce soir et fêter ça.

– Je ne peux pas. Je n'ai pas vu Dave depuis une semaine. Je dois lui rappeler de quoi j'ai l'air.

Dave et Rory sortent ensemble depuis leur première année d'université, et il est la seule personne que je connaisse qui travaille plus fort qu'elle. C'est fou, on dirait deux clones, et en plus, ils se ressemblent suffisamment pour qu'on les prenne souvent pour frère et sœur. En théorie, ils devraient me donner envie de vomir, mais en vérité, ils sont juste Rory et Dave, des amoureux qui sont en plus meilleurs amis. Nous devrions tous avoir la même veine.

– Oh, je crois qu'il se souviendra de toi, dis-je.

– Je ne prendrai pas de chance.

Elle mordille le coin de son sandwich. La quantité de nourriture qu'elle avale chaque jour ne me permettrait même pas de survivre jusqu'à 11 h du matin.

– Alors, je fais cavalier seul, ce soir ?

Elle fronce les sourcils.

– Dis-moi, as-tu vraiment besoin de sortir ?

– Oui, maman.

– C'est juste que... parfois, tu supportes mal l'alcool.

– Pardon ?

Elle dépose son sandwich sur la table.

– Écoute, ne le prends pas mal, mais pourquoi travailles-tu ici, en premier lieu ? Parce que tu t'es soûlée quand tu n'aurais pas dû le faire, non ?

Quoi ?

– C'était mon anniversaire.

– C'était la veille de ton anniversaire.

– Ne joue pas avec les mots, Rory.

– Là n'est pas la question.

– Alors quelle est la question?

Elle hésite.

– Peut-être que tu devrais diminuer un peu ta consommation. Surtout si tu veux que ça marche, ici.

Je roule mon emballage de sandwich en boule et je me lève.

– À lundi.

– Katie, j'essaie simplement de t'aider.

– Eh bien, tu ne m'aides pas, d'accord? Je sais que j'ai raté mon coup. J'ai fait une erreur stupide. Mais tu parles comme si je ne pouvais pas prendre une bière avec mes amis... comme si je devais être en... en cure de désintox ou quelque chose du genre...

– N'est-ce pas ce que la femme de *The Line* t'a suggéré?

– Elle ne me connaît même pas.

Sa bouche se crispe.

– D'accord... Tout ce qu'elle sait, c'est que tu t'es présentée à une entrevue à 9 h du matin encore défoncée de ta sortie de la veille. Quelle idiote de croire que tu pourrais avoir besoin d'aide professionnelle.

J'ai le sang qui bout.

– Tu peux bien parler!

– Qu'est-ce que tu veux dire?

– Allez, Ror. Tu pèses combien, maintenant? Quarante kilos? C'est quand, la dernière fois que tu as mangé ne serait-ce que la moitié d'un repas?

Elle me regarde avec tant d'intensité que je pense qu'elle pourrait me frapper. Puis, elle prend le reste de son sandwich et le fourre en entier dans sa bouche, mastiquant avec agressivité.

– T'es contente? me demande-t-elle, la bouche pleine.

Nous nous regardons fixement, toutes les deux furieuses.

Je ne sais pas laquelle d'entre nous craque la première, mais soudain, nous voilà pliées en deux de rire. Rory se couvre la bouche avec sa main pour s'empêcher de cracher des morceaux de sandwich.

– Tu sais, je crois que c'était notre première chicane, dit-elle après s'être calmée.

– Fallait que ça arrive un jour.

– On fait la paix ?

– On fait la paix.

• • •

Malgré (et peut-être à cause de) ma dispute avec Rory, je donne rendez-vous à Greer au pub. Quand j'arrive, elle est assise sur son tabouret habituel, inondée de verres gratuits, gracieuseté de Steve.

Steve ricane en me tendant une bière.

– Salut, la fêtée.

– C'est quoi, son truc ? demandé-je à Greer quand il s'éloigne.

– Tu ne t'en souviens pas ?

J'ai soudain un flash. Je me revois debout sur le tabouret du bar, hurlant « Qui est la fêtée ? C'est moi ! Je suis la fêtée ! »

– Non, attends... ne me le rappelle pas. Je préfère ne pas le savoir.

– C'est une histoire rigolote, *lass*.

– Encore avec tes expressions stéréotypées d'Écossaise.

– Et alors ? Quel mal y a-t-il à être un stéréotype ?

Steve m'apporte une bière et un *shooter* et agite sa main en signe de refus quand j'essaie de le payer.

– Tu n'as plus besoin de m'offrir des verres, à présent, Steve. J'ai un vrai boulot, maintenant.

– Il ne te paie pas de verres. Il essaie d'avoir accès à ma culotte, dit Greer.

Steve rougit et fait semblant d'avoir à essuyer le comptoir à l'autre bout du bar.

– Tu profites de lui, tu sais.

Greer lance ses cheveux derrière son épaule et regarde Steve d'un air lascif.

– Tu crois vraiment que je pourrais?

– Voyons!

– Intéressant.

Je fais pivoter mon tabouret vers Greer.

– Alors, quoi de neuf? On dirait que je ne t'ai pas vue depuis des siècles.

– C'est toi qui as choisi l'exil, non?

– J'aime mieux me dire que c'était une petite pause. Un genou, si tu préfères.

– Un genou?

– Oui, tu sais, au football, quand l'entraîneur veut parler à son équipe, il leur dit : «Sur le genou». Ça veut dire «Mettez-vous sur un genou», mais aussi «Écoutez, j'ai besoin de votre attention».

Elle fronce les sourcils.

– Mais pourquoi faut-il se mettre sur un genou pour écouter quelqu'un?

– C'est vrai que c'est un peu bizarre.

– Et les joueurs de football font ça?

– Oui, et je parle du football américain, pas du soccer.

– Oui, oui.

– De toute façon, j'étais en sabbatique pour réfléchir au bilan de ma vie.

– Et ?

– Et il s'est avéré que ma vie était nulle à l'extrême.

– Était ?

Je porte le *shooter* à mes narines, en respire son odeur forte et sucrée.

– Elle est en cours de réparation.

Greer lève son verre.

– Ça vaut un verre, ça !

– Et comment !

Je verse le contenu du *shooter* dans ma gorge et je le fais suivre de la moitié de ma bière. Alors que l'alcool se répand dans mon corps, je me sens plus légère que je ne l'ai été depuis cette journée désastreuse à *The Line*.

Ça fait du bien d'être de retour.

• • •

D'un verre à l'autre, j'émerge de mon lit vers midi le lendemain. Je suis la piste d'odeurs délicieuses qui mènent vers la cuisine. J'y trouve Joanne aux fourneaux, préparant une sauce, arborant son uniforme de fin de semaine : un immense pyjama en flanelle.

– Qu'est-ce que c'est ? Ça sent bon.

Je prends une cuillère et tente de goûter sa mixture. Elle tape sur ma main.

– Ce n'est pas pour les gens qui ne répondent pas à leur téléphone et ne retournent pas leurs messages.

– C'est quoi, ton problème ?

– Je ne suis pas ton service de répondeur.

– De quoi tu parles?

– Une fille qui s'appelle Élizabeth t'a appelée un million de fois hier.

Mon cœur s'arrête de battre.

– Élizabeth de *The Line*?

– Oui, je crois.

– C'est une blague?

Drôle de question, puisque Joanne ne fait jamais de blagues. Elle brasse la sauce avec vigueur et replace le couvercle du chaudron.

– C'est quoi, ton problème? Élizabeth t'a appelée. Elle veut que tu la rappelles. Immédiatement.

Je ne la crois toujours pas. Je demande encore:

– Sa voix était comment?

Joanne hausse les sourcils.

– Elle parle comme ça? Comme si elle posait des questions? Chaque foutue seconde?

Oh. Mon. Dieu. C'est réellement Élizabeth! Elle m'a appelée. Elle veut que je la rappelle. Yé, yé, yé!

Je suis si submergée de joie que je serre Joanne dans mes bras. Elle reste plantée comme une statue pendant que je saute sur place, mais je m'en fous. Élizabeth de *The Line* m'a appelée, et tout est pour le mieux dans le meilleur des mondes!

• • •

Je passe le reste de la journée à tourbillonner de nervosité. Même si on est samedi, je vérifie ma boîte vocale toutes les quinze minutes pour voir si Élizabeth a retourné mon appel.

Quand le soleil se couche et que je constate qu'elle ne m'a toujours pas contactée, je me sers quelques grands verres du vin-que-Joanne-ne-touchera-jamais, dans une vaine tentative pour m'endormir. Puis comme ça ne marche pas, j'allume la télévision, je syntonise la chaîne E! et je regarde les dernières nouvelles au sujet de LFDAC.

LFDAC a été très occupée depuis que j'ai arrêté de regarder la télé du matin au soir. Elle a rompu encore une fois avec Connor Parks et a pris une cuite pour s'apitoyer sur elle-même. Puis, une vidéo sur laquelle on la voit en train de fumer une pipe de crack a commencé à circuler. Quelques jours après, ses parents l'ont amenée dans un centre de désintox à sécurité maximale, au nord de la ville, où elle doit demeurer au moins trente jours. On revoit *ad nauseam* les images d'elle entrant dans une succession de bars, allumant la pipe et se présentant au centre de désintox, jusqu'à ce que même les journalistes aient l'air de les trouver ennuyeuses.

Je finis par m'endormir vers 4 h du matin, mais je me fais réveiller à 8 par une Joanne furieuse qui me tend le téléphone, le bras tendu bien droit.

– Il faut qu'on cesse de se croiser comme ça, dis-je, endormie.

– C'est Élizabeth? De *The Line*?

Je saute sur le téléphone, les yeux à moitié ouverts.

– Allo?

– C'est Kate?

– Oui, c'est Kate.

– C'est Élizabeth, de *The Line?* On s'est rencontrées il y a quelques semaines?

– Oui, salut, je me souviens de toi.

– Nous voulions savoir si tu pourrais venir nous rencontrer, au sujet d'un nouveau poste ? Peut-être ce matin à 10 h ? Je sais que c'est dimanche, mais j'ai tenté ma chance ?

– Oui, bien sûr, je peux venir vous rencontrer. À 10 h, c'est parfait.

– Super. Viens au même endroit que la dernière fois ?

Je raccroche, puis je cours vers la salle de bain pour commencer à me préparer. Ce mouvement brusque met mon estomac à l'envers, mais je me secoue et je saute dans la douche, chantant «*I am, I am Superman!*» à tue-tête pendant que je me lave les cheveux.

Celui qui a dit qu'il n'y a pas de seconde chance dans la vie est un idiot.

• • •

J'arrive aux bureaux de *The Line* avec vingt minutes d'avance. Mes cheveux sont coiffés, mon maquillage est impeccable et mes vêtements sont repassés. Cette fois-ci, j'ai choisi le tailleur, en espérant que son aspect respectable ait déteint sur moi. Mon estomac est encore un peu à vif, mais je me dis que c'est la nervosité. Au moins, je sais que je ne sens pas l'alcool, ayant frotté chaque centimètre de ma peau au luffa, au cas où.

À 10 h pile, Élizabeth apparaît dans le hall silencieux, portant une jupe grise extrêmement courte et un pull bleu moulant.

– Salut, Kate ? Comment ça va ?

– Super. Merci beaucoup de me donner une deuxième chance.

– De rien ? Alors, tu vas rencontrer Bob ? Tu te souviens de lui ?

Je repense à la mer de visages assis autour de la table de conférences. J'essaie de mon mieux de me rappeler Bob, mais rien à faire.

– Oui, bien sûr.

– Parfait ! Son bureau est deux étages plus bas ?

Je prends l'ascenseur jusqu'à un palier où la décoration n'a pas été mise à jour depuis au moins vingt ans. C'est chic à la *Miami Vice*, et il y a quelque chose d'un peu louche dans l'air.

Ne voyant personne, j'appuie sur la sonnette encastrée dans le mur à côté d'une lourde porte en bois. Quelques secondes plus tard, celle-ci s'ouvre, s'effaçant devant un homme blond et trapu qui ressemble à Philip Seymour Hoffman, ce qui est ironique quand on y pense, puisque PSH jouait le rôle d'un employé de magazine musical dans le film *Almost Famous* et... Concentre-toi, Katie, concentre-toi !

– Salut, Bob. Merci beaucoup de m'avoir demandé de revenir après... enfin, tu sais. En tout cas, je suis très heureuse d'être ici.

Il m'adresse un mince sourire.

– Oui, bien, quand ce mandat s'est présenté, nous avons pensé à toi... la raison en est évidente. Allons à mon bureau.

OK, alors c'est un mandat, pas une job à temps plein. Mais tout le monde doit commencer quelque part, non ?

Je le suis le long d'un corridor sombre, jusqu'à une autre porte brune anonyme. Il glisse une carte magnétique dans un petit appareil fixé contre le mur, actionnant le mécanisme d'ouverture. La pièce derrière la porte comporte une longue allée de bureaux à aire ouverte vides, remplis de tasses de café abandonnées et divisés par des murs de tissu.

– C'est une sorte de centre d'appels ?

– On pourrait dire ça. Par ici.

Il tourne à droite et longe un étroit couloir situé au centre des bureaux en désordre. Je m'apprête à le suivre quand je vois une affiche en papier fixée sur le mur du fond. On peut y lire :

GOSSIP CENTRAL :

SI VOUS NE TROUVEZ RIEN DE MÉCHANT À DIRE,

TROUVEZ LA PORTE.

Quoi ?

Je réalise que Bob s'éloigne et je me dépêche de le rejoindre. Au bout du couloir se trouve une troisième porte brune. Mon hôte passe encore sa carte magnétique dans une nouvelle machine, et la porte s'ouvre.

– Il y a beaucoup de sécurité, désolé, marmonne-t-il. Mais avec la nature des informations que nous traitons, il faut prendre toutes les précautions nécessaires.

Depuis quand les critiques d'albums sont-elles de l'information privilégiée ?

– Bien sûr, réponds-je pour lui faire plaisir.

Bob pointe du doigt la chaise devant son bureau de mauvaise qualité.

– Assieds-toi.

Je m'assois, hésitante. Quand ce mec va-t-il enfin mettre fin à ma souffrance et me dire quel est le mandat qu'il veut me proposer ?

– Alors, Élizabeth t'a mise au courant ?

– Euh, non, pas vraiment.

– Bon, il faudra que tu partes immédiatement, parce qu'on ne peut pas prédire combien de temps elle y sera. Tout est arrangé, le personnel t'attend. Ce sera un mandat de trente jours minimum, mais je te préviens, ça pourrait s'étirer. Nous couvrirons tes dépenses et nous te paierons le tarif habituel par mot. Nous visons un article de cinq mille mots, mais nous discuterons de la longueur finale une fois que nous connaîtrons tes infos.

Il ramasse une lourde enveloppe brune sur son bureau et me la tend.

– Voici les informations générales que nous avons réussi à amasser. Le dossier est assez détaillé, et ce sera un bon début. Bien sûr, tu n'as pas le droit de boire ou de faire quoi que ce soit qui puisse mettre ton séjour en danger. Si tu te fais renvoyer, ton contrat est annulé. Tu as des questions?

Mais merde, de quoi il parle, ce mec?

– Je suis désolée, mais je ne comprends vraiment rien. De quel mandat parlez-vous? Où dois-je aller?

Bob me fait un nouveau sourire coincé, mais cette fois, il y a une lueur de joie dans son regard.

– Tu vas en centre de désintox.

CHAPITRE 3

HOUSTON, NOUS AVONS UN PROBLÈME

Alors me voici, le lendemain de ma rencontre avec Bob, le sosie de Philip Seymour Hoffman, assise dans le plus petit avion que j'aie jamais vu. Le service de bar commence dans cinq minutes, et le vol durera quarante-deux minutes exactement. Nous monterons à une altitude de sept mille mètres et, oui, il y aura des turbulences tout le long du trajet. Souvenez-vous, mesdames et messieurs, que si le masque tombe à cause d'une baisse de pression dans la cabine, il faut le placer fermement sur votre bouche et respirer normalement. Et si vous n'étiez pas au courant, ce vol est non fumeur.

Voyons, maintenant. Ai-je oublié quelque chose ?

Ah oui... Je suis en route vers le centre de désintox.

Il s'avère qu'en plus d'être l'un des rédacteurs de *The Line*, Bob est aussi le rédacteur en chef de *Gossip Central*, un magazine à potins en expansion dans un monde de magazines à potins en expansion. Sa spécialité, c'est d'obtenir des scoops extrêmement personnels sur les célébrités. Il s'est fait connaître quand l'une de ses journalistes a joué le rôle d'une nounou pour une actrice célèbre qui aime bien adopter des enfants de pays du tiers-monde. Apparemment, il y a pas mal de lecteurs qui veulent savoir quelle marque de petites culottes elle porte.

En fournissant de tels détails, *Gossip Central* a ainsi vu ses parts du marché grandir, et son tirage a dépassé en nombre la population de la Nouvelle-Zélande. Du moins, c'est ce que prétend son site Internet.

Pour en revenir à ma mission secrète, il paraît que Bob essaie d'obtenir des renseignements sur La Fille D'À Côté depuis des années. Le problème, c'est qu'elle ne fréquente que des gens quasi célèbres, même son coiffeur, sa maquilleuse et sa relationniste. Après quelques vaines tentatives d'espionnage, l'idée est tombée à l'eau, et *Gossip Central* s'est concentré sur d'autres cibles plus accessibles.

Et puis, LFDAC est partie en centre de désintox.

Au sein de *Gossip Central*, personne ne sait qui a eu l'idée du siècle. Quelqu'un (Bob m'a dit qu'ils étaient plusieurs à vouloir en tirer le crédit) a hurlé pendant la réunion éditoriale hebdomadaire, et l'idée s'est ensuite répandue comme une traînée de poudre : « On devrait la suivre au centre de désintox. » « C'est parfait ! » « Celui qui a eu cette idée de génie mérite une promotion ! » « C'était mon idée. » « Non, c'était la mienne ! » Etc.

Quand Bob a réussi à calmer tout le monde, ils ont passé beaucoup de temps à discuter de la question complexe du journaliste à dépêcher. Il fallait que ce soit quelqu'un qui puisse réellement paraître avoir besoin d'une désintox, mais qui puisse aussi écrire un article génial. Impossible que ce soit une personne ayant des liens évidents avec *Gossip Central*, mais il fallait tout de même pouvoir lui faire confiance. Bob et son équipe se sont creusé la tête, puis ont dû mettre l'idée sur la glace quand LFDAC a fui du centre de désintox.

Vous connaissez le reste de l'histoire. Je me suis présentée à moitié soûle à mon entrevue. Ils adoraient mon travail avant de me rencontrer, puis ils m'ont vue. La vidéo de LFDAC inhalant du crack est apparue, et elle est retournée en désintox. Une ampoule s'est alors allumée dans la tête de Bob : et si le ou la journaliste qui devait espionner l'actrice avait réellement besoin d'être en cure aussi ? Il ou elle semblerait ainsi être à sa place, et aurait même une chance de développer une amitié avec LFDAC. Qui répondait à ces critères ?

Donc, ils m'ont appelée. *Gossip-Central* voulait m'engager pour aller en centre de désintox et espionner/me lier d'amitié avec LFDAC afin de raconter son histoire. Le magazine paierait les frais de mon séjour (mille dollars par jour) et deux dollars par mot pour l'article. Et si je faisais du bon boulot (et demeurais sobre), ils repenseraient à moi pour le poste à *The Line*, qui était toujours vacant.

Quand j'ai enfin décroché ma mâchoire du plancher, j'ai accepté son offre.

Si rapidement que c'en était gênant.

J'aimerais pouvoir dire que la décision a été difficile à prendre, que j'ai hésité à l'idée d'aller en cachette dans un centre de désintox pour voler les secrets d'une jeune femme prise dans un tourbillon d'autodestruction. J'aimerais pouvoir dire que j'étais indignée à l'idée que Bob ait pu penser que je pourrais accepter une telle mission, ou même que je pourrais convaincre qui que ce soit que j'avais besoin d'une désintox. Mais ce ne serait pas vrai. Et la première étape de la guérison est d'admettre qu'on a un problème, n'est-ce pas ?

Alors, d'accord, j'en ai un.

Et puis, je veux tellement travailler à *The Line* que je serais prête à faire n'importe quoi pour impressionner Bob. Donc, s'il faut que j'espionne LFDAC pendant un minimum de trente jours en demeurant sobre, eh bien, soit, je le ferai.

• • •

Quarante-deux minutes et quatre verres de gin tonic plus tard (je ne pourrai pas boire pendant les trente prochains jours, et je n'ai jamais aimé prendre l'avion), l'avion atterrit, et je descends en titubant légèrement sur le tarmac ensoleillé.

J'ai grandi dans un village situé à environ quarante minutes d'ici, en dessous d'une station de ski. Un village si petit qu'on n'y trouve pas de supermarché, juste Le Petit Marché, où tout coûte deux fois plus cher et contient le double de calories. Il n'y a pas de McDonald, pas de rue principale, pas d'hôtel de ville, pas de palais de justice. Seulement un magasin qui vend de l'alcool et un village du père Noël, c'est à peu près tout. Le taux de chômage y est astronomique, l'école secondaire est à quarante kilomètres, et la plupart de ses résidants ne font pas de ski même si la montagne la plus haute de la région est dans leur cour arrière.

Mes parents sont l'exception qui confirme la règle. Éduqués et issus de la classe bourgeoise, ils sont amoureux de plein air et ont choisi de déménager dans ce village vers la fin des années 70, dans un élan d'idéalisme hippie, afin d'y établir une commune avec d'autres amis partageant les mêmes intérêts qu'eux. Six mois, quatre amitiés rompues et deux divorces plus tard, il ne restait plus que mes parents dans la maison à moitié finie, perchée sur une route sans issue, dans un village sans issue. Ils ont fini la maison juste avant ma naissance. Quand ma sœur est née, quelques années plus tard, nous avions même l'eau courante. Ma mère enseigne maintenant l'anglais à l'école secondaire, et mon père est directeur adjoint du centre de ski.

J'ai quitté le village juste après avoir terminé le secondaire, et je ne l'ai jamais regretté. Je ne suis pas devenue riche et célèbre, mais j'ai survécu. Je me débrouille pour gagner ma croûte dans une ville qui recrache souvent les filles naïves des petits villages comme s'il s'agissait de simples noyaux de cerises.

Ça fait quatre ans que je ne suis pas retournée chez moi.

Quand je sors de l'aéroport, ce jour-là, je suis accueillie par une jeune femme qui a environ mon âge. Ses cheveux caramel tombent sur ses épaules, et ses yeux sont bruns et ronds. Elle porte des pantalons kaki et un tee-shirt à col bleu foncé, orné d'un logo blanc représentant l'Oasis Cloudspin.

– Salut, Katie. Je m'appelle Carol et je suis la responsable des arrivées à l'Oasis.

Elle parle avec l'accent local dont j'ai réussi à me débar-rasser après beaucoup d'efforts.

– Salut, Carol. Merci d'être venue me chercher.

Bon, en réalité j'ai peut-être dit «Merchi d'être venue me checher», mais je n'en suis pas trop sûre.

– As-tu bu, Katie?

Euh, allo! Bien sûr que j'ai bu. Je suis censée être une alcoolique

– J'ai juste pris quelques verres dans l'avion pour me calmer les nerfs.

Jusss pris queques verrrres.

– Nous devons conduire environ une demi-heure pour arriver à l'Oasis.

– Je sais. J'ai grandi près d'ici.

Elle sourit.

– Alors, tu t'y sentiras comme chez toi.

Absolufichtrement.

Nous grimpons dans la camionnette du centre, et Carol se dirige vers l'autoroute. Je joue avec le bouton de la radio, cherchant le poste que j'écoutais en grandissant. Je capte quelques sons sur la radio de piètre qualité. Les Plain White-T's chantent *Hey There Delilah*.

Me sentant étrangement heureuse (c'est le combo super chanson plus buzz d'alcool), je baisse la fenêtre et respire l'odeur des montagnes. Peut-être les bois sentent-ils la même chose partout, mais ce mélange de pin acidulé et de terre limoneuse, c'est l'odeur de chez moi.

Sept chansons plus tard, Carol ralentit et s'engage dans l'allée qui mène à l'Oasis Cloudspin. Trois voitures sont garées de l'autre côté de la rue. Un groupe d'hommes à l'allure louche sont allongés sur leurs capots, tenant des appareils photo et fumant des cigarettes. Quand nous nous arrêtons aux grilles, l'un d'entre eux soulève son appareil sans grand enthousiasme et s'approche de la camionnette. Je lui souris, mais il fait un geste écœuré quand il s'aperçoit que je ne valais pas le déplacement.

Carol appuie sur le bouton d'un interphone situé sur un montant en métal et marmonne quelque chose qui ressemble à «Soupe chaude». Les portes s'ouvrent en grinçant et nous entrons.

– Pourquoi y a-t-il des paparazzis ici? demandé-je d'un air innocent.

Elle me jette un coup d'œil.

– De temps à autre, nous avons des patients célèbres. Ignore-les.

Nous suivons la courbe que dessine une longue allée bordée d'immenses pins. Carol arrête la camionnette devant l'entrée d'un immeuble en bois pourvu d'une grande aile de chaque côté. L'immeuble semble neuf, neuf, neuf, avec un revêtement extérieur vert et des moulures d'un blanc impeccable. Il y a un lac derrière, et les montagnes couvertes de pins s'élèvent en pente raide tout autour.

Je sors de la camionnette. L'odeur familière de pin et de terre est encore plus forte qu'avant, me faisant sentir étrangement à mon aise.

Je me sens comme chez moi en désintox… Qu'est-ce que ça peut bien vouloir dire ?

Carol sort ma valise de l'arrière de la camionnette et la tire vers l'entrée.

– Katie, tu comprends que lorsque tu commences le programme, tu ne peux pas partir d'ici pendant trente jours, n'est-ce pas ?

– C'est ce qu'on dit.

J'essaie d'avoir l'air sérieuse, mais j'ai envie de rire.

Il faut croire que l'effet des cocktails que j'ai bus dans l'avion n'a pas totalement disparu.

J'essaie à nouveau.

– Je veux être ici. J'en suis sûre.

– Parfait.

Nous entrons dans l'édifice par une solide porte en chêne. La réception du centre ressemble à un hall d'hôtel, avec un comptoir d'enregistrement rond en plein milieu. Le décor de la pièce est composé d'un mélange de meubles en bois couleur miel et de peinture bleue, et l'ensemble est inondé de la lumière naturelle qui émane des immenses puits creusés à même la toiture. Je pose ma main sur le dossier d'un des fauteuils rembourrés, afin de reprendre mon équilibre.

L'ambiance semble si coincée et solennelle que ça donne un peu le vertige.

– Voici le docteur Houston, le chef de notre équipe médicale, dit Carol en me présentant un homme charmant, d'une quarantaine d'années, debout derrière le comptoir. Il a les cheveux noirs, les yeux verts et des traits bien dessinés. Il porte une blouse blanche avec un stéthoscope dans sa poche droite. Carol prononce son nom «house-tonne», comme la rue new-yorkaise.

– Bienvenue à l'Oasis Cloudspin, dit-il.

Je serre la main tendue. Elle est froide.

– Je m'appelle Katie Sandford.

– Enchanté de faire ta connaissance, Katie. Tu sais, nous demandons à nos patients de ne pas utiliser leur nom de famille. Cela protège leur anonymat.

Ça fait parfaitement mon affaire.

– Pas de problème.

– Parfait. Carol va t'aider à t'inscrire. Une fois que tu auras terminé, présente-toi à mon bureau pour ton évaluation médicale.

– OK, d'acc.

Il fronce les sourcils.

– Katie, as-tu bu aujourd'hui?

Voyons! Tout le monde se présente en désintox soûl ou drogué, ou les deux, non? Les patients ne font-ils pas leur dernière fiesta dans le stationnement? Comme le mec dans le film, comment s'appelle-t-il déjà... celui qui se cache en désintox parce que la fille avec qui il a eu une aventure d'un soir est morte d'une surdose de drogue... Comment s'appelle ce foutu film? Ça va m'agacer toute la journée, je le sens. Ah, tiens, ça y est. *Clean and Sober*. Michael Keaton. Ouf.

– Juste un petit peu.

Carol prend une pile de formulaires sous le comptoir et me les tend.

– Tu devras les remplir. Installe-toi à cette table, si tu veux.

Elle pointe du doigt un bureau dans un coin du hall.

– Fais-moi signe quand tu auras terminé.

– D'accord.

Je marche/titube vers le bureau et m'y assois. Il est fait d'une seule pièce de bois de cerisier si astiquée que j'y vois mon reflet. Mes cheveux sont ébouriffés et mes yeux, à demi-fermés.

Mon dieu, j'ai vraiment une sale tête. Pas étonnant qu'on n'arrête pas de me demander si j'ai bu. Bon, au moins, j'ai le physique de l'emploi.

Je parcours le premier formulaire. C'est du jargon juridique, mais de ce que j'en comprends, j'accepte de renoncer à mon droit de quitter le centre pour une durée de trente jours. Une fois que j'aurai signé, la seule façon que j'aurai de sortir d'ici sera d'en être expulsée.

Je joue avec le bout du stylo, clic, clic, clic, réticente à l'idée d'écrire mon nom au bas de ce bout de papier.

Pourquoi hésites-tu ?

Eh bien... trente jours, c'est sacrément long.

Tu la veux, cette job, oui ou non ?

Bien sûr que je la veux.

Bon ! Alors, signe ce foutu formulaire.

D'accord, d'accord.

J'inspire un bon coup et je signe sur la ligne en pointillé. Trente jours en désintox. C'est réglé.

Je passe ensuite à travers le reste des formulaires, fournissant mes informations personnelles et mes antécédents médicaux, jusqu'à ce que j'arrive à une page intitulée «Êtes-vous alcoolique?» Je jette un coup d'œil aux questions, et voilà que je commence à me sentir mal. Il faut dire que boire le jour (OK, le matin), ce n'est pas normalement mon truc, et je commence à en souffrir.

Je rapporte les formulaires à Carol.

– Tu as tout fini?

– Est-ce que tu crois que je pourrais terminer une autre fois? Je ne me sens pas très bien…

Elle semble compatir.

– Bien sûr. Je vais t'accompagner au bureau du docteur Houston.

Une vague nauséeuse traverse mon estomac, et je m'agrippe au bord du comptoir.

– Dois-je y aller maintenant? Je ne pourrais pas aller simplement dans ma chambre ou quelque chose du genre?

– Je suis désolée, Katie, pas encore. Nous devons d'abord procéder à un examen médical.

J'inspire et expire profondément, et la nausée s'apaise.

– D'accord, aussi bien s'en débarrasser tout de suite.

– Bien sûr. Suis-moi.

Elle m'entraîne dans l'aile à droite du hall, où je suis plus que ravie d'apercevoir une salle de bain. J'en ouvre la porte, et Carol me suit à l'intérieur. La vue d'une cuvette accélère ma nausée, et je tombe à genoux, respirant profondément et lentement. Pendant un instant, je pense que ça va aller. Que je ne vomirai pas devant cette femme que je ne connais même pas. Mais la nausée revient, et l'alcool et les deux paquets de noix que j'ai consommés dans l'avion quittent mon corps dans un jet liquide.

C'est la dernière fois que je bois dans les airs, promis.

Carol s'accroupit à mes côtés, retenant mes cheveux et me frottant le dos. Si je ne souffrais pas autant, je rirais à l'idée que cette parfaite inconnue soit en train de jouer le rôle du petit ami. Mais je me sens plutôt atrocement envahie dans mon intimité.

Si seulement le mignon docteur Houston était ici... Oh, mon Dieu. Pas encore.

Quand j'ai enfin terminé de vomir, je rince ma bouche pour en chasser le goût métallique et brûlant, puis je sèche mon visage avec un morceau de serviette en papier.

– Ça va?

– À merveille.

Quand nous arrivons au bureau du docteur Houston, j'enfile une mince chemise d'hôpital. Carol ramasse mes vêtements et me dit qu'elle sera de retour quand l'examen sera terminé.

Étourdie, je m'allonge sur la table d'examen. Les minutes passent, et je me sens somnolente. Je bâille. Il fait froid, ici. Ce serait bien d'avoir une couverture. Ce n'est pas très sympa de ne pas avoir pensé à m'en fournir une.

– Carol m'a dit que tu as été malade.

La voix du docteur Houston me fait sursauter en plein demi-sommeil.

J'ouvre les yeux. Il est penché sur moi, l'air inquiet.

Hum... il est vraiment très mignon. On croirait qu'il est le grand frère de Jason Patrick.

– Tu te sens mieux?

Mieux est un terme très relatif, en ce moment.

– Un peu.

Il saisit un tabouret rond en métal et s'assoit dessus.

– Super. Je vais commencer l'examen, d'accord?

– OK.

– Ça risque de te sembler un peu froid.

Le docteur Houston détache ma chemise et place son stéthoscope glacé sur ma poitrine. Je retiens mon souffle.

– Inspire profondément.

Il parcourt ma poitrine avec son instrument.

– OK, expire, maintenant.

Il retire ensuite le stéthoscope de ses oreilles.

– Tu es ici pour quoi, Katie? Alcool? Pilules? Cocaïne?

Il examine mes bras l'un après l'autre. Y cherche-t-il des traces de piqûre?

– Alcool.

Il sort un faisceau lumineux de sa poche et le dirige vers mes yeux.

– Rien d'autre?

– Non. Je bois, c'est tout.

– Combien de verres bois-tu par jour, d'habitude?

Qui diable tient le compte de sa consommation?

– Eh bien, ça dépend...

Il m'enfile un brassard pour prendre ma tension artérielle et le gonfle jusqu'à ce que mon avant-bras devienne blanc comme neige.

– En moyenne, ça donne quoi?

Qu'est-ce qu'un alcoolique peut bien boire par jour? J'aurais vraiment dû faire plus de recherches avant de venir ici. De toute évidence, ce n'est pas suffisant d'avoir pourchassé LFDAC jusque dans les confins de Google.

– Je ne sais pas... deux bouteilles de vin, peut-être...

Il appuie sur mon ventre.

– Chaque jour?

Peut-être ai-je exagéré?

– Oui.

– Assieds-toi, s'il te plaît.

Je m'assois, et il tapote de ses doigts le long de mon dos, qui sonne creux.

– Depuis combien de temps?

– Euh... un an?

– C'est le vin, ta boisson de prédilection?

Je repense à l'épuisement des réserves du vin d'investissement de Joanne, et mon estomac se serre de nouveau. Je jette un coup d'œil vers le lavabo dans le coin de la pièce, calculant mentalement combien de temps il me faudrait pour m'y rendre. Je suis à peu près sûre que je mettrais au moins sept secondes.

– Ça va? demande le docteur, tout à coup inquiet.

Inspire, expire. Je. Ne. Vomirai. Pas. Encore. Une. Fois.

– Je crois.

– Tu as le teint vert.

– C'est un terme médical, « vert »?

Le coin de sa bouche tressaute.

– Ta pâleur est troublante.

Peut-être est-ce dû aux relents de gin tonic, mais j'ai l'impression qu'il me drague. Je jette un coup d'œil à sa main gauche. Pas de bague. Intéressant.

Je le regarde droit dans les yeux pour y détecter un signe d'intérêt. Il n'y en a pas.

Oh, mon Dieu, arrête de te la jouer! Il est médecin dans un centre de désintox. Il ne va quand même pas draguer les patientes qu'il hospitalise!

Après avoir appuyé sur ma langue et inspecté ma gorge, le docteur Houston sort d'un tiroir une seringue et quelques fioles identifiées par un code de couleurs. Il pose un tourniquet en plastique sur mon avant-bras et attend qu'une veine saille, puis il enduit ma peau d'alcool.

– Ça va pincer un peu.

Je détourne la tête. Je n'ai jamais pu supporter la vue d'une aiguille pénétrant ma peau.

L'opération commence, et je serais prête à jurer que je sens mon sang s'échapper dans la fiole. Alors, j'essaie de penser à autre chose. Le nombre de poignées sur les placards. L'araignée qui tisse sa toile dans le coin.

Docteur Houston retire l'aiguille et place fermement un morceau de gaze sur mon avant-bras. Il me fait un sourire paternel.

– Nous avons presque terminé.

C'est quand même fou que j'aie pu penser qu'il me draguait.

– Très bien, dis-je.

– Quand nous aurons fini, Carol t'emmènera à une chambre dans l'aile de convalescence, où tu entreprendras le processus de désintoxication.

– Ce qui veut dire quoi, au juste ?

– En fait, ça signifie ne pas boire sous supervision médicale. Cette étape devrait prendre de deux à trois jours, selon la sévérité de tes symptômes de sevrage.

Ça semble charmant, comme programme.

– Quel genre de symptômes de sevrage ?

– As-tu déjà essayé d'arrêter de boire par le passé ?

Est-ce que ça compte, les moments où je n'avais pas assez d'argent pour acheter à boire ?

– Pas vraiment, non.

– Les symptômes peuvent être à la fois physiques et psychologiques. Les symptômes psychologiques habituels sont la dépression, l'anxiété et une envie irrésistible de consommer. Physiquement, il est possible que tu ressentes des tremblements, des maux de tête, que tu aies des vomissements, une perte d'appétit et de l'insomnie. Dans des cas plus sérieux, certains patients peuvent aussi être victimes d'une attaque.

Aïe! Heureusement que je fais juste semblant d'être une alcoolo.

– Des attaques? C'est vrai?

– Je ne crois pas que ce soit ton cas... si tu as été honnête quant à la quantité d'alcool que tu as l'habitude de consommer.

Il faut vraiment que je trouve un truc pour ne pas tressaillir chaque fois que quelqu'un utilise le mot «honnête» pendant mon séjour ici.

– Oui.

– Nous allons tout de même te donner des médicaments les premiers jours, afin de t'aider à passer à travers le processus de désintoxication et pour nous assurer que tu n'auras pas de réaction grave.

Il fait rouler son tabouret jusqu'à une armoire à pharmacie en métal dans le coin de son bureau, en déverrouille un tiroir et verse quelques pilules dans un verre en papier. Il se retourne par la suite et, d'un mouvement du pied, glisse jusqu'à moi.

Il me tend alors le verre en papier.

– Voudrais-tu de l'eau?

Je regarde les pilules. Elles semblent grosses.

– Suis-je obligée de les prendre?

– C'est fortement recommandé, à moins que tu aies une bonne raison de ne pas le faire.

Je n'en ai pas vraiment, c'est juste que... le jour avant le début de mes études secondaires, mon père m'a fait un discours sur les drogues. Il aurait pu simplement me recommander de dire non aux drogues, mais mon papa-toujours-hippie-dans-son-cœur (je suis sûre qu'il faisait encore pousser de la mari dans ce coin du jardin qu'il nous demandait toujours d'éviter) n'a pas pu s'y résoudre. Il m'a plutôt transmis une liste de règles.

– Tu vois, fillette, m'a-t-il dit, selon moi, tout ce qui provient du sol est correct. C'est cette merde manufacturée, si tu me pardonnes l'expression, qui peut foutre le bordel. Si tu peux consommer des choses dans leur état naturel, et ne répète jamais ce que je te raconte à ta mère, alors je ne vois pas pourquoi tu ne pourrais pas expérimenter un peu.

Je l'ai dévisagé fixement, assise au centre d'un gros pouf.

– De quoi tu parles, papa ?

– Je parle de mari, de haschich et de champignons. Si tu t'en tiens à ça, ça devrait aller. Je ne te dis pas d'en prendre, hein ? Mais si tu décides un jour de prendre de la drogue, c'est une de celles-là que tu devrais choisir.

– D'accord, ai-je dit, légèrement paniquée. Mon père venait-il juste de me confier que je pouvais prendre de la drogue ? Rory n'allait pas le croire.

J'ai suivi son conseil jusqu'à ce jour. J'ai peut-être pris un peu de mari, de hash ou de champignons dans mon jeune temps, mais je ne me suis jamais aventurée plus loin sur le chemin en briques jaunes du *Magicien d'Oz*.

– Y a-t-il un problème, Katie ? demande le docteur Houston.

– Je crois que j'aimerais mieux passer à travers cette épreuve toute seule. Vous savez, sans l'aide de produits chimiques ou de trucs comme ça. N'est-ce pas ça, le but de notre séjour ici ?

– Oui, c'est tout à fait ça. Mais ta dépendance n'est pas seulement psychologique, elle est aussi physique. Et si tu passes à travers l'épreuve physique, tu auras une chance de t'en tirer pour le reste.

Je plonge mon regard dans le verre en papier, observant les pilules comme si elles allaient me dire quoi faire.

Pourquoi hésites-tu ?

C'est juste que...

Crache !

Je ne pensais pas commencer ma désintox en allongeant la liste des drogues que j'ai essayées.

Veux-tu bien cesser d'être si coincée ?

Je renverse le verre et j'avale les pilules à sec. Elles laissent un arrière-goût âcre dans ma bouche.

– Tu peux te rhabiller, Katie. Je te reverrai dans quelques jours.

Le docteur Houston quitte la pièce, puis Carol m'apporte un pyjama en coton à la fois doux et trop grand pour moi. Je l'enfile quand même, avant d'être guidée vers ma chambre. En longeant le corridor, mes pantoufles crissent sur le plancher en bois franc. Je me rends compte que je n'ai vu aucun autre patient depuis mon arrivée.

– Où sont les autres ? demandé-je.

– Il y a une séance de thérapie de groupe tous les après-midi. Joie.

– Nous y voici.

Elle ouvre une porte. La pièce ressemble à une chambre de dortoir. Sous une fenêtre à barreaux, il y a une petite table de chevet et un lit simple recouvert d'une couverture bleue, au bout duquel se trouve un banc à bagages pliant avec ma valise posée dessus. Un pot de chambre en métal trône sur une commode en bois. Ça sent cette odeur propre et légèrement aliénante des milieux institutionnels.

– La salle de bain est derrière la deuxième porte. Si tu as besoin d'assistance, appuie sur ce bouton.

Carol me montre un bouton blanc sur le mur, derrière la lampe de chevet.

– Ce sera ta chambre jusqu'à ce que tu aies fini la désintoxication. On t'apportera ton repas trois fois par jour. As-tu des questions ?

Je regarde la minuscule pièce autour de moi.

– Je dois rester ici pendant trois journées complètes ?

– La plupart des patients le font, mais si tu veux aller dehors, préviens-moi.

Elle sort de sa poche un bout de papier plié en deux.

– Voici l'horaire de ta thérapie pour les trente prochains jours. Si tu as des questions, n'hésite pas.

Je prends la feuille.

– Merci.

– Maintenant, tu devrais te reposer.

– OK.

– Tout va bien aller, maintenant, Katie.

Mon Dieu. Va-t-elle me prendre dans ses bras ? Ça ne m'allume pas de faire du collé-collé avec des inconnus.

Carol me serre quand même fort contre elle. Elle sent vaguement le lilas, comme ma grand-mère, ce qui est étrange chez quelqu'un qui semble avoir environ mon âge. Je sais que je devrais moi aussi l'entourer de mes bras, mais je ne m'y résous pas. Je demeure plutôt plantée là jusqu'à ce qu'elle me relâche.

Une fois qu'elle est partie, je prends appui sur le lit pour regarder par la fenêtre la cour garnie de jonquilles. Le terrain est vide et tranquille.

Je m'assois sur le lit et déplie la feuille que Carol m'a donnée. C'est un calendrier d'événements sur trente jours. J'ai le même qui traîne chez moi depuis l'université, en grand format effaçable. Sauf qu'au lieu de « Fiesta @ Delta Phi » ou « Concert de Matt Nathanson », on peut lire sur celui-ci « Désintox » (jours 1 à 3), « Apprendre les étapes » (jour 4), « Stratégies d'adaptation » (trop de jours pour les compter), « Journée de visites » et (oh non, mon Dieu, non) « Thérapie familiale ».

Je jette l'horaire sur la table de chevet. Mon Dieu que tout cela est ennuyeux ! Comment vais-je passer à travers les trois prochaines journées ? Peut-être les médicaments vont-ils m'aider ? Je me demande quand ils se feront sentir. Je suis peut-être un peu endormie. Peut-être qu'une petite sieste ne me ferait pas de mal.

Je retire mes pantoufles et je me glisse sous les couvertures, fermant les yeux pour les protéger du soleil qui perce à travers les rideaux. En l'espace de quelques minutes, je me sens disparaître, alors que les drogues font leur effet.

Désolée, papa.

CHAPITRE 4

SALUT, KATIE !

Je dors tout le reste de la journée. Le lendemain matin, quand je me réveille enfin, il y a toujours de la lumière à travers les rideaux, mais cette fois-ci, il s'agit de la lueur douce du petit matin.

J'ouvre les yeux, encore dans les vapes à cause des médicaments et des verres de gin tonic de la veille. J'ai besoin de boire un énorme verre d'eau, de faire pipi et de vomir tout le contenu de mon estomac. Dans cet ordre ou un autre.

Je zieute le pot de chambre sur la commode. Pas question. Je refuse de vomir dans ce machin d'hôpital ou de foyer pour personnes âgées.

Je repousse les couvertures et je titube dans le corridor, essayant de me souvenir quelle porte mène à la salle de bain. La deuxième poignée que j'essaie est la bonne.

S'il vous plaît, laissez-moi finir de faire pipi avant de vomir. S'il vous plaît, laissez-moi finir de faire pipi avant de vomir. S'il vous plaît... Ce n'est pas exactement la prière de la sérénité, mais ça marche. Ma nausée s'atténue, puis finalement disparaît.

À côté du lavabo, je trouve un verre vide, encore emballé de plastique comme à l'hôtel, que je remplis avec de l'eau du robinet. La première gorgée que j'avale est un délice dans ma bouche cotonneuse. Je bois et je bois, remplissant le verre encore et encore. Quand je suis à peu près sûre de pouvoir quitter la salle de bain sans risque, je retourne à ma chambre et fouille dans ma valise pour en sortir ma trousse de toilette et des vêtements propres. Après une douche et un bon brossage de dents, je me sens presque humaine. Bon, d'accord, une humaine avec un sale mal de bloc, mais cela aussi va passer.

Ce qu'il me faudrait, ce serait une petite goutte d'alcool, mais quelque chose me dit qu'ici ils ne sont pas trop en faveur de soigner le mal par le mal.

Quand je retourne à ma chambre, je réalise qu'il n'est que 6 h 40 du matin. Il me reste donc pas mal de temps à tuer.

Alors, aussi bien travailler.

Je sors de mon sac le cahier neuf que j'ai acheté à l'aéroport et je rédige un faux journal intime qui sert surtout à noter ce que j'ai vu et entendu jusqu'ici. Le gerbage et les examens médicaux fourniront une bonne ambiance de fond à mon article.

Après avoir noté chaque son, odeur et image dont je me souviens, je sors de mon sac une pochette qui contient le iTouch que m'a donné Bob afin de pouvoir communiquer avec lui.

– Les téléphones portables sont interdits, m'avait-il dit en me tendant la boîte d'un noir mat. Mets ta musique là-dessus, pour qu'il ait l'air d'être réellement à toi.

Je m'étais sentie paniquer. Un mois entier, voire plus, sans textos? Mes amis allaient penser que j'étais morte.

– Les courriels sont aussi interdits?

– Oui.

Pas de portable, pas de courriels. Mais où m'envoyaient-ils donc ?

– Ils sont sévères, avais-je dit.

– Je ne t'envoie pas dans un spa chicos, tu sais.

Zut. Je m'étais déjà imaginée allongée dans un bain de boue thérapeutique.

– Bon, alors, comment je m'en sers ?

– Tu devras t'introduire dans leur système pour accéder à Internet.

– Je n'ai pas la moindre idée de la façon dont je pourrais m'y prendre.

Il m'a tendu une enveloppe mince.

– Les instructions dont tu auras besoin sont là-dedans. Mémorise-les ce soir.

J'ai ouvert l'enveloppe et ai parcouru brièvement la liste d'instructions. Ça semblait assez simple.

– Comment avez-vous obtenu leur mot de passe ?

Il m'avait regardée d'un air suffisant, avant de lâcher :

– Nous avons nos méthodes.

Dans ma chambrette, je place un oreiller derrière mon dos et je m'assois en position du lotus (enfin, j'essaie). Je démarre le iTouch, en espérant que les verres de gin tonic n'ont pas effacé les instructions que j'ai mémorisées. Heureusement, grâce à Apple, c'est un jeu d'enfant d'utiliser un réseau Internet sans fil mal protégé. Très rapidement, je tape le mot de passe de l'Oasis et me voilà branchée.

J'accède à mon compte courriel et j'envoie un bref compte-rendu à Bob : « **Bien arrivée. En désintox. Infiltration amorcée.** » J'appuie sur le bouton d'envoi et jette ensuite un coup d'œil à ma boîte de réception. J'ai reçu trois courriels de Greer, ainsi que deux de Rory qui ont été envoyés à dix minutes d'intervalle.

J'ouvre d'abord celui de Greer, envoyé à 18 h 44 hier.

K, ton téléphone est à plat ? Fiesta ce soir. Sois prête.

Le suivant, envoyé à 20 h 32, vient d'un certain Patrick Morrissey, mais le sujet du courriel est « De la part de Greer », donc je sais que ce n'est pas quelqu'un qui essaie de me vendre une augmentation de pénis.

Un nullard de banquier m'a laissée utiliser son BB. Où es-tu ?

Je souris, imaginant Greer qui drague Steve, puis qui reporte son attention vers un mec en complet-veston (elle déteste les mecs en complet-veston), juste le temps de le convaincre de lui laisser utiliser son BlackBerry. C'est du Greer tout craché.

Quand elle a envoyé le dernier courriel (23 h 24), elle était de toute évidence soûle.

Ce mec va me ramener chez lui et tu ne peux pas m'arrêter !

J'éclate de rire, avant de me rendre compte de mon geste et de plaquer ma main sur ma bouche. Je tends l'oreille, mais je n'entends rien d'autre que les oiseaux qui gazouillent dehors. On pourrait croire qu'un toxicomane fou a tué tout le monde et que je suis la dernière personne encore en vie ici.

Je tapote l'écran tactile pour répondre à Greer.

Désolée pour hier soir. C'est une longue histoire, mais j'ai dû partir subitement pour le travail. Je serai absente au moins un mois. Ne t'inquiète pas. Je t'enverrai des nouvelles. Bises, Katie.

J'hésite avant d'ouvrir les courriels de Rory. Ce n'est pas bon signe qu'il y en ait deux. Rory a l'habitude de dire ce qu'elle pense du premier coup, et je suis presque sûre que c'est le message téléphonique jovial que je lui ai laissé il y a deux jours qui a provoqué ce doublon.

« Rory, Rory, ma chérie, il y a du nouveau. Je dois voyager dans le cadre d'un nouveau mandat ! Alors, je ne pourrai accepter la job. Je vais les prévenir, ne t'en fais pas. Merci encore de m'avoir aidée ! Bises, bises. »

C'était peut-être une façon poltronne de prendre la fuite, mais je n'ai jamais réussi à mentir à Rory. Et je savais que si je lui disais la vérité, elle serait scandalisée et me convaincrait de l'être tout autant. Mais voilà, je ne voulais laisser à personne la chance de me persuader de renoncer à ce boulot.

La seule à qui j'aie dit la vérité, c'est Joanne. J'avais besoin de me confier à quelqu'un, et elle semblait être la personne idéale, surtout parce qu'elle n'a aucun lien avec mes autres amis (Rory et Greer la détestent toutes les deux). Sa réaction ressemblait à du grand Joanne : elle a haussé les épaules et m'a demandé de payer ma part du loyer avant de partir. Elle n'a rien dit au sujet de la désintox, si ce n'est pour exiger que je lui rembourse tout le vin que j'ai bu une fois que je serai sortie de là.

Je lis le courriel de Rory.

Tu ne réponds pas sur ton cellulaire et tu sais que je ne supporte pas Joanne. Je n'arrive pas à croire que tu aies lâché cette job. Je sais que ce n'était pas ton rêve de petite fille, mais il est temps de grandir. Tu aurais tout de même pu me montrer un minimum de respect !

Bon sang... elle est plus en colère que je ne le croyais. Et blessée. Je suis une mauvaise, mauvaise personne.

Le deuxième courriel continue sur la même lancée. Dix minutes plus tard, elle ne s'est pas encore calmée.

Je ne peux pas croire que tu m'aies fait ça. J'ai fait des pieds et des mains pour te décrocher cet emploi, tu sais, même si je savais que j'allais le regretter. Ne me demande plus jamais, jamais rien.

Assise sur mon lit, dans un centre de désintox, une larme coule le long de ma joue et je me sens très seule.

• • •

Quelques heures plus tard, après avoir grignoté quelques bouchées du déjeuner que Carol m'a apporté, passé une heure à regarder par la fenêtre, et une autre à regarder fixement devant moi, je reçois un message de Greer sur le service de messagerie instantanée que j'ai téléchargé sur le iTouch.

Où diable es-tu ?
Mission secrète.
Tu es dans le FBI ?
Non.
CIA ?

Non.

Une secte?

Non.

Joanne dit que tu es en désintox.

Bordel de merde, Joanne! Les derniers mots que j'ai prononcés étaient pourtant «Ne dis à personne où je suis».

Joanne est une idiote.

C OK. Je suis djà allée en désintox.

C vrai? Quand?

À 17 ans.

Pourquoi?

Mam et pap trouvaient que je fumais +++ mari.

Pourquoi?

Pcq je fumais +++ mari.

Ctait comment?

Comme de la mari.

LOL. La désintox.

Bcp de bla-bla.

C tout?

Suis pas restée très longtemps.

Pourquoi pas?

Tu savais que tu n'as pas le droit de boire, là-dedans?

On cogne à la porte. Je cache le iTouch sous la couverture.

– Qui est-ce?

– C'est Carol, dit-elle en ouvrant la porte. Comment te sens-tu, aujourd'hui?

– Correcte.

Elle voit sur la commode le plateau du petit-déjeuner auquel je n'ai presque pas touché.

– Pourquoi ne manges-tu pas?

– Je n'en ai pas envie.

– Il faut essayer de manger, Katie. Tu ne pourras quitter l'aile de convalescence tant que tu auras besoin de supervision médicale.

Je me redresse. J'ai déjà très envie de quitter ce lieu. Je lance le plus dynamiquement possible:

– Je serai prête très bientôt. J'avais simplement besoin de... de dormir, en fait.

– On ne peut forcer son rétablissement.

– Je comprends.

– Bien. Je reviendrai te voir plus tard.

Elle quitte la chambre et je reprends le iTouch. Il y a un autre message de Greer qui m'attend.

T'étais où?
Devais parler à la geôlière.
Je le savais!!!

● ● ●

Après le dîner, je commence à devenir folle. Bien sûr, à la maison, grâce au fauteuil, à une bouteille de vin et à TMZ, je peux passer des journées entières sans même songer à aller dehors. Mais si vous m'enfermez dans une pièce blanche, mission secrète ou pas, j'ai vraiment besoin de sortir de là.

Immédiatement.

Me sentant à bout de nerfs, j'appuie sur le bouton d'urgence. Carol arrive quelques minutes plus tard et je lui demande si je peux aller dehors. Elle jette un coup d'œil sur mon plateau repas presque vide et accepte. Tandis qu'elle me guide vers la sortie, elle m'explique qu'il y a plusieurs sentiers de randonnée à travers les bois qui entourent l'Oasis. Elle suggère que j'emprunte le plus court. Je hoche la tête, l'écoutant à peine. Quand j'arrive enfin devant la porte d'entrée, je suis prise de vertiges. Elle me demande d'être de retour dans une heure. Une fois dehors, je lève mon visage vers le ciel. Le soleil me réchauffe doucement.

Je m'engage dans le sentier que Carol a suggéré. Le chemin serpente à travers un jardin de fleurs et est délimité par des roches placées çà et là. L'air sent les jonquilles qui percent la terre bien noire. Le sentier bifurque bientôt, et j'aperçois deux jardiniers qui creusent une platebande. L'un d'entre eux a à peu près mon âge et me semble très familier.

Je me secoue. Ce doit être les médicaments, parce que si j'étais à jeun, je jurerais que c'est... oh, non... ce n'est pas possible...

Je m'accroupis derrière un rosier et je le scrute attentivement. La même taille, la même carrure, la même belle allure d'ancien quart-arrière de football. Et maman ne m'a-t-elle pas mentionné que son frère et lui avaient une entreprise de jardinage, la dernière fois que je lui ai parlé?

Il tourne la tête vers moi, et désormais j'en suis sûre. Zack Smith, mon petit copain du secondaire, est à trente mètres de moi, protégeant ses yeux du soleil de sa main rugueuse. En fait, il regarde dans ma direction.

Merde. Il regarde dans ma direction. Faut que je foute le camp d'ici. Mais comment vais-je m'échapper sans attirer son attention?

– Katie, c'est toi ?

Bordel. Je n'ai vraiment pas assez réfléchi aux implications de ma venue ici.

Je me relève en feignant d'essuyer mon jean.

– Salut, Zack.

Nous avançons l'un vers l'autre et nous faisons une accolade maladroite. Il sent la terre et la sueur.

– Que fais-tu ici ? demande-t-il quand nous nous séparons.

– Oh, tu sais, juste une petite désintox supervisée par un médecin. Toi ?

Il me sourit, révélant ses dents blanches toujours parfaites. Sur son front, la brise fait onduler les boucles de ses cheveux brun chocolat.

– Moi aussi.

– T'es sérieux ?

– Non. Toi ?

– Malheureusement.

Son visage devient grave.

– Ah. Eh bien, ils aident beaucoup de gens, ici…

– Oui, c'est ce qu'on m'a dit.

Je croise ses yeux bruns chaleureux et me voilà transportée dans le temps, jusqu'à l'époque où nous formions Le Couple Parfait et que chacun de mes cahiers de classe était intitulé « Madame Katie Smith ».

– Alors… pourquoi es-tu ici ? me demande-t-il.

Seigneur. Je n'arrive pas à croire que le mec qui m'a appris à faire un *keg stand*[4] me regarde comme si j'avais le cancer.

---

4. Jeu nord-américain consistant à suspendre le participant par les pieds au dessus d'un baril de bière pendant qu'il avale la bière qui en sort sous pression. (NDT)

– Oh, comme tout le monde, tu sais. Bon, et toi, tu vis toujours près d'ici, hein?

– Ouaip. Avec ma femme et les enfants.

Ma femme et les enfants. Bon Dieu.

– Je la connais?

– Oui, c'est Meghan.

Bien sûr que c'est elle. Ma mère m'avait aussi dit ça en passant. Meghan Stewart. Ma rivale du secondaire. Blonde et dynamique, elle n'arrivait même pas à finir une bière à l'entonnoir. Voilà qu'elle est mariée à mon premier époux imaginaire, à qui je fais la conversation dans le jardin d'un centre de désintox. Il doit y avoir une leçon à tirer de cette histoire, je le sais bien, mais je n'arrive pas à mettre le doigt dessus. Je me contente de répondre :

– C'est super, Zack.

– Ouais, la plupart du temps. Tu sais, mon aînée est dans la classe de ta sœur.

Merde, il ne manquait plus que ça, que ma sœur apprenne que je suis en désintox. J'imagine déjà son visage jubilant et condescendant. Et bien sûr, son premier réflexe sera de prévenir mes parents.

– Ah, c'est… drôle.

– Chrissie ne te l'a pas dit?

– Ça fait un moment que je ne lui ai pas parlé. Écoute, pourrais-tu me rendre service et ne dire à personne que tu m'as vue ici? Surtout mes parents et ma sœur. Ils ne savent pas que je suis ici, et…

– Tu n'as pas à t'expliquer, Katie. Les informations au sujet des patients sont confidentielles, de toute façon.

– Ah, d'accord. Et merci. Enfin… Je ferais mieux de retourner à ma chambre.

– Et moi, de retourner au travail.

Il m'attire vers lui et me serre fort dans ses bras.

– Ça fait du bien de te revoir, Katie.

– Même en désintox? demandé-je à son chandail.

– Même en désintox.

• • •

Quand je retourne à ma chambre, je me retiens un bon moment de faire mes valises et de sauter par-dessus la clôture. Comment ai-je pu croire que j'allais garder mon séjour en désintox secret, surtout aussi près de mon village natal? Fallait-il être stupide!

Tu veux vraiment que je réponde à cette question?

Tais-toi.

OK, OK, on se calme. Les patients doivent demeurer anonymes, n'est-ce pas? Bon, tout le monde sait que LFDAC est ici, mais c'est parce qu'elle est très connue. Or, moi, qui suis-je? Personne. Et Zack m'a dit qu'il n'allait pas révéler ma présence, ou plutôt ne pouvait pas la révéler, ce qui fera parfaitement mon affaire.

Et puis, après tout, serait-ce si terrible si maman et papa apprenaient où je suis? Ils ne croiraient quand même pas que j'ai réellement besoin d'être en désintox. Ils sauraient qu'il y a anguille sous roche, je leur avouerais la raison de ma présence, et tout irait bien.

OK. Pas de problème à l'horizon, alors. Mais bon, juste pour ne pas prendre de risques...

Je saisis le iTouch et j'envoie un courriel à mon père, le prévenant que je vais partir en tournée avec un groupe de musique (imaginaire). Comme ça, mes parents ne m'appelleront pas à mon appartement. Ensuite, je mange l'essentiel de mon souper, pour que personne n'ait l'impression que j'ai toujours besoin de supervision médicale. J'essaie d'ignorer mon désir profond d'avaler plusieurs verres de vin avec mon steak Salisbury. Comme c'est impossible, j'avale les deux petites pilules qui accompagnent mon souper et je m'endors à 19 h 30.

Le lendemain matin, je me sens mieux que je ne l'ai été depuis longtemps, et je mange chaque bouchée du déjeuner que Carol m'apporte. Quand j'ai terminé, je me mets à genoux et regarde par la fenêtre, jusqu'à ce que Carol vienne me chercher pour aller voir le docteur Houston.

– Eh bien, Katie, me dit-il après m'avoir examinée de nouveau, je vois que tu vas mieux. Je pense que tu peux quitter l'aile médicale et t'installer dans l'aile de thérapie cognitive.

Ah, Dieu merci. Catégorie « Apprendre les étapes », j'arrive !

– C'est super, dis-je.

– Par contre, avant que tu déménages, nous devons procéder à quelques tests de diagnostic.

Je savais que c'était trop beau pour être vrai.

– Pourquoi ? Je croyais que j'allais bien.

– Tu vas bien physiquement, mais beaucoup d'alcooliques ont d'autres problèmes psychiatriques.

– Je ne suis pas folle.

Je fais seulement des trucs un peu fous de temps à autre.

Il sort un stylo de la poche de sa blouse blanche et note quelques mots sur son bloc-notes.

– Ce n'est pas une question de folie, Katie. Nous devons simplement nous assurer qu'il n'y a pas de troubles sous-jacents qui pourraient nuire à ta convalescence.

– Que dois-je faire?

Il sort quelques formulaires d'un tiroir et me les tend.

– Tu peux commencer par remplir ce test de diagnostic. Ça nous permettra d'accéder à ton profil psychologique.

Il détache deux feuilles de papier de son bloc-notes.

– Tu devras aussi remplir ceci.

Je prends ce qu'il me tend. C'est le même formulaire «Êtes-vous alcoolique?» qu'il y a deux jours. Joie.

– Pendant que tu le remplis, je voudrais que tu penses à ce que tes réponses signifient. À l'impact de l'alcool dans ta vie.

Vous songez à toutes ces super fêtes? Probablement pas.

De retour dans ma chambre, je m'assois sur mon lit et remplis les questionnaires. L'évaluation psychologique est constituée d'une suite de questions à choix multiples qui me rappellent vaguement un cours d'introduction à la psycho que j'ai suivi, il y a des années de ça. Je songe un moment à répondre «C» à toutes les questions, mais l'idée est si mauvaise que je laisse tomber.

Après avoir terminé mon ouvrage, il ne me reste plus qu'à découvrir si je suis alcoolique. Comme s'il était possible de déterminer ça en répondant à quelques questions idiotes. Bon, quand il faut y aller...

Vous amusez-vous plus en situation sociale s'il y a de l'alcool? Euh, bien sûr. Qui répondrait non? Oui.

Vous est-il déjà arrivé de ne pas vous souvenir de certains événements de la veille quand vous aviez bu? Oui, et heureusement. Qui veut se souvenir de tout ce qu'il a fait après une soirée passée à boire? C'est comme quand Steve m'a appelée «la fêtée». Je suis sûre qu'il n'est pas dans mon intérêt de me souvenir de chaque menu détail de cette soirée.

Le fait de boire a-t-il déjà engendré un problème avec un ami ou un membre de votre famille? Joanne compte-t-elle? Non. Mais... ah, merde. Et cette dispute avec Rory? Elle, c'est différent... D'accord, d'accord. ~~Non~~. Oui.

Arrêtez-vous de boire après un ou deux verres, ou continuez-vous à boire jusqu'à ce que vous soyez soûl/e? Ben là, tout le monde sait qu'il faut continuer à boire quand on commence à planer. Si on ralentit, ça... coupe l'élan. Et personne n'aime retomber sur terre. Oui.

Avez-vous déjà assisté à une rencontre des AA, ou participé à tout autre programme en douze étapes? Jamais. Il faudrait me payer. Ce qui explique ce que je fais ici. Non.

Avez-vous déjà eu des relations sexuelles non protégées parce que vous étiez soûl/e? Soupir. Oui. Mais... un instant. Ce n'était pas PARCE QUE j'étais soûle. J'étais simplement jeune et stupide et j'avais vraiment, vraiment le béguin pour Jack, un gars de mon cours de création littéraire. Quand nous nous sommes ramassés chez lui à demi-nus après plusieurs tournées de bière, et qu'il m'a dit qu'il n'avait pas de condom, j'ai vu qu'il n'avait pas l'air gay, qu'il n'avait pas de marques de piqûres sur les bras, et j'ai fait fi de toute prudence. Mais j'ai réfléchi avant d'agir. J'aurais peut-être pris la même décision si je n'avais pas bu. Oui, c'est possible. ~~Oui~~. Non.

Vous êtes-vous déjà absenté(e) du travail ou de l'école à cause de votre consommation d'alcool? Euh, bien sûr, voyons! Si c'est un critère pour déterminer les personnes ayant un problème d'alcool, alors tous mes amis en ont un, et la majeure partie de la ville aussi. OK, peut-être pas les jeunes qui fréquentent le collège mormon, mais ils doivent bien être les seuls. Oui.

Êtes-vous capable de boire plus que la plupart de vos amis? Voyons voir. Greer et Scott peuvent boire plus que moi. Rob et Toni sont des poids plumes, et Rory aussi. Joanne ne boit pas. Alors, qu'est-ce que ça donne? Je relis la question. Hum... «la plupart de vos amis». Et si le score est à égalité? Ah, tant pis. Oui.

Vous faut-il plus d'alcool pour vous soûler que quand vous avez commencé à boire? Oui. Bien sûr que oui! Ça s'appelle «améliorer sa capacité de résistance», et ça prend un certain temps. Une fois qu'on a atteint le degré de résistance voulu, il faut le maintenir. C'est un outil de survie, en fait. Sinon, comment survivre passé minuit dans une fête universitaire?

Vous soûlez-vous de manière régulière? Eh bien... ce n'est pas comme si je buvais tous les jours. Enfin, ce n'est pas comme si je me soûlais tous les jours. Pas tous les jours. Mais n'ai-je pas dit au docteur Houston que c'était le cas? Que lui ai-je dit, encore? Les détails sont vagues, mais je me rappelle plus ou moins avoir parlé de deux bouteilles de vin par jour. Ai-je réellement dit cela? Bon, alors, je crois que... Oui.

Avez-vous déjà essayé de diminuer votre consommation d'alcool? Oui. Un instant. Peut-être que ce n'est pas la bonne réponse. N'ai-je pas aussi parlé de ça avec le docteur Houston? Pourquoi diable me fait-il répondre aux mêmes questions qu'avant? Comment suis-je censée me souvenir de tous les détails? Je déteste ce foutu questionnaire. ~~Oui~~. Non.

Vos amis boivent-ils tous de l'alcool sur une base régulière? Enfin une question facile. Oui. J'espère bien!

Vous a-t-on déjà arrêté(e) pour conduite en état d'ébriété? Une autre question facile. **Non.** Ah! Vous voyez? Je n'ai de toute évidence aucun problème. Je suis une soûlonne sécuritaire, moi. Je prends des taxis, je marche, parfois je laisse les autres conduire soûls, mais moi, jamais. Jamais. Bon, sauf la fois où j'ai conduit le camion de Zack au secondaire, mais c'était juste dans un champ, et j'avais seulement bu trois sodas alcoolisés, peut-être quatre.

Avez-vous un historique familial d'alcoolisme? Hum… L'oncle Brad n'a-t-il pas dû s'absenter un moment? Attendez. Il était en désintox ou à l'asile? Comment s'est-il ramassé là, déjà? Ah oui, il a surpris sa copine dans un bar en train d'embrasser un autre gars et il est devenu fou, si bien qu'il a détruit le bar, le gars et peut-être même sa copine. Puis, il entamé une beuverie de trois jours qui s'est conclue quand il a enroulé sa voiture autour d'un arbre. Ou enfin, quelque chose comme ça. Il était difficile de comprendre tous les détails de cette histoire quand ma mère chuchotait au téléphone avec sa sœur. Je n'ai plus jamais vu l'oncle Brad boire d'alcool depuis, par contre. Il prenait toujours de l'eau minérale. Donc, je crois bien que… Oui.

Dernière question. *Prenez-vous des drogues sur une base régulière?* Je réponds Non. Seulement depuis que je suis en désintox.

• • •

J'ai dû réussir l'examen, parce que Carol me mène à ma nouvelle chambre dans l'aile des femmes, là où je passerai le reste de mon séjour. Tandis que nous traversons le centre, elle m'explique que l'Oasis a douze patients en ce moment, et qu'on n'en accepte jamais plus de vingt à la fois.

Il faut croire qu'à mille dollars par jour, ils peuvent se permettre de les trier sur le volet.

– Tu partageras ta chambre avec Amy, dit Carol alors que nous traversons la grande salle commune qui occupe l'arrière du bâtiment principal. Nous aimons jumeler les nouveaux arrivants à des patients qui réussissent bien le programme.

– Est-ce qu'elle sera ma marraine ?

– Non, tu auras une marraine ou un parrain quand tu te joindras aux AA ou aux NA, une fois de retour à la maison. Ici, nous mettons surtout l'accent sur la thérapie cognitive. Tu développeras des stratégies qui te permettront de faire face à la vie sans utiliser ni drogues ni alcool.

C'est vrai, je m'en souviens. « Stratégies d'adaptation », du cinquième jour à l'éternité.

– C'est ce que nous ferons en groupe ?

– Oui, mais aussi lors de séances de thérapie individuelle qui seront davantage axées sur tes problèmes personnels. Ta première est prévue demain matin avec la docteure Bennett, qui est aussi en charge des thérapies de groupe.

– Alors, on ne fait que ça ? Thérapie individuelle le matin et thérapie de groupe l'après-midi ?

– Parfois, nous avons aussi des conférenciers invités.

Ah, tiens, ça, c'est intéressant.

– Des célébrités ?

Elle fronce les sourcils.

– Les conférenciers sont habituellement d'anciens patients qui sont demeurés sobres. Mais puisque tu en parles... Comme tu le sais, nous avons parfois des patients qui sont célèbres, mais il est très important de ne pas les traiter différemment des autres. Ils sont, tout comme toi, des malades qui ont besoin d'aide.

– Alors, qui est ici en ce moment ? Je les connais ?

– Katie...

– OK, OK, je pige. Pas d'autographes. Ne t'inquiète pas, je saurai me tenir.

Elle s'arrête devant une porte quelconque.

– Parfait. OK, nous y voici.

Elle cogne et ouvre la porte. La chambre dans laquelle nous entrons ressemble à celle que je viens de quitter (fenêtre à barreaux, meubles simples, couverture bleue, odeur aliénante), mais elle est assez grande pour y loger deux lits simples et une table de chevet entre les deux. Il y a des traces de l'existence de ma nouvelle coloc sur le lit près de la porte, mais elle ne s'y trouve pas en ce moment.

– La thérapie de groupe débute dans vingt minutes dans la salle commune. J'ai laissé la liste des règlements de la maison sur ton lit. Tu as besoin d'autre chose ?

– Ça va, merci.

Carol m'attire une nouvelle fois dans ses bras et me serre fort. Je lui donne quelques faibles tapes dans le dos, espérant qu'elle ne remarquera pas mon manque d'enthousiasme.

– C'est ici que ça commence réellement, Katie. Et tu n'en retireras que ce que tu y mettras.

C'est drôle, mon prof de gym m'avait dit exactement la même chose quand j'avais essayé de me mettre en forme, il y a de cela quelques années. Rory m'avait offert l'abonnement à Noël, et j'étais vraiment déterminée. Enfin, jusqu'à ce qu'un bonhomme tout juste sorti de l'armée m'impose une série ardue de fentes avant et de redressements assis.

– Tu n'en retireras que ce que tu y mettras, Katie, me disait-il alors que j'essayais, pour la première fois depuis ma cinquième année du primaire, de soulever mon corps au-dessus d'une barre à la seule force de mes bras. Es-tu prête à tout donner?

– Oui, avais-je réussi à couiner.

– Quoi? Je ne t'entends pas.

– Oui! avais-je hurlé en pendant à quelques centimètres du sol, incapable de me tirer plus haut.

Tout mon corps m'avait fait souffrir pendant trois jours, et je n'étais jamais retournée à la salle de sport.

– D'accord, je comprends, dis-je à Carol.

Elle part et je m'assois sur mon nouveau lit. Sur l'oreiller, je trouve une feuille de papier qui détaille les règlements concernant les séances de thérapie obligatoires, les heures de repas, l'interdiction de fraterniser entre patients et l'extinction des lumières à 22 h.

C'est drôle, parce que, à quelques différences près, cette liste est identique à celle qui était affichée sur le mur de mon camp d'été. À bien y penser, on n'avait pas non plus le droit de partir de là avant la fin de notre séjour de trente jours. Bon, bien sûr, le camp de vacances était... amusant. Je me doute bien que nous n'allons pas chanter autour d'un feu de camp, ici.

Je range la liste dans mon carnet de notes – ça ajoutera encore de l'ambiance à mon article – et je défais mes valises. Puis, je sors le iTouch et me connecte à Internet. Il n'y a pas de courriel de Rory, mais il y en a un de Bob.

Kate, envoie-nous un rapport complet au sujet de la cible. Bob.

Quel mot sinistre. La cible. Comme si j'étais un assassin ou aux commandes d'un chasseur-bombardier. Je ne suis pas ici pour tuer qui que ce soit, bonhomme, juste pour les convaincre de me dévoiler leurs secrets les plus noirs, ou les obtenir par la tromperie si la première tactique ne fonctionne pas.

Bob, ils m'ont gardée en isolement jusqu'à maintenant. Espère rencontrer LFDAC en groupe dans qq minutes. Rapport complet dès que je peux. Kate ☺

L'émoticône est-elle de trop ? Oh, et puis, on s'en fout. Tant pis pour lui. J'envoie le courriel et je glisse le iTouch dans mon sac, le dissimulant sous mes sous-vêtements sales.

Le groupe m'attend.

• • •

La thérapie de groupe se déroule dans la salle commune, qui donne la même impression d'être à l'hôtel que le hall d'entrée. Elle se démarque par l'immense fenêtre qui offre un point de vue superbe sur le lac. En voyant le soleil miroiter sur l'eau, j'ai l'envie soudaine de partir en courant et de plonger par la fenêtre dans le lac noir. La chute me tuerait sûrement, mais si je m'en sortais, mes geôliers me sauveraient-ils ou me laisseraient-ils me tirer d'affaire avec les monstres qui rôdent certainement là-dedans ?

Une douzaine de chaises pliantes en métal sont disposées en cercle. Sur la table en chêne à côté de la fenêtre, une odeur forte émane d'un percolateur. Un mélange d'hommes et de femmes sont assis. Ils semblent étonnamment en forme pour une bande de toxicomanes et d'alcooliques. Bien sûr, il s'agit ici d'une classe d'accros qui peuvent se permettre de fréquenter les mêmes endroits que LFDAC, alors peut-être n'ont-ils jamais eu l'air aussi dépravé que ce qu'on voit dans les pubs ce-sera-vous-si-vous-prenez-de-la-méthamphétamine. Mais cette dernière se soucie-t-elle de la personne qui l'inhale ou l'injecte? Ou la fume-t-on? Je n'arrive jamais à m'en souvenir...

Et parlant de LFDAC, où diable est-elle?

Une femme à l'allure terne me salue. Elle doit avoir la mi-cinquantaine, et ses cheveux poivre et sel sont coupés au niveau du menton. Elle fait plusieurs centimètres de moins que moi et a le visage rond.

– Tu dois être Katie. Bienvenue. Je suis la docteure Bennett, mais je t'en prie, appelle-moi Sandra.

Je serre sa petite main molle.

– Assieds-toi, je t'en prie. Nous commencerons dans un instant.

Je prends place sur une des chaises encore vides, tout à coup inquiète de ce qui m'attend. Devrai-je parler le premier jour? Et que vais-je bien pouvoir leur sortir? Tous ces accros purs et durs ne verront-ils pas clair dans mon jeu?

Sandra débute la séance.

– OK, tout le monde, prenez place. Nous allons parler de mécanismes d'adaptation en situation de stress. Mais tout d'abord, nous avons une nouvelle participante, Katie.

Je suis de plus en plus nerveuse lorsque dix paires d'yeux se fixent sur moi. Merde! Il faut croire que je vais devoir parler aujourd'hui. Pourrais-je au moins apprendre ces mécanismes d'adaptation avant de commencer?

Je lève la main et fais un petit salut.

– Je voudrais qu'on se présente tous, chacun notre tour. Katie, tu passeras en dernier. Ted, voudrais-tu commencer?

Ils se lancent un par un. Ted est un banquier accro à la cocaïne et à l'alcool. Mary est une romancière accro à l'héroïne.

Il y a aussi un producteur de cinéma assez connu, une ancienne enfant vedette (si on utilise le terme « vedette » assez librement), un PDG d'une grosse boîte Fortune 500, un cinéaste en vogue, un banquier en investissements, deux avocats et un juge. Leurs problèmes vont de l'alcool à des drogues dont je n'ai jamais entendu parler. Saviez-vous, par exemple, que si vous prenez cinquante médicaments contre le rhume d'un coup, vous allez halluciner? Eh bien, c'est ce que faisait le banquier en investissements chaque jour jusqu'à il y a deux semaines. Qui l'aurait cru?

Alors que mon tour approche, quelqu'un s'installe sur la chaise à côté de la mienne. C'est LFDAC, Amber Sheppard, en chair et en os.

Elle porte un ensemble de sport en velours d'un vert vif qui s'agence à merveille avec ses grands yeux, et ses cheveux noirs sont noués sur sa tête. Elle est beaucoup plus petite qu'à la télé (elle ne doit pas faire 1,50 m) et est très mince. Elle ne porte pas de maquillage, mais sa peau a cet éclat que procurent la jeunesse et les soins hors de prix. Elle semble étrange, mais très belle.

Oh, et elle agit aussi de manière assez étrange.

– Amber, que fais-tu? demande Sandra quand LFDAC se dresse pieds nus sur sa chaise et s'accroupit sur les talons, les bras élevés devant elle.

– Rien.

– Nous avons parlé de ce genre de comportements, Amber.

– Je m'appelle Polly la Grenouille.

Ah, ça explique la position accroupie. Et la langue qui frétille.

Je regarde autour de moi. Certains patients rient, mais la plupart ont surtout l'air agacé.

– Ceci n'est pas un cours de théâtre, Amber. S'il te plaît, assieds-toi sur ta chaise et présente-toi.

Les joues d'Amber sont rouges de colère.

– D'accord.

Elle déplie ses jambes et s'assoit sur sa chaise.

– Je m'appelle Polly et je suis une grenouille.

– Amber, je t'en prie.

– OK, OK. Je m'appelle Amber.

– Et pourquoi es-tu ici?

– Parce que mes parents m'ont kidnappée et amenée ici contre mon gré.

– Amber...

– D'accord, d'accord. Je suis accro à l'alcool et à la cocaïne.

– Merci. Katie?

Mon cœur se met à battre. J'ai toujours détesté parler en public.

– Salut. Je m'appelle Katie. Je suis rédactrice et euh... je suis alcoolique.

– Bonjour, Katie! entonne le groupe.

– Coâ! Coâ! lance LFDAC.

CHAPITRE 5

PAS DE RÉPIT POUR
LES FORÇATS

Après la thérapie de groupe, je retourne rapidement vers ma chambre, afin de transcrire ce que j'ai vu. Ah, ce que je ne donnerais pour avoir une micro-enregistreuse sous la main, ou bien une de ces minuscules caméras cachées qui se logent dans vos lunettes ! Mais Bob trouvait cela trop risqué, alors je dois me fier à ma mémoire, jamais au top, même dans le meilleur des cas.

Ma coloc me fait presque faire une crise cardiaque quand elle entre sans frapper. Je referme immédiatement mon carnet de notes, en tentant d'avoir l'air nonchalant. J'ai l'impression que mon cœur sort de ma poitrine comme dans les vieux dessins animés de Disney, mais ma voisine ne semble rien remarquer.

Amy est grande comme un mannequin et très belle. Sa peau est du même ton caramel que ses yeux, et ses cheveux foncés et frisés tombent jusqu'à son menton. Une fois que je me suis présentée, elle me déballe les détails de sa vie avec l'aisance de quelqu'un qui est ici depuis un moment. Elle est avocate et travaille pour l'un des grands cabinets du centre-ville. Après avoir un peu trop carburé à la cocaïne pour clore ses transactions, elle a hérité d'un voyage tous frais payés à l'Oasis Cloudspin. Elle est ici depuis vingt-quatre jours et, si tout va bien, rentrera chez elle dans six.

Nous discutons un moment, puis nous soupons ensemble à la cafétéria. La pièce a le charme d'un bistro et est délimitée par une rangée de fenêtres donnant sur une pelouse verte qui se déroule comme une couverture vers les bois. La vue est à couper le souffle, mais personne ne la regarde. Les patients préfèrent plutôt parler, parler, parler d'eux-mêmes. Je cherche LFDAC, mais même si la règle selon laquelle «tous les patients doivent assister aux repas» est de rigueur, elle ne se trouve pas dans la pièce.

Le repas est simple et savoureux: des penne all arrabiata piquantes et une salade César aigre. Après le souper, le groupe se dirige vers la salle commune, où nous regardons une comédie romantique classique sur une télévision à écran géant. Quand le couple-destiné-à-être-ensemble se retrouve à la fin, il ne semble y avoir rien d'autre à faire que d'aller se coucher, alors c'est ce que je fais.

• • •

Je fais un rêve merveilleux. J'écris un article au sujet de Feist destiné à faire la page couverture de *The Line*, et je la rencontre dans les coulisses des Grammys avant sa performance. Un arc-en-ciel de légendes musicales nous entoure. Paul McCartney joue *Blackbird* pour Adam Duritz. Madonna s'échauffe avant son duo avec Fergie. La fille de Kurt Cobain s'apprête à faire ses débuts comme chanteuse choriste pour Lisa Marie Presley. Cela n'a aucun sens, bien sûr, mais je suis tout de même extrêmement heureuse jusqu'à ce qu'un cri atroce me réveille.

– AAAAAAHHHHHH!

Mes yeux s'ouvrent brusquement. Mon cœur bat à toute allure. À la lueur de la lune qui pénètre par la fenêtre, je vois Amy qui s'agite dans son lit, la bouche ouverte.

Je saute sur le plancher froid et je pose une main hésitante sur son épaule.

– Amy?

– AAHH! AAHH!

– Amy!

– Lâche-moi!

Je retire ma main.

– Tu criais.

– Qui es-tu?

– C'est moi, Katie. Ta coloc.

J'allume la lumière qui se trouve sur la table de chevet, entre nos lits. Elle cligne lentement des yeux.

– Désolée, j'étais désorientée.

– Ne t'inquiète pas. Je crois que tu faisais un cauchemar.

– Si seulement c'était ça! J'étais plutôt sur un trip de K.

– Un quoi?

– Je rêvais que je prenais de la drogue.

Oh. Donc le K, ça doit être une drogue. Mais quoi? De la vitamine K? Des céréales Spécial K saupoudrées de cocaïne?

Je vais me faire démasquer bientôt, bientôt, bientôt.

– Ah oui, bien sûr... Je déteste ce genre de rêves.

J'ai vraiment fait une trop longue pause entre ces deux phrases.

Amy s'assoit et passe la main dans ses cheveux frisés. Ses yeux sont flous.

– Ça, tu peux vraiment le dire.

Ouf! Elle ne semble pas avoir remarqué mon hésitation.

– Tu veux de l'eau ? lui proposé-je. Je peux aller en chercher.

– Non, merci, ça va.

Elle donne un coup de poing dans son matelas.

– Merde, j'en ai marre de ce bordel ! Pourquoi est-ce que ça ne devient pas plus facile ?

– Je suis sûre que ça va s'améliorer.

Elle me regarde d'un air sombre.

– Excuse-moi, je n'en sais rien... Je viens d'arriver.

– Oui. Et c'est moi qui suis censée t'aider à t'en sortir.

– Tu n'y es pas obligée, tu sais.

– Je sais. Mais j'espère avoir appris certaines choses, surtout que ce n'est pas la première fois que je viens ici.

– Tu es déjà venue en désintox ?

– C'est la troisième fois. Après trois prises, on est retiré, marmonne-t-elle.

– Pourquoi est-ce que ça n'a pas fonctionné, les autres fois ?

Elle hausse les épaules.

– Des mauvais choix que j'ai faits. Des gens dont j'aurais dû m'éloigner. À toi de choisir.

– Pourquoi n'essaies-tu pas autre chose, alors ?

– Comme quoi ?

– Je ne sais pas. Je parle pour parler.

– T'en fais pas. Merci de m'avoir réveillée.

Elle me tend la main, que je prends dans la mienne après un instant d'hésitation. Elle pleure doucement, et les larmes pointent aussi dans mes yeux.

Seigneur. Quatre jours en désintox, et je pleure déjà avec des inconnus.

• • •

Le lendemain matin, au petit-déjeuner, je n'ai pas très faim, alors je sirote mon café pendant qu'Amy dévore une omelette.

– Ne t'inquiète pas, ton appétit va revenir d'ici quelques jours.

– Oh, je ne mange jamais beaucoup, le matin.

– As-tu eu des tremblements ou pas encore? Ça, c'est nul.

Je ne sais pas trop quelle stratégie adopter. Devrais-je dire que j'ai eu des tremblements, ou encore hausser la mise avec une maladie imaginaire?

Elle ne te met pas à l'épreuve, idiote, elle te fait simplement la conversation.

Ouais. Un peu moins de paranoïa, s'il vous plaît.

– Pas encore. Bon, c'est l'heure de ma séance de thérapie.

– Ah oui! À plus tard.

Je prends un café pour emporter et demande qu'on m'indique le bureau de Sandra.

Bizarrement, ce dernier est entièrement décoré avec des illustrations de chiens. Et je dis bien entièrement. On y trouve un calendrier arborant des chiens, une horloge en forme de chien, des photos encadrées de chiens et une laisse de chien au coin de son bureau. Il ne manque en fait que le chien lui-même. Peut-être la laisse est-elle pour moi?

Sandra est assise derrière un bureau en chêne massif. Je m'installe sur la chaise des visiteurs, qui est identique à la sienne. Elle m'explique ensuite que l'approche préconisée par l'Oasis consiste à identifier la source et les causes internes de mon alcoolisme, puis de m'enseigner des techniques visant à résoudre mes problèmes sans consommer de l'alcool. Si je fais confiance à Sandra et que je travaille avec elle, je devrais acquérir les aptitudes nécessaires pour demeurer sobre jusqu'à la fin de mon séjour de trente jours.

Elle ne parle évidemment pas de ce que j'ai réellement besoin d'apprendre d'ici trente jours.

– Certains patients ont besoin de plus de trente jours, bien sûr, mais comme c'est ta première expérience en désintox et que ton niveau d'alcoolisme est grave, mais pas chronique, je crois que ça suffira.

– Mon niveau d'alcoolisme?

– Tu as eu dix sur quinze au test d'alcoolisme.

– C'est mauvais?

– C'est une échelle graduée. Si on répond oui à plus de cinq questions, ça signifie que l'alcool nuit à notre vie de manière importante, ce qui est un signe d'alcoolisme.

– Et j'ai eu dix?

– Oui.

Sapristi, c'est pas top, ça. Mais un instant… Ces réponses n'étaient pas toutes les miennes, n'est-ce pas? Au moins trois d'entre elles étaient copiées sur celles que j'avais données au docteur Houston pour le bien de l'opération de camouflage. Donc, mon score réel est probablement de… six. Ce n'est rien.

Sandra saisit un long bloc-notes de papier jaune.

– Katie, j'aimerais commencer en essayant de découvrir les origines de ton alcoolisme. Quel âge avais-tu la première fois que tu t'es soûlée?

– J'avais quatre ans.

Elle écarquille les yeux.

– Quatre ans?

– Ça semble jeune, hein?

– Un peu, oui. Raconte-moi.

– En fait, c'est une histoire assez drôle...

C'est même une histoire très drôle. Quand mes parents ont réussi à se sortir de leurs problèmes juridiques post-désastre-dans-la-commune, ils ont décidé de fêter ça. Il y avait du champagne, et mon père m'en a donné un petit peu, juste un doigt, en fait, pour que je puisse lever mon verre avec eux.

Je me rappelle cette première gorgée de champagne. C'était sucré et délicieux, comme un bonbon à boire, et les bulles me chatouillaient la langue. J'ai adoré ça et j'en voulais plus. Alors, j'ai demandé à en avoir encore, et mon père, déjà un peu pompette, m'en a redonné. J'ai bu chaque rasade aussi vite que je le pouvais, et je me suis débrouillée pour chiper un peu plus tard un verre plein quand il ne faisait pas attention.

Très vite, j'étais soûle. J'avais l'impression que mon corps flottait, et j'étais couchée sur l'herbe, sereine, palpant chaque brindille du bout des doigts. Quand la fête s'est terminée, nous sommes allés au restaurant pour le souper. Mes parents, légè-rement ivres, n'ont rien remarqué de spécial jusqu'à ce que nous arrivions sur place. C'est là que j'ai décidé que ce serait une bonne idée d'enseigner à ma petite sœur de deux ans, Chrissie, comment tirer une nappe d'un coup sec sans que les assiettes ne bougent. J'avais vu un magicien le faire à la télé, et ça semblait très facile. Je me souviens de l'énorme fracas qu'on fait les assiettes, des jurons de mon père, et de ma mère qui répétait: «Mais pourquoi as-tu fait ça, ma chérie? Pourquoi?»

Quand ils ont finalement compris que j'étais soûle, papa n'a pas démordu du fait qu'il ne m'avait donné qu'une gorgée de champagne, et les hurlements de rage de maman ont fait trembler le restaurant. Ils m'ont finalement sortie de là par l'oreille et m'ont laissée dans la voiture pour «dégriser».

Une fois que mes parents se sont calmés, cette épopée est devenue l'une des histoires favorites de ma famille. Depuis ce jour, chaque fois que j'étais un peu turbulente, mon père criait « Veux-tu bien dégriser, oui ! » et nous éclations de rire.

– Tu crois vraiment que cette histoire est drôle, Katie ?

Euh, bien sûr. J'ai déjà fait rire des gens aux larmes avec cette histoire, mais peut-être qu'il faut avoir un verre en main pour réellement l'apprécier. Comme cette thérapie, d'ailleurs.

– Oui, assez.

– Comprends-tu pourquoi cette histoire ne semblerait pas drôle pour tout le monde ?

– Eh bien, je suppose qu'ils n'auraient pas dû me donner d'alcool à cet âge, c'est ça ?

– Entre autres. Mais ne trouves-tu pas aussi cela problématique que ta famille ait fait de cette histoire une blague ?

– Ils m'ont punie, tu sais.

– En te laissant seule dans la voiture ?

– J'ai grandi près d'ici. Les gens laissaient souvent leurs enfants dans leur voiture.

Sandra note quelques mots sur son bloc-notes, en lettres attachées.

– Tes parents t'ont-ils négligée à d'autres moments ?

– Quoi ? Mes parents ne m'ont pas négligée du tout !

– Pardon, Katie, j'ai mal choisi mes mots. Je voulais dire, y a-t-il eu d'autres occasions où tu t'es soûlée quand tu étais petite ?

Je me souviens d'un souper de Thanksgiving, alors que ma mère était partie rendre visite à ses parents. J'avais treize ou quatorze ans, et Chrissie, Papa et moi avions liquidé plusieurs bouteilles de vin. Une tempête de neige avait commencé pendant le repas, et ma sœur et moi nous étions précipitées dehors pour tracer des anges sur la neige. Nous étendions les bras, la neige moelleuse cédant à nos mouvements circulaires. Papa avait surgi sur la galerie avant en tendant une bouteille et en hurlant : « C'est moi qui termine le vin ! » Nous avions éclaté de rire sans pouvoir nous arrêter pendant des siècles.

J'ai une vague de nostalgie en pensant à Chrissie et moi. Nous nous amusions bien.

– Oui, mais… c'étaient des trucs innocents. Pour s'amuser.

– Je suis certaine que c'était amusant à l'époque… mais ne crois-tu pas que ces expériences ont pu être à la genèse de ton alcoolisme ?

– Es-tu en train de dire que c'est la faute de mes parents si… si je suis ici ?

– Bien sûr que non. J'explore simplement tes racines, afin d'y trouver ce qui t'a amenée ici.

On cogne à la porte. Sandra jette un coup d'œil à l'horloge.

– J'ai bien peur que ce soit tout le temps dont nous disposions aujourd'hui. On en reparle demain, d'accord ?

– OK, d'accord.

Je me lève et me prépare à partir. Avant de sortir, j'ajoute :

– Je ne crois pas que mes parents aient mal agi. Je veux dire, ils étaient… ils sont des parents formidables.

– Je comprends, dit-elle, l'air compatissant. Je te verrai en groupe cet après-midi.

– OK, oui. On se voit en séance de groupe.

• • •

OK, j'ai quelque chose à avouer. Je n'ai pas seulement bu les quatre verres de gin tonic dans l'avion qui menait au centre de désintox. Il y a aussi eu quelques verres à l'aéroport, juste avant.

Habituellement, je ne bois pas le matin, mais celui-là, il y avait quelque chose d'inhabituel. Un mélange de choses, en fait. Le minuscule avion qui allait m'emporter. L'opération camouflage. L'excitation de rencontrer une célébrité que j'observais à la télé depuis des semaines. La chance de réaliser enfin mon rêve de devenir journaliste. La désintox. Tout ça me mettait à l'envers, et j'avais besoin d'aide pour me calmer. L'infusion de camomille que j'avais bue avant de partir pour l'aéroport ne faisait clairement pas l'affaire, donc je m'étais dirigée vers le bar toujours ouvert de l'aéroport et y avais demandé un gin tonic.

Et ç'a marché. Quand j'ai eu fini de le boire, je me sentais mieux. Je me sentais stable. Je me sentais prête.

Puis, le vol a été retardé à cause de problèmes mécaniques (sérieusement, ne devraient-ils pas annuler le vol ou trouver un autre avion, dans ces cas-là?), et j'ai commandé un autre verre pour calmer mes nerfs de nouveau à vif. L'avion n'avait finalement été prêt que lorsque j'étais en train de suçoter la glace du troisième verre, et c'est ce dernier que je blâme personnellement pour ce que j'ai fait par la suite.

Vous voyez, tout le temps que j'ai passé au bar, il y avait à côté de moi une femme complètement absorbée par son bouquin. J'ai essayé à plusieurs reprises d'entamer une conversation avec elle, mais elle ne voulait rien savoir. Je ne sais pas si elle ne voulait pas me parler ou si elle appréciait trop son livre, mais je n'ai pas réussi à lui soutirer deux mots.

J'étais assise là, en train de boire, et j'ai commencé à me sentir enragée, et la cible de ma rage, c'était cette femme, assise au bar, toute sereine et trop snob pour me parler, et lisant, lisant, lisant.

Alors, quand elle s'est levée pour aller aux toilettes et qu'elle a laissé son livre sur le bar, j'ai ressenti une envie monstrueuse de le prendre. Je sais que c'était enfantin, voire à la limite criminel, mais je passais une journée de merde et je voulais en partager un peu.

Quand on a appelé mon vol, la propriétaire du livre n'était toujours pas revenue. J'ai donc ramassé mes affaires et j'ai jeté de l'argent sur le bar pour régler l'addition. Et là, en partant, j'ai saisi le livre et je l'ai glissé dans mon sac, en faisant attention à ne pas regarder derrière moi de manière louche, excitée d'avoir eu le courage de mon geste.

Prends ça dans les dents, Madame-trop-snob-pour-me-parler!

Bien sûr, une fois le geste perpétré, il m'est complètement sorti de la tête. Mais après ma séance de thérapie, j'avais une envie folle de quelque chose, n'importe quoi, qui serait mauvais pour moi. J'ai donc commencé à fouiller dans mon sac, dans l'espoir fou de trouver (s'il vous plaît, mon Dieu!) un paquet de cigarettes oublié.

Je n'en trouve pas, mais je découvre quarante dollars (un bonus inespéré!) et le livre que j'ai piqué. Je le sors du sac, ne sachant pas d'où il peut bien venir, jusqu'à ce que mon larcin me revienne en mémoire. Ah, oui. L'aéroport. Les gin tonic. La femme énervante.

Bon, peut-être est-ce un bon livre?

Je le retourne. Il s'agit de *Hamlet*. *Hamlet*? C'est une blague ou quoi? C'est ça qui captivait tant cette femme qu'elle ne voulait pas me parler? Bon, peut-être que c'est une version moderne de cette pièce, comme l'histoire des Boleyn dans *Deux sœurs pour un roi*. Je vérifie l'auteur. Nan. C'est ce foutu William Shakespeare. Extra. Le livre semble aussi épais que le film que Kenneth Branagh en a fait. Rory m'a forcée à aller le voir, et il durait presque quatre heures. Il y avait même un entracte.

J'espérais tellement que ce soit un livre délicieux et agréable à lire. Je suppose qu'on doit passer nos journées à réfléchir au bordel que nous avons foutu dans nos vies, mais vraiment, pendant combien de temps peut-on réellement penser à ce genre de trucs? Et il y a des limites à celui que je peux passer à prendre des notes dans mon calepin, aussi bizarroïde que puisse être LFDAC au cours des séances de groupe. Il me reste donc les randonnées dans les bois, les discussions, les discussions et encore les discussions avec les autres patients, ou bien la bibliothèque. J'y ai jeté un coup d'œil hier, et elle est nulle. Pleine d'exemplaires du *Grand livre des Alcooliques Anonymes* et autres manuels de croissance personnelle. À l'idée de lire ça, en plus d'entendre ce genre de trucs deux fois par jour en groupe *et* en thérapie personnelle, j'ai envie de me crever l'œil avec un bâton pointu.

Par contre, si quelqu'un m'avait dit il y a encore une semaine que je songerais à lire du Shakespeare pour passer le temps, je lui aurais rétorqué de me passer un autre verre. Mais maintenant que je suis ici et que boire est impossible, pourquoi pas?

J'apporte le livre à la bibliothèque, je m'installe dans un coin confortable et, étonnamment, je suis tout de suite absorbée par ma lecture.

– C'est de la contrebande, me dit une femme une heure plus tard pendant que Hamlet discute avec le fantôme de son père d'un «meurtre horrible et monstrueux».

Je continue à lire, en demandant:

– Quoi?

– Ce livre. C'est de la contrebande.

Un instant...

Je lève les yeux. LFDAC est debout en face de moi. Oh. Mon. Dieu. LFDAC me parle!

– Comment Shakespeare peut-il être de la contrebande?

Elle se laisse choir à mes côtés, ramenant ses pieds sous sa courte jupe en jean.

– Si le livre n'est pas sur les étagères, tu n'as pas le droit de le lire.

– Pourquoi pas?

– Qui sait?

Elle me retire le livre des mains.

– Alors, Shakespeare, hein? C'est du sérieux.

– En fait, c'est assez bon.

– Ouais, il savait écrire.

Elle redresse les épaules.

– «Quel chef-d'œuvre que l'homme! Qu'il est noble dans sa raison! Qu'il est infini dans ses facultés! Dans sa force et dans ses mouvements, comme il est expressif et admirable! Par l'action, semblable à un ange! Par la pensée, semblable à un Dieu! C'est la merveille du monde! L'animal idéal!» Ça ne te donne pas des frissons?

Hou là! Elle ne fait pas que coasser, cette fille. Elle cite aussi le chantre.

– Tu connais la totale par cœur, ou c'est de la frime?

Évasive, elle me répond :
– Tu aimerais bien le savoir, hein ?
Euh, ouais. Évidemment.
– «La dame fait trop de protestations, ce me semble. »
Elle rit.
– On dirait bien que tu es capable de frimer, toi aussi.
– Nan, celle-là je l'ai tirée de mes fesses.
– Belle image.
– Désolée. Je suis un peu vulgaire, par moments.
– Nous sommes en désintox. La langue vernaculaire, c'est la vulgarité.
Elle tente peut-être de m'impressionner, mais ça marche.
– Compris.
Elle me tend le livre.
– Bonne lecture. Demain, je te l'emprunterai peut-être, quand tu auras fini.
– Bien sûr.
– Tu t'appelles Katie, c'est ça ?
– Ouais. Et toi, t'es Amber.
– C'est moi. T'as dit que tu faisais quoi, déjà ?
– J'écris.
– De la littérature ?
– Non, du journalisme.
Ses épaules se serrent. Merde.
– Je suis critique musicale.
Elle relaxe.
– Ah. Pour le *Rolling Stone* ?
– Si seulement c'était ça. J'écris des revues musicales pour un ou deux journaux hebdomadaires.
– Cool.

Elle regarde ailleurs dans la pièce. Je vois que je ne l'inté-resse plus trop.

Dis quelque chose d'intéressant, Katie. Vite.

– Tu lis beaucoup?

Nul.

Ses grands yeux verts se tournent de nouveau vers les miens.

– Tu crois que je suis trop occupée à faire la fête pour lire?

Oups. C'était vraiment nul.

– Non, désolée, ce n'est pas ce que je voulais dire.

– Ça va. T'as dû voir mon bordel à la télé, hein?

Je ne sais pas quoi répondre.

– Un peu…

Elle sourit.

– T'as dû en voir assez. Mais ce n'est pas pareil quand on le vit, tu sais. Ou… je ne sais pas… peut-être que ça l'est. Je ne prétends pas que les choses étaient sous contrôle. Mais ce n'était pas si pire que ça en avait l'air.

Ouais, c'est ça. Comme si c'était la première fois que tu fumais du crack. Quelle malchance d'avoir été filmée, hein?

Je joue le jeu quand même.

– Je sais ce que tu veux dire. Aujourd'hui, en thérapie, Sandra m'a posé des questions au sujet de mon enfance, et ensuite l'a déchiquetée en morceaux comme si j'étais la star d'un téléfilm mélodramatique d'après-midi.

– J'ai joué dans un téléfilm d'après-midi.

– Ah bon? Lequel?

Elle rougit.

– Celui au sujet de l'inceste.

– C'était toi? Il y a une réplique qui est devenue célèbre à mon école…

Elle hausse les épaules et soudainement je la vois, alors qu'elle avait six ans. Elle dit d'une voix un peu enrouée.

– «Je n'aime pas ça quand mon papa me touche. »

– C'est ça ! C'est exactement ça !

– Pourquoi les gens ne se souviennent-ils que des pires trucs qu'on a faits ?

– Les critiques négatives sont toujours plus intéressantes.

– Ouais, ça, je devrais le savoir.

Elle pose les pieds par terre et se lève.

– Bon, je vais te laisser retourner à ta lecture.

– OK. C'était sympa de te parler.

– Ouais, pareil pour moi. Tu sais... tu es peut-être la première personne normale que j'aie rencontrée ici.

Merde, merde, merde. Je ne suis pas censée être normale. Je suis censée être endommagée.

– Merci.

– À la prochaine.

Je la regarde s'éloigner, notant encore une fois sa maigreur. Une fois que je suis certaine qu'elle est partie, je saisis un stylo sur le bureau et je griffonne des notes à toute allure sur les pages blanches à la fin de *Hamlet*, tentant de reproduire notre conversation tandis qu'elle est encore fraîche dans ma mémoire.

Bob sera ravi !

CHAPITRE 6

UN PAS, DEUX PAS, TROIS PAS, QUATRE...

« Première étape : nous avons admis que nous étions impuissants face à l'alcool – que nous avions perdu la maîtrise de notre vie », lit Sandra lors de ma deuxième séance dans son bureau Dogs'R'Us. As-tu des questions au sujet de cette étape ?

Je replie sous moi mes jambes vêtues d'un pantalon de yoga, prétendant réfléchir. Certaines personnes ont-elles réellement de la difficulté à comprendre cette étape ? Que fait-on en désintox si on n'a pas perdu la maîtrise de sa vie ? Ouais, ouais, OK, je veux dire, pour les gens normaux.

Il y a tout de même un truc qui m'agace.

– Pourquoi les étapes sont-elles écrites au pluriel de majesté ?

Un pli se forme sur le front de Sandra.

– Pardon ?

– Tu sais, c'est comme ça que la reine parle. « Nous n'appré-cions pas. » Ça s'appelle le pluriel de majesté.

– C'est de cette manière que Bill les a rédigées.

Je devrais savoir de qui il s'agit, n'est-ce pas ?

– Bill ?

– Bill Wilson, le fondateur des Alcooliques Anonymes.

– Ah. Eh bien, je trouve ça bizarre.

Sandra ramasse le collier de chien et le tient entre ses mains. Je suis sûre que c'est un geste inconscient, mais ça me fait capoter.

– Je pense que tu ne te concentres pas sur les bonnes choses, Katie.

Tu parles !

– Recommençons du début. Es-tu prête à accepter la première étape ?

– Je crois.

– Tu as admis tes problèmes, que tu es impuissante devant l'alcool, que tu as perdu la maîtrise de ta vie ?

Oh, j'en ai un, de problème, ne t'inquiète pas.

– Je croyais que je devais admettre que NOUS étions impuissants face à l'alcool et que NOUS avions perdu la maîtrise de NOS vies.

Elle semble déçue.

– N'en fais pas une blague, Katie, s'il te plaît.

– Désolée.

Je prends une grande inspiration et j'essaie d'avoir l'air aussi sérieuse que possible.

– Je suis impuissante. J'ai perdu la maîtrise de ma vie.

Franchement, serais-je ici, autrement ?

– Très bien, Katie. Je sais que ça t'a demandé beaucoup de courage.

Elle ouvre le dossier qui se trouve sur son bureau.

– Je voudrais discuter avec toi des résultats de l'évaluation psychologique que nous avons faite il y a quelques jours.

– Suis-je folle ?

Elle a de nouveau l'air déçu, alors j'insiste :

– Ce n'est pas une farce. Je veux réellement le savoir.

– Tu ne sembles pas avoir de troubles sous-jacents graves, mais les tests indiquent que tu es peut-être dépressive et que tu as des problèmes avec l'honnêteté et l'engagement.

Hou là! Et j'ai répondu honnêtement, en plus. Je savais bien que j'aurais dû répondre «C» partout.

– Je ne pense pas être dépressive.

Elle m'observe.

– Alors, pourquoi bois-tu?

Ben, tiens! Parce que c'est marrant.

– Ça me fait me sentir bien.

– Es-tu malheureuse quand tu ne bois pas?

Pourquoi ai-je l'impression qu'elle cherche à me piéger?

– J'ai de bonnes et de mauvaises journées, comme tout le monde.

– Mais tu bois quand même tous les jours?

C'est ce que j'ai dit au docteur Houston, n'est-ce pas?

– Ouais.

– Donc, tous les jours, tu as besoin de quelque chose pour te sentir heureuse?

Je savais bien qu'elle allait me piéger!

– Peut-être.

– Et si tu ne buvais pas, serais-tu malheureuse presque tous les jours?

Mes yeux fuient vers la fenêtre horizontale située au-dessus de la tête de Sandra. Le ciel est gris et nuageux.

– Je ne sais pas... Je ne me considère pas comme étant malheureuse...

– Katie, si tu utilises l'alcool de manière régulière pour altérer ton humeur, c'est normalement un signe qu'il y a quelque chose qui a besoin d'être altéré.

– Alors, tu crois que je suis dépressive ?

– Comme je te l'ai dit, il y a certains signes qui vont en ce sens, mais c'est seulement grâce au travail en profondeur que nous ferons ici que nous pourrons savoir si ta dépression est la cause ou la conséquence de ta consommation d'alcool.

C'est cette conversation qui me déprime.

– Et si elle en est la cause ?

– On essaiera d'en trouver la source.

– Et si elle en est la conséquence ?

– Eh bien, si tu arrêtes de boire, les symptômes devraient disparaître.

Super. Mais... Et si le fait de ne plus jamais pouvoir boire un verre me déprimait ?

– Tu es prête à faire des efforts, Katie ?

– Je suis prête.

– Tu es prête à t'investir dans ce programme aussi longtemps que cela sera nécessaire ?

– Oui.

Enfin, aussi longtemps que cela sera nécessaire pour Amber.

Elle me sourit.

– C'est très bien, Katie. Très, très bien.

• • •

Je quitte le bureau de Sandra avec l'impression d'avoir passé une heure devant une caméra de confession comme on en voit dans les téléréalités, quand les participants s'isolent dans une sorte de placard et avouent leurs pensées obscures. Je me suis souvent dit que si je participais à l'une de ces émissions, je ferais semblant d'être douce et aimable, puis que je laisserais libre cours à la garce qui est en moi lorsque seuls les auditeurs à la maison pourraient m'entendre. Mais bon, le fait de devoir être aimable avec une bande de bébés et de magouilleurs qui ne font que parler, parler et parler d'eux-mêmes toute la journée m'a dissuadée de tenter ma chance.

Ironique, n'est-ce pas?

Lorsque je suis de retour dans ma chambre, Amy noue les lacets de ses souliers de course. Elle a l'air en forme dans son short bleu foncé et sa camisole. En dehors des petites cicatrices roses sur ses bras et sur ses jambes, bien sûr. Des cicatrices qui sont trop régulières pour ne pas avoir été auto-infligées.

– Tu veux venir? me demande-t-elle en courant sur place.

– La dernière fois que j'ai couru après autre chose qu'un taxi, c'était à l'école secondaire.

– C'est une bonne manière de s'aérer l'esprit, tu sais.

– Peut-être demain.

Elle prend un air moqueur.

– Ne remets pas à demain ce que tu peux faire aujourd'hui.

– Est-ce l'une des douze étapes?

– Oh la la, tu es vraiment une nouvelle recrue, hein?

Je pointe ma poitrine du doigt.

– Cinquième jour: «Les premiers pas vers la sobriété».

Elle m'imite.

– Vingt-septième jour: «Techniques d'adaptation avancées».

– Je t'envie. Bonne course!

– Merci... et merci pour hier soir.

– Y a pas de quoi.

Elle part, et je me couche sur mon lit. Je place mes mains derrière ma tête et j'essaie d'oublier ma conversation avec Sandra. Ce dont j'ai vraiment besoin, ici, c'est d'une stratégie pour me rapprocher de LFDAC.

Qu'est-ce que Bob veut vraiment savoir? Devrais-je fouiller dans la chambre d'Amber pour découvrir quelle sorte de petites culottes elle porte? Pourquoi, ô pourquoi ai-je accepté ce foutu contrat?

Bon, au moins une question dont je connais la réponse...

Quand Amy revient de son jogging, je glisse *Hamlet* sous mon bras, et nous nous rendons à la cafétéria pour le dîner. Les grandes baies vitrées sont striées de pluie, ce qui donne un air flou à la pelouse et aux bois, comme dans un tableau de Monet. En dehors d'Amber, tous les gens du groupe sont déjà là, remplissant le vide que l'absence de drogues et d'alcool a engendré dans leurs vies.

Amy et moi acceptons les sandwichs que nous tend une dame aux cheveux retenus par un filet, et nous nous asseyons à une table ronde occupée par l'enfant-vedette et la romancière. L'E-V (son vrai nom, c'est Candice) a 35 ans, mais elle agit encore comme elle le faisait quand elle zozotait des réflexions mignonnes/précoces qui résumaient l'intrigue à la fin de chaque émission. D'ailleurs, ses cheveux blond blanc sont aussi coiffés de la même façon qu'à l'époque, et elle ouvre ses yeux bleu de Prusse avec une expression de jeunesse et d'innocence qui doit être assez difficile à maintenir. Ç'a dû la tuer quand Amber est arrivée au centre, poursuivie par autant de voitures que le Président le jour de son discours inaugural.

Mary, la romancière, a la quarantaine moche, avec des cheveux crépus et foncés qui virent au gris. Des rides profondes sillonnent son visage, lui donnant l'air plus vieille qu'elle ne l'est. Sa vie est devenue hors de contrôle quand son premier roman a gravi le palmarès des meilleures ventes, et elle a maintenant peur de ne plus jamais pouvoir écrire un truc valable si elle est sobre.

Quand j'écoute leurs récits, les bourbiers dans lesquels elles ont pu s'enfoncer, je suis abasourdie/enragée que quiconque ait pu croire que j'avais besoin d'être en désintox. D'accord, me présenter à une entrevue avec la gueule de bois, c'était peut-être imbécile et malheureux, mais ce n'est rien comparé au fait de tailler une pipe à un mec pour qu'il partage sa drogue avec vous, non? Même Élizabeth, avec sa voix en crescendo, devrait pouvoir faire la différence entre ces deux situations.

Pendant que je mange mon sandwich au thon, Candice se plaint du fait qu'Amber a le droit de s'absenter à l'heure des repas. Sa voix aiguë de bébé me tombe sur les nerfs.

– Mais qu'est-ce que ça peut bien te faire? lui demandé-je quand je n'en peux plus.

– Ce n'est pas juste.

– Et alors? La vie n'est pas juste, tu devras t'y faire.

Elle me lance un regard dégoûté, se lève et s'en va sans dire un mot.

– Enfiiin, dit Mary avec son accent côtier. Je croyais qu'elle ne se la fermerait jamais.

– Comment faites-vous pour la supporter?

– Oh, elle n'est pas si terrible que ça en général, dit Amy. Elle est pire depuis l'arrivée d'Amber. Et puis, il est vrai que c'est un peu ridicule qu'Amber n'ait pas à suivre les règlements comme les autres.

– Tu peux faire ce que tu veux ici si ton *Q score*[5] est assez élevé, dit Mary.

– C'est vrai, approuve Amy.

Elle se lève et prend son plateau.

– Katie, est-ce que ça te gêne si je m'en vais faire une sieste dans notre chambre ? Je suis brûlée.

– Non, vas-y. J'ai mon livre.

Amy et Mary quittent ensemble la cafétéria, et je prends *Hamlet*. Je suis encore agitée à la suite de ma séance avec Sandra, et je n'arrive pas à me concentrer sur la complexité du texte. Au bout de quelques minutes, je repose le livre sur mon plateau orange et j'observe le producteur, le juge et l'un des avocats qui gesticulent et rigolent de l'autre côté de la pièce.

– Comment te débrouilles-tu avec *Hamlet* ? me demande soudain LFDAC en s'affalant à mes côtés. Elle porte une robe blanche translucide qui lui donne l'air fragile et menue, et ses longs cheveux noirs tombent en cascade dans son dos.

Excellent. Souviens-toi de lui poser des questions, mais pas trop.

Ouais, ouais, ça va, j'ai compris.

– C'est lent.

– Mais c'est mieux que l'alternative, n'est-ce pas ?

– Oui, c'est exactement ce que je pense.

Elle fait un signe en direction de mon sandwich à moitié terminé.

– C'est bon ?

– Bof, pas mal.

– Goûter les aliments, c'est vraiment ce qu'il y a de mieux dans cette histoire de sobriété.

---

5. Mesure de familiarité des célébrités utilisée aux États-Unis. (NDT)

– Tu ne goûtais pas tes aliments ?

Que diable prenait-elle ?

– Nan, tout goûtait la même chose. Comme des «*cheap wine and cigarettes*[6]», dit-elle en chantant d'une voix pure un extrait de la chanson *One Headlight*, du groupe The Wallflowers.

– J'adore cette chanson.

– Tu sais, je l'ai rencontré, une fois.

– Jakob Dylan ?

– Non, le père.

– Tu as rencontré Bob Dylan !?

Ma voix est aiguë, tout à coup.

– Je crois. Il a écrit *Everybody Must Get Stoned*, c'est ça ?

Comment peut-on ne pas être certain d'avoir rencontré Bob Dylan !?

– Tu veux dire *Rainy Day Women Nos. 12 & 35* ?

– Non, je ne crois pas que ce soit le titre de la chanson...

– Oui, dis-je avant de pouvoir m'en empêcher. C'est le titre de la chanson. Peu de gens le savent, mais...

– Si tu le dis...

Son regard commence à errer dans la pièce.

Change de sujet, idiote, avant qu'elle ne parte.

– Tu as une belle voix. Tu devrais faire un disque.

Oh, quelle idée brillante...

Elle fait une grimace.

– Nan.

– Je suis certaine que serait très facile pour toi de décrocher un contrat de disque.

Bon, là tu l'as presque insultée. Bravo, vraiment !

---

6. «Du vin bon marché et des cigarettes.» (NDT)

Veux-tu arrêter ? Ça ne m'aide pas du tout.

– Ouais, dit-elle. On m'a proposé d'en faire un, mais j'ai refusé.

– Tu as refusé un contrat de disque ? Pourquoi ?

Elle reluque mon sandwich comme quelqu'un qui n'a pas mangé depuis un moment. Depuis une bonne semaine, même.

– C'est un peu gênant...

– Tu n'es pas obligée de me le dire.

S'il te plaît, s'il te plaît, dis-le moi.

– Eh bien... J'ai le trac sur scène.

Ouaiaiaiaiaiais ! Bob, tu es un génie diabolique.

– Mais tu es une actrice, enfin...

– Oh, ça va devant la caméra... Mais la seule fois où j'ai essayé de faire une pièce de théâtre, j'ai gelé devant la foule, et l'idée de chanter devant des milliers de personnes...

Elle frissonne.

Pffff ! C'est un peu arrogant de s'imaginer qu'elle chantera devant des milliers de personnes. Mais bon, en effet, il y aurait probablement des milliers de personnes présentes si LFDAC donnait un concert.

– Si tu imagines que le public est nu, ça ne t'aide pas ?

– Nan, la seule chose qui m'aide, c'est de m'envoyer de grandes quantités de drogue et d'alcool.

Je souris.

– Alors, pas de contrat de disque ?

– Pas de contrat de disque. Et puis, j'ai assez de projets en cours.

Elle ramasse mon exemplaire de *Hamlet* d'un air distrait.

– Comme quoi ?

– Eh bien...

Elle baisse la voix et se penche vers moi.

– Je ne devrais vraiment pas te dire ça, mais... la raison pour laquelle je connaissais ces paroles, c'est parce que ma compagnie de production planche sur un scénario basé là-dessus en ce moment.

– Un scénario basé sur *One Headlight* ?

– Mais non, que t'es bête ! Sur *Hamlet*.

Elle me montre le livre de la main.

– Tu vas produire un film tiré de *Hamlet* ?

– Ouaip ! Et je vais y jouer aussi.

– Tu joueras Ophélie ?

– Non, c'est un rôle idiot. Je vais jouer Hamlet.

Quoi ?

– Mais c'est un homme.

– Et puis ? Ils vont changer ça au scénario.

– Ce n'est pas un changement trop majeur ?

Elle ouvre le livre et le feuillette.

– Pas vraiment.

Modifier le sexe de Hamlet, ce n'est pas un changement majeur ? Sa mise en nomination aux Oscars lui est vraiment montée à la tête.

– Tu es sûre que c'est une bonne idée ?

– Pourquoi pas ? À cette époque-là, les hommes jouaient toujours des rôles de femmes.

– Oui, mais ils faisaient semblant d'être des femmes.

– Blanc bonnet, bonnet blanc.

Je prends une bouchée de sandwich, mais j'ai perdu l'appétit. Je ne sais pas du tout pourquoi je ressens le besoin de défendre Shakespeare auprès de quelqu'un comme LFDAC, mais je suis prête à lever mon épée.

Amber commence à rire.

– Tu devrais te voir la face !

Elle rit encore plus fort.

– Je t'ai tellement eue, là !

– Tu ne joueras donc pas dans une version moderne de *Hamlet* ?

– Nan, je n'ai même pas de compagnie de production.

Et j'aurais vraiment dû savoir ça, étant donné mon rôle ici. J'essaie de sourire.

– Tu m'as bien eue.

– Désolée, je ne pouvais pas résister.

Elle feuillette le livre de nouveau, cherchant quelque chose. Peut-être l'extrait qui parle de scélérats souriants et damnés.

Bon, au moins, elle m'en doit une, là, non ? Ça pourrait m'être utile. Je ne sais pas encore comment, mais...

Mon cœur fait un bond. Merde, merde, merde ! Mes notes sont dans le livre. Les notes qui décrivent notre conversation à la bibliothèque sont à environ 30 pages de ses doigts effilés. Je suis foutue.

Fais quelque chose, Katie. Vite.

J'arrache alors le livre des mains d'Amber et je le presse contre ma poitrine. Elle m'adresse un regard étonné. J'imagine que mon titre de la personne-la-plus-normale-qu'elle-ait-rencontrée-en-désintox est en danger.

– Je n'aime pas quand les pages se froissent.

J'essaie d'empêcher ma voix de passer d'aiguë à psychotique. Je ne pense pas que j'y arrive.

– Pas de souci, répond-elle, ayant de nouveau l'air de s'ennuyer.

Elle jette un coup d'œil à sa montre et se lève.

– J'ai des choses à faire avant la séance de groupe.

C'est ça, fuis la psychopatheé. Je ne t'en veux pas.

– OK, à plus.

Son visage s'éclaire d'un sourire coquin.

– Ouais, je ne manquerais pas la séance de groupe, aujourd'hui, si j'étais toi.

– Pourquoi?

– Tu verras bien.

• • •

Je me présente un peu plus tard à la séance de groupe, curieuse de voir ce qu'Amber a dans la manche. Et la réponse est... rien du tout. Elle attend que nous soyons tous assis en cercle et elle entre dans la pièce nue comme un ver.

En fait, pas complètement nue. Quand elle approche, on voit qu'elle porte une espèce de combinaison faite de bas nylon superposés. Elle a collé dessus des fleurs et des feuilles pour dissimuler certaines zones stratégiques, mais tout même, le résultat ressemble complètement... à une fille à poil.

Sandra n'est pas impressionnée pour autant.

– Amber, ceci est tout à fait inacceptable.

– Quoi? dit LFDAC, les yeux innocents, tandis qu'elle s'assoit sur la chaise à côté de la mienne et croise lentement les jambes. Tous les yeux masculins suivent ce mouvement, dont le cinéaste que je croyais gay. Enfin, peut-être qu'il est gay. Elle a assez de magnétisme pour ça.

– Tu sais quoi, Amber. S'il te plaît, va te changer, demande froidement Sandra.

LFDAC fait la sourde oreille et demande plutôt :

– Alors, de quoi parlons-nous aujourd'hui ? De cocaïne ? Putain que j'aime la cocaïne.

– Amber...

– Dis, Rodney, lance-t-elle au cinéaste, raconte-nous encore l'histoire de la fête avec les bols de cocaïne. Tu la racontes si bien que j'ai l'impression d'en prendre.

– Quelle fête ? demande Rodney, les yeux brillants d'intérêt.

– Tu sais, celle où il y avait De Niro. Ou était-ce Pacino ? Une grosse pointure, en tout cas. Tu te souviens ?

– Amber !

– Quoi !

– Tu veux que je t'envoie chez le docteur Houston ?

LFDAC se retourne vers Sandra et pose les mains sur ses hanches menues.

– Que va-t-il faire, me mettre sous calmants ? « Interdiction de drogues sur les lieux », dit-elle avec une grosse voix. En tout cas, pas quand elles sont administrées par notre Miss Ratched ici présente, c'est ça, la vérité !

– Amber, s'il te plaît, calme-toi.

– Pourquoi ? Pourquoi donc devrais-je me calmer ?

– Parce que tu déranges les autres patients.

Ça, je ne le crois pas. À voir leur air, ils n'ont pas assisté à un tel spectacle depuis longtemps. Et c'est pourtant un groupe de gens qui ont vu pas mal de choses.

– Et moi ? Ça ne compte pas, si je suis bouleversée ?

– Bien sûr que oui. C'est pour ça que je veux que tu voies le docteur Houston.

Sandra fait un signe de la tête en direction de la porte. Deux préposés costauds sont sur place, habillés de chandails blancs à col roulé et de pantalons pressés de la même couleur.

D'où viennent-ils ? Sandra doit avoir un bouton de panique dans sa poche, comme dans les annonces « Je suis tombée et je ne peux pas me relever » qu'on voit dans les info-commerciaux de fin de soirée.

– Evan, John, pourriez-vous accompagner Amber jusqu'au bureau du docteur Houston ?

LFDAC plisse les yeux.

– Sandra, pourquoi es-tu une telle garce ?

Sandra répond sans broncher :

– Amber, tu sais que ce niveau d'hostilité est inacceptable. Je révoque ton droit d'aller à l'extérieur.

– Tu ne peux pas faire ça !

– Oui, je le peux, dit Sandra d'une voix douce, mais ferme.

– Putain de bordel de salope !

– Ça suffit. Evan, John, venez.

– Tu vas me le payer, Sandra ! hurle Amber tandis qu'Evan et John la sortent de force de la pièce. Je connais des gens haut placés, moi ! Des gens foutrement haut placés !

Nous écoutons ses cris qui s'éloignent, puis nous retournons vers Sandra, impatients de voir sa réaction.

– OK, tout le monde, retournons au travail.

CHAPITRE 7

DIEU SEUL LE SAIT

Deux jours plus tard, j'écris un courriel à Bob.

Des trucs de fou. LFDAC est très mince (mais nous savions déjà ça, n'est-ce pas ?), et elle ne mange jamais devant les autres. Elle a le droit de ne pas respecter certains règlements (être présent à tous les repas), mais pas d'autres (pas de bordel pendant les séances de groupe, elle est en isolement depuis deux jours pour ça). Elle ne prend pas la désintox très au sérieux (exemple : « Putain que j'aime la cocaïne »). Elle joue un personnage différent chaque jour en thérapie de groupe. Elle a le sens de l'humour (parfois acerbe). Elle est intelligente. Elle est intelligente. Elle aime le thon.

Amber n'est toujours pas là en séance de groupe aujourd'hui, et je commence à avoir peur qu'elle soit partie. Après la thérapie, je me dépêche donc de retourner à ma chambre pour vérifier sur Internet. Si LFDAC quittait le centre de désintox, ça ferait la une des nouvelles, mais CNN et Fox parlent tous les deux plutôt d'un quelconque scandale sexuel impliquant un membre du Congrès. Par contre, je trouve un site Internet, *Alerte Amber*, qui diffuse en continu un vidéo en direct des portes d'entrée de l'Oasis, ce qui me confirme qu'elle se trouve encore quelque part dans le centre.

En y réfléchissant, quiconque a décidé de nommer ce site *Alerte Amber* est un sacré maniaque.

Mais bon... Celle qui lance la première pierre...

J'envoie mon courriel à Bob et réponds à un court message que m'a envoyé Greer. Nous avons correspondu régulièrement au cours des derniers jours. Elle m'envoie des liens vers des clips hilarants sur YouTube, comme celui de l'araignée droguée (à voir immédiatement si on ne le connaît pas). Elle semble deviner quand j'ai besoin de rire ou de divertissement.

Je n'ai pas eu de nouvelles de Rory. Même pas après lui avoir envoyé un courriel d'une page qui disait «je m'excuse» encore et encore et encore. Je n'ai jamais de ma vie passé autant de temps sans lui parler. J'ai l'impression qu'il me manque une partie de moi.

Je repose le iTouch et je reprends *Hamlet*. «Y a-t-il plus de noblesse d'âme à subir/la fronde et les flèches de la fortune outrageante/ou bien à s'armer contre une mer de douleurs...»

Je me demande bien que ce Shakespeare penserait de la désintox.

– Que fais-tu de bon? demande Amy en entrant dans la chambre vêtue de son ensemble d'exercice, le visage brillant.

Je fourre le iTouch sous ma jambe.

Quelle bonne manière d'attirer son attention, imbécile.

– Rien de spécial, réponds-je nonchalamment.

Amy ne semble pas avoir remarqué. Ouf!

– Ça t'édifie moralement de lire ce truc? demande-t-elle en pointant mon livre du menton.

– Ouais, je me sens un peu plus intelligente.

– C'est déjà ça.

Elle se laisse tomber par terre et commence ses étirements.

– Comment fais-tu pour avoir l'air aussi bien après être allée courir?

– Ce n'est pas ce dont on a l'air qui compte.

– Facile à dire.

Elle fait une grimace.

– Ne me dis pas que tu es une de ces filles-là!

– Quelles filles?

– Celles qui ne savent pas combien elles sont jolies.

Je ris.

– Ouais, j'avoue, je suis une de ces filles.

Je m'assois à côté d'elle sur le plancher. Je place une jambe devant moi et je replie l'autre derrière. Ça fait mal, mais en même temps, ça fait du bien. Je crois.

– Tu devrais sortir dehors, de temps à autre, dit Amy.

– Tu as raison.

– Est-ce qu'en langage-Katie ça signifie «va te faire foutre, je ferai ce que je veux»?

– Parfois. Mais pas aujourd'hui.

– Les alentours sont vraiment bien.

– Je sais. J'ai grandi près d'ici.

– C'est pour ça que tu as choisi de venir ici?

– Je suppose.

– Tu es si disposée à parler de ta vie personnelle...

– Désolée. Ça me met mal à l'aise.

Elle semble compatir.

– Ça doit être difficile, ici, pour toi, alors?

– Je me débrouille. Mieux qu'Amber, on dirait.

– Ça ne veut pas dire grand-chose.

J'essaie d'imiter la façon dont Amy se penche sur sa jambe, et appuie son front contre son genou. Le bruit que j'entends dans mon dos est-il normal ?

– Tu crois qu'elle essaie de se faire mettre à la porte en agissant comme ça en groupe ?

Elle hausse les épaules.

– Peut-être, mais j'ai entendu dire qu'elle était ici par voie d'ordonnance judiciaire, donc elle est coincée.

– C'est quoi, cette ordonnance judiciaire ?

– Ça veut dire que la cour lui a ordonné d'aller en désintox. Le centre a le pouvoir de la garder un certain temps, et il fera ses recommandations à la cour quand il jugera qu'elle pourra partir.

– Il faut déposer une requête pour obtenir ça ?

– Bien sûr.

– C'est dans le domaine public ?

Elle se redresse et me regarde d'un air interrogateur.

– Pourquoi es-tu si curieuse ?

Flûte.

– Oh... je demandais ça comme ça.

Amy bondit sur ses pieds, et je la suis plus maladroitement.

Seigneur. Je pense que je me suis étiré un muscle dans le dos. Et j'imagine qu'en désintox, il n'y a pas d'analgésiques. Super...

Amy a l'air inquiet, tout à coup.

– Katie, je peux te donner un conseil ?

– Quoi ?

– Amber attire les ennuis. Si j'étais toi, je me tiendrais loin de ses embrouilles.

– Ne t'inquiète pas.

– Ne le prends pas mal, mais je connais des filles comme elle, et vous ne serez jamais amies. Elle te fera croire que vous l'êtes, mais vous ne le serez pas.

Elle m'agace. Pourquoi ne pourrais-je pas être amie avec LFDAC? J'étais populaire à l'école secondaire, bordel!

– Si tu le dis, réponds-je poliment.

– Ça n'a rien à voir avec toi, Katie. Elle ne fait que ce qu'elle connaît. Son monde est complètement paumé, et tu ne veux pas t'y frotter, crois-moi.

Je capte le regard troublé d'Amy et je ne peux m'empêcher de penser aux cicatrices physiques et émotives qu'elle transporte avec elle. Peut-être a-t-elle raison. Le problème, c'est que c'est mon travail de pénétrer dans le monde paumé de LFDAC.

– OK, j'ai compris.

Je m'assois sur le lit et je ramasse *Hamlet* pendant qu'Amy se prépare à prendre une douche.

– Katie? dit Amy dans l'embrasure de la porte.

– Oui?

– Toujours copines?

Je vois son air incertain et je prends une décision.

– Je ne vais pas dehors parce que je ne veux pas prendre le risque de croiser mon ex-copain.

– Ton ex-copain est un patient?

Je soupire.

– Non, il est jardinier. Je l'ai croisé l'autre jour, et j'ai peur de tomber sur quelqu'un d'autre que je pourrais connaître et qui répéterait à mes parents qu'il m'a vue ici.

Amy hausse les sourcils.

– Tes parents ne savent pas que tu es ici? T'es vraiment cachottière, hein?

– Je te l'avais dit.

– Mais alors, pourquoi es-tu venue ici ? Tu aurais pu choisir n'importe quel autre centre !

Oui, n'importe quel centre qui abrite une célébrité en chute libre.

– Eh bien, de toute évidence, je n'y ai pas réfléchi. À ma décharge, je n'avais pas les idées très claires.

Elle sourit.

– Ton secret sera bien gardé.

Je l'espère vraiment.

• • •

– « Deuxième étape : nous en sommes venus à croire qu'une puissance supérieure à nous-mêmes pouvait nous rendre la raison », lit Sandra lors de notre séance le septième jour, qui correspond dans l'agenda à « Accepter notre puissance supérieure ».

Elle porte un chandail blanc avec plusieurs races de chiens qui courent partout dessus. Chaque fois qu'elle respire, ils bougent, et ça me glace le sang.

– Te sens-tu prête à faire cela ? continue-t-elle.

– Non, je ne le crois pas.

– Pourquoi ?

J'hésite. Je sais qu'elle n'aimera pas ce que j'ai à dire.

– Parce que je ne crois pas en Dieu.

Elle me dévisage, impassible.

– Tu n'as pas à croire en Dieu pour accepter cette étape, Katie. Ta puissance supérieure n'a pas à avoir une connotation religieuse.

C'est vraiment de la blague, son truc.

– Ne puis-je pas sauter cette étape et passer aux suivantes ?

– Non, ça ne marche pas comme ça.

– Bon, alors il faut croire que les AA ne marcheront pas pour moi.

Elle semble inquiète.

– Tu dois accepter les étapes si tu veux réussir à arrêter de boire.

Heureusement que je n'ai pas réellement besoin d'arrêter de boire.

– Tu dis que les AA sont la seule façon d'arrêter de boire ?

– C'est le seul programme que je connaisse qui fonctionne de manière fiable.

– Mais je croyais que ça marchait seulement pour environ douze pour cent des patients.

Elle choisit soigneusement ses mots pour me répondre.

– Oui, c'est vrai. La plupart des programmes ont un taux de réussite qui se situe entre dix et vingt pour cent.

Je me demande quel est le taux de réussite pour les opérations d'espionnage en désintox. Ils ne compilent sûrement pas de données là-dessus.

– Dont celui-ci ? demandé-je encore.

– Oui.

– Pourquoi ne m'as-tu jamais dit ça ?

– Tu crois que ça aide un patient de savoir qu'il a plus de chance de connaître l'échec que la réussite ?

– Peut-être pas, mais avoir des attentes irréalistes, ça n'aide pas non plus.

– Crois-tu qu'il est irréaliste de dire que tu as le pouvoir de vaincre ta dépendance ?

– Je croyais que j'étais impuissante.

Elle hoche la tête. Les chiens bougent. Je vais vraiment me taper des cauchemars à tête de chiens ce soir.

– Non, Katie. Tu es impuissante à changer les choses que tu ne peux pas changer. Tu es alcoolique. Cela ne changera jamais. Mais tu as le pouvoir de prendre des décisions quant à ce que ça signifie pour toi.

– Mais qu'est-ce que ç'a à voir avec Dieu?

– Ta puissance supérieure, c'est l'endroit où tu trouves la force de prendre de bonnes décisions.

Elle m'adresse un sourire patient.

– Regardons les choses sous un autre angle. Pourquoi résistes-tu tant à l'idée d'une puissance supérieure?

– Parce que je n'y crois pas. Je n'y ai jamais cru.

– Et pourquoi, selon toi?

Je réfléchis.

– As-tu lu le livre *Mange, prie, aime*? lui demandé-je.

– J'en ai entendu parler.

– C'est l'histoire d'une femme qui décide de passer un an à explorer trois aspects de la vie: le plaisir, la foi et la recherche d'un équilibre entre les deux.

– Je ne vois pas le lien.

– Eh bien, j'ai beaucoup aimé le livre, surtout les parties où cette femme mange et aime. Ce sont des choses auxquelles je peux croire. Mais au milieu du bouquin, quand elle est dans un ashram en Inde, méditant du matin au soir, et qu'elle a cette... je ne sais pas, expérience transcendantale ou un truc du genre, et qu'elle croit voir Dieu, eh bien, tout ce que j'avais en tête en lisant cela, c'était *yada yada yada*.

– C'est un chant yogique?

– Non, c'est le bruit que faisait mon cerveau quand elle disait avoir vu Dieu.

– Pourquoi ton cerveau faisait-il ce bruit?

– Parce que je n'y croyais pas, et la seule fois où j'ai ressenti un lien avec elle, c'est quand elle a ri de son expérience.

Sandra est pensive.

– Alors, tu as seulement connecté à son expérience de Dieu quand elle a émis des doutes quant à la véracité de sa rencontre avec lui?

– Bingo.

– Eh bien, Katie, je n'ai pas lu le livre, mais d'après ce que tu m'en dis, je crois que tu es passée à côté de son message.

Tu m'étonnes.

– Peut-être.

Sandra et ses sinistres chiens mouvants me regardent.

– Katie, comme je l'ai dit auparavant, cette puissance n'a pas à être Dieu. Il faut simplement que ce soit quelque chose à l'extérieur de toi. Une constante à laquelle tu peux te raccrocher. Alors, je te lance le défi suivant: je veux que tu passes du temps, au cours des prochains jours, à essayer de trouver quelque chose qui est plus fort que toi. Tu crois que tu en es capable?

Ai-je le choix?

Il me semble que tu as dit adieu au droit de faire des choix quand tu as accepté l'offre de Bob.

Peut-être cela explique-t-il la lueur de malice que j'avais vue dans ses yeux?

– Je peux essayer.

• • •

Après le dîner, je suis le groupe qui va encore regarder une comédie romantique sur l'écran géant. À l'affiche ce soir, il y a *Kate & Léopold*. C'est l'histoire d'un riche inventeur du XIXe siècle qui découvre une façon de voyager jusqu'au New York actuel et y rencontre Meg Ryan.

Amber s'assoit à côté de moi quand nous en sommes environ aux trois quarts du film, alors que Kate et Léopold découvrent que leur relation ne fonctionnera peut-être pas à cause, évidemment, de toute cette histoire de continuum d'espace-temps. Le teint d'Amber semble gris à la lueur de la télévision.

– Je n'arrive pas à croire qu'ils nous fassent regarder de telles merdes ici, dit Amber assez fort.

– Chut ! siffle derrière nous le cinéaste peut-être-gay.

Je le regarde d'un air incrédule, quoique, à bien y penser, il regarde le film tous les soirs (comme moi, en fait) et semble apprécier le genre.

Nous nous taisons, et la séance continue. Léopold retourne à son époque et est triste. Kate demeure dans la sienne et est triste. Puis, Kate réalise qu'il est plus important d'être heureuse que d'être une professionnelle qui réussit au XXIe siècle. Elle n'a bien sûr plus que vingt minutes pour se rendre au pont de Brooklyn avant que le continuum espace-temps ne se referme pour toujours. Elle quitte à la course la fête donnée en l'honneur de sa promotion et...

Je grogne de dégoût.

– Oh. Mon. Dieu. Elle ne va pas y courir, quand même ?

– On dirait bien, dit Amber.

– As-tu remarqué que, dans ce genre de films, ça finit toujours avec quelqu'un qui court pour rattraper son amour véritable et lui avouer ses sentiments ?

Elle rigole.

– Comme dans *When Harry Met Sally*.

– Exactement.

– Peut-être est-ce propre aux films de Meg Ryan ?

– Non, dans *The Holiday* aussi. Cameron Diaz court dans la neige pour rattraper Jude Law.

– Ça, on ne peut pas lui en vouloir.

– C'est vrai.

Amber est songeuse.

– Je suppose que ça ne vaut pas la peine de courir, si ce n'est pas vraiment de l'amour.

– Pas dans les films, en tout cas.

– Chut ! entendons-nous encore en arrière.

Meg/Kate saute du pont de Brooklyn dans le trou de ver. En courant un peu plus, elle retrouve Léopold et rejette son existence d'indépendante solitaire. Je suppose que le fait qu'elle pouvait voter au XXIe siècle n'était pas suffisant pour l'y garder. *Suffragette City*, vous pouvez aller vous rhabiller.

Le générique commence, et quelqu'un rallume les lumières. Je croise le regard du cinéaste lorsqu'il se lève pour quitter la pièce. La fureur que j'y lis pourrait faire faner un arbre centenaire.

– C'est quoi son problème ? demande Amber.

– Il ne devait pas être convaincu que Kate et Léopold allaient se retrouver.

Elle ricane.

– Il faut vraiment qu'il soit à court de divertissement. Je sais par expérience que, dans la vraie vie, il ne toucherait jamais à un scénario de comédie romantique.

– Peut-être sera-t-il plus ouvert après son séjour ici, qui sait ?

– Peut-être. Mais je parie qu'il ne me prendra quand même pas dans son prochain film, l'enculé.

Je comprends soudain quelque chose.

– C'est pour ça que tu fais tous ces trucs pendant les séances de groupe ? Pour qu'il te remarque ?

– En partie, avoue-t-elle. Mais ça ne semble pas marcher, et je commence à manquer d'idées.

– Mais n'as-tu pas peur que tout le monde pense que tu es...

– Juste une autre petite fille gâtée d'Hollywood ?

Dans le mille.

– Ouais.

– Je me fous de ce que les gens pensent, ici.

– Et si quelqu'un allait raconter ça à la presse à scandale ? demandé-je sans réfléchir.

Mon sang se glace dans mes veines. Suis-je une imbécile totale ?

Elle hausse les épaules.

– Ces jours-ci, je tiens pour acquis que ça va se produire.

Est-il possible d'entendre battre le cœur de quelqu'un, à cette distance ?

– Ça ne te dérange pas ?

– Parfois... Je crois que je m'y suis habituée.

Amber se lève et étire ses bras au-dessus de sa tête en bâillant.

– Je vais aller me coucher.

Pour une fois, je suis contente de la voir s'en aller. Toute cette conversation a fait grimper ma tension artérielle jusqu'au plafond. Quoique, à bien y penser, je peux peut-être marquer quelques points.

– Amber !

– Ouais ?

– Essaie un chien, la prochaine fois.

Elle me fait un grand sourire.

– Hum, pourquoi n'avais-je pas encore pensé à ça ?

• • •

Je me réveille, le cœur battant, battant, battant. Je crois d'abord que c'est Amy qui est repartie pour un voyage imaginaire de K, mais la chambre est étrangement silencieuse. Trop silencieuse, en fait.

Je regarde vers le lit d'Amy, essayant d'entendre sa respiration. Je n'entends rien, et quand mes yeux s'accoutument enfin à la noirceur, je ne vois que ses draps emmêlés.

J'allume la lumière et je regarde ma montre. Il est 1 h 37 du matin, une heure à laquelle tous les résidents devraient être au lit, endormis. Seigneur, même ces insupportables grillons ont cessé de frotter leurs pattes ensemble !

L'absence d'Amy a quelque chose de louche. Devrais-je partir à sa recherche ?

Qu'est-ce que ça peut bien te faire ? Elle n'est pas ta cible.

Mais elle a été très sympa avec moi. Et elle a toutes ces cicatrices affreuses sur les bras… Peut-être y a-t-il quelque chose qui cloche.

Comme tu veux. Ce sont tes funérailles, après tout.

Je sors du lit et parcours à pas de loup les quelques mètres de plancher froid qui me séparent de la porte. Les surveillants font le tour des chambres plusieurs fois par nuit, et j'ai l'impression que de se faire coincer hors de son lit est un crime punissable.

Probablement en nous imposant des séances additionnelles avec Sandra.

Je retiens mon souffle et tends l'oreille, cherchant à distinguer des sons dans le corridor. Comme je n'entends rien, je tourne la poignée de la porte doucement en envoyant une petite prière au dieu des Embrouilles de Nuit qui m'ont préservée jusqu'à présent. Si j'ai toujours réussi à me glisser hors de la maison de mes parents sans me faire coincer, je devrais bien m'en tirer cette fois-ci avec des intentions aussi altruistes, non ?

Je regarde autour de moi. Les lumières du corridor sont tamisées, mais il y a une lueur sous la porte de la salle de bain.

C'est sûrement juste parce que mon cerveau n'est pas top à 2 h du matin (j'ai eu des tonnes d'idées géniales par le passé à cette heure-ci), mais je sens qu'il y a quelque chose qui cloche.

Tu vas aller voir, où tu vas rester plantée ici jusqu'à ce que tu te fasses prendre ?

Je croyais que tu ne voulais pas que j'aille voir ce qu'elle avait ?

Vaut mieux être stupide qu'indécise.

Ah, ferme-la.

Quelques pas rapides me mènent à la salle de bain, dont j'ouvre la porte.

Bordel de merde.

Amy est accroupie sur le plancher devant l'une des douches, tenant la tête blonde de quelqu'un sur ses genoux. La douche coule à grands jets sur les jambes pâles de la femme évanouie. Et il y a du sang partout.

– Amy, est-ce que c'est… ?

Elle se tourne vers moi. Elle a l'air terrifié.

– C'est Candice. Elle a essayé de… J'ai besoin d'aide !

La vue et l'odeur de sang qui s'échappe des entailles horizontales sur les bras de Candice me figent sur place. Je veux bouger, mais j'en suis incapable. Je ne suis même pas sûre que mon cœur batte encore.

– Katie ! S'il te plaît ! Va chercher de l'aide !

Mon cœur redémarre soudain. Je me retourne et j'ouvre la porte. Mary est dans l'embrasure de la porte de sa chambre, tenant son peignoir contre elle. Ses cheveux gris forment un nuage flou autour de sa tête.

– C'est quoi, ce remue-ménage... ?

Elle a la bouche grande ouverte quand elle voit le carnage derrière moi.

– Oh, merde.

Nous nous croisons dans le corridor, et je cours dans sa chambre, cherchant le bouton d'alerte. Je le trouve au-dessus de la lampe et j'appuie dessus. Long, long, long. Court, court, court. Long, long, long.

Nom de Dieu ! Ce n'était pas prévu au scénario, ça.

Je repars en courant vers la salle de bain. Mary est sur le plancher à côté de Candice, tenant une serviette sur son poignet gauche. Le visage de Candice est blême, et ses paupières s'agitent. Amy déchire une autre lanière de serviette avec ses dents, tout en pressant sur la blessure du poignet droit de Candice avec ses doigts.

Je jette un coup d'œil dans le corridor vide. Qu'est-ce qu'ils foutent ? Elle pourrait mourir, merde !

Ne t'ai-je pas parlé de funérailles ?

Tu te moques de moi, ou quoi ?

Je crois que j'entends des pas qui approchent, et je cours vers le bout du corridor, mes pieds nus tambourinant sur le plancher. En arrivant au coin du couloir, je fonce presque dans le docteur Houston et l'un des préposés. Ils ont une civière d'hôpital entre eux.

– Par ici !

Je les mène vers la salle de bain. Le docteur Houston prend rapidement la situation en main, attachant des sortes de tourniquets sur les poignets de Candice à l'aide de tubes en caoutchouc qu'il sort de sa trousse médicale. Le sang cesse de couler. Le préposé enroule une couverture autour des épaules de Candice et ferme la douche, se mouillant le bras jusqu'au coude.

La salle de bain est soudain incroyablement silencieuse. Seuls les gémissements d'Amy résonnent sur les murs. Mary est debout dans le coin de la pièce, les bras croisés sur sa poitrine et les yeux écarquillés sous l'effet du choc. Je m'aperçois que mes mains tremblent, et je les serre en boule pour essayer de les en empêcher.

– Vous l'avez trouvée il y a combien de temps ? demande le docteur Houston à Amy.

– Je n-n-ne sais pas…

– Réfléchissez. C'est important.

– Dix minutes…

L'air sombre, il se tourne vers Mary.

– Savez-vous à quelle heure elle a quitté votre chambre ?

– Il y a peut-être une demi-heure. Je dormais.

– Bien. Retournez à vos chambres. Quelqu'un viendra vous voir plus tard. Evan, soulevons-la.

Ils installent une Candice toute molle sur la civière. Elle ressemble à la petite fille qu'elle a été.

Je tiens la porte ouverte pour qu'ils puissent sortir. J'entends le son lancinant d'une ambulance qui approche dans la nuit.

Mary les suit dans le corridor, tenant fermement la main de Candice.

Je laisse la porte se refermer et me tourne vers Amy.

– Ça va ?

Elle essuie ses larmes du revers de la main, laissant au passage une trace de sang sur son visage.

– J'ai froid, murmure-t-elle.

Je me dirige vers une autre douche et la démarre à la température la plus chaude possible.

– Va là-dessous. Je t'apporte une serviette et des vêtements propres.

Elle avance lentement vers la douche, tandis que je retourne à notre chambre. J'enfile rapidement un pantalon de sport et un tee-shirt propres, puis je prends au hasard des vêtements et une serviette dans la commode d'Amy.

Quand je retourne à la salle de bain, Amy est toujours debout sous le jet, tout habillée. Les sections de sa peau caramel qui ne sont pas couvertes par sa chemise de nuit sans manches sont rouges de chaleur.

– Amy ? dis-je très fort.

Elle ne répond pas. Je contourne la flaque de sang sur le plancher et ferme la douche. Je prends ensuite ma coloc par la main et la guide pour sortir. Elle marche comme une automate, comme si son âme avait été transférée à un T2000.

– Amy, tu dois enlever ces vêtements, lui dis-je doucement.

Elle retire sa chemise de nuit et la laisse tomber sur le sol, puis elle s'essuie avec l'une des serviettes que j'ai apportées. Je la regarde revenir lentement à elle.

– Comment l'as-tu trouvée ? demandé-je.

– Je suis allée aux toilettes.

– Ça t'apprendra.

Le coin de sa bouche tressaute, et ses mouvements deviennent plus fluides. Elle enfile un short avec des cœurs dessus et un pull à manches longues.

– Prête à retourner au lit ?

– J'imagine que oui.

Nous ramassons ses vêtements et sa serviette, puis retournons à la chambre. Nous grimpons dans nos lits, et j'ébauche un geste vers la lampe de chevet.

– Tu crois que tu pourrais la laisser allumée un moment ? demande Amy faiblement.

– Bien sûr.

Je me couche sur le dos et contemple le plafond. Tout ce que j'y vois, c'est le sang qui s'agglutine autour des bras si pâles de Candice. J'essaie de chasser cette image de mon esprit, mais elle y reste coincée comme si je l'avais incrustée dans ma rétine en regardant une éclipse.

Merde. Ça, ce n'était vraiment pas prévu. Je ne suis pas capable de faire face à des trucs pareils. J'arrive à peine à m'occuper de ma propre vie. Ce que je ne donnerais pas pour un verre d'alcool, ou même vingt.

– Amy, tu crois qu'elle essayait vraiment de se tuer ? demandé-je au bout d'un moment.

Elle pousse un soupir.

– J'en doute. Elle tentait probablement d'attirer l'attention.

– Pourquoi dis-tu ça ?

– Il faut faire une incision verticale, si on est sérieux, dit-elle de manière pragmatique.

Ouach ! Bon, ce n'est pas étonnant qu'elle s'y connaisse, elle a de l'expérience quand il s'agit de se couper.

Amy frappe le mur de la main.

– Je n'en peux plus, je veux foutre le camp d'ici. Heureusement que je pars demain.

– Et tu n'accordes pas la plus petite pensée à ta pauvre coloc qui n'aura plus que Sandra à qui parler ?

Elle rit.

– Tu la détestes toujours ?

– Nan, je commence à m'y faire…

– Comme à une moisissure ?

– Ouais, c'est ça. Je te jure, je vais probablement commencer à porter des vêtements de chiens sous peu.

Amy bâille à s'en décrocher la mâchoire.

– Tu sais, je suis sûre qu'on pourrait faire une fortune en lançant une ligne de vêtements décorés de chiens.

– Pour toutes les Sandra de ce monde ?

– Les gens sont fous de leurs animaux, tu sais.

– Mais ils réussissent quand même à fonctionner comme des gens normaux.

Elle se pelotonne dans sa couverture.

– Tu es prête à t'endormir ? me demande-t-elle.

– Oui.

J'éteins la lumière et ferme les yeux. Évidemment, des images de Candice ensanglantée m'attendent, et il n'y a pas une goutte à boire sur les lieux. J'ouvre les yeux et j'écoute la respiration d'Amy, qui devient plus régulière. Je regarde le plafond, observant les ombres créées par la lune et les étoiles. Je n'arrive jamais à m'endormir facilement et connais déjà très bien le réseau de craques dans le plafond au-dessus de moi, mais au moins, je ne me réveille pas en hurlant à la mort tous les soirs.

Je m'endors en comptant les rayons de lune qui passent à travers les barreaux de la fenêtre. Et en me comptant chanceuse.

CHAPITRE 8

YOU SAY GOODBYE,
AND I SAY HELLO[7]

Le lendemain matin, au petit-déjeuner, on nous apprend que Candice va bien et sera de retour parmi nous dans quelques jours. La cafétéria vibre du bruit des conversations à son sujet, et Mary, Amy et moi sommes très populaires lorsque les patients apprennent que nous avons été impliquées dans le drame.

Je suis contente de savoir que Candice va s'en remettre. Même si elle est très énervante, elle mérite de bien aller. Et peut-être réussirai-je maintenant à chasser l'image de son corps presque sans vie de mes pensées.

Rien à faire.

Après le petit-déjeuner, Amy me demande encore une fois si je veux aller courir avec elle. Comme c'est son dernier jour ici, j'accepte.

– Es-tu nerveuse à l'idée de partir ? lui demandé-je alors que nous marchons sur le sentier en périphérie de la propriété, le long de l'enceinte de sécurité en pierre grise.

Je porte un de ses shorts de course qui, étrangement, me va à peu près. Il faut dire que, selon ma dernière pesée, j'ai perdu

---

7. « Tu dis adieu, et je dis bonjour » – extrait d'une chanson des Beatles, *Hello Goodbye*. (NDT)

presque cinq kilos depuis mon arrivée au centre. Cinq kilos en huit jours ! Qui l'aurait cru ? La désintox est le régime le plus efficace que j'aie jamais essayé.

– Bien sûr, répond-elle.

– Tu as peur de recommencer comme avant ?

Son regard est tranchant.

– Bon sang, Katie. Tu es encourageante.

– Oh, merde, désolée. Tu t'en sortiras, Amy, j'en suis convaincue.

– Merci. Toi aussi.

Oui, ça, c'est sûr. Dès que je foutrai le camp d'ici.

– Oui.

Elle sautille sur place.

– Alors, on y va ou pas ?

– Je te suis, Nike.

Nous nous élançons, courant à un rythme régulier. Quelques instants plus tard, mes poumons sont en feu et j'ai l'impression que je vais m'écrouler. Les grands pins au-dessus de nous bloquent la lumière du soleil et me rendent claustrophobe. Je compte lentement jusqu'à cent dans ma tête pour essayer de me changer les idées, mais ça ne marche pas.

Je m'arrête soudainement, pliée en deux.

– Ça va ?

J'appuie sur le côté de mon ventre où j'ai une crampe. Je n'arrive pas à croire qu'on puisse souffrir autant, sauf en accouchant. Je ne sais pas de quoi je parle, mais j'ai entendu dire que c'est ce qu'il y a de pire.

– Ça fait combien de temps qu'on court ? demandé-je en haletant.

Elle regarde sa montre.

– Environ cinq minutes.

Cinq minutes? C'est impossible. J'aurais juré que ça en faisait au moins quinze, peut-être même vingt.

– Tu cours combien de temps, d'habitude?

– Environ cinquante minutes.

Cinquante? Dix fois plus longtemps? Impossible.

– Je crois que tu devrais continuer sans moi, bredouillé-je.

– Tu en es sûre?

Je prends quelques bonnes respirations. Ce point de côté fait toujours foutrement mal.

– Ouais. Je vais marcher un peu et rentrer, conclus-je.

– OK, on se voit à la chambre.

Elle repart en courant, sa silhouette frêle disparaissant bientôt de ma vue.

Je m'assois sur une roche pour tenter de reprendre mon souffle, appuyant sur le côté de mon ventre jusqu'à ce que la douleur s'estompe. Comment ai-je bien pu me laisser autant aller? Ah oui, c'est vrai. Un verre à la fois.

En fait, si j'étais une meilleure personne, je tirerais le maximum de cette période de bonnes habitudes forcées et je commencerais à faire du sport. Ça ne me ferait pas de mal, n'est-ce pas? Si ce point de côté me fait atrocement mal, c'est simplement parce que je n'ai pas fait d'activité physique depuis des années.

OK. C'est l'heure des résolutions. Je vais courir tous les jours, et j'ajouterai une minute par jour. Alors, ça veut dire que je devrai faire six minutes demain. Six minutes, pas une de moins.

Je ne peux croire que mon ventre me fasse encore mal. Peut-être que cinq minutes demain, ce sera assez, finalement, et que je passerai à six le jour suivant. Ou cinq et demie. Je verrai comment je me sens demain. Mais cinq minutes, minimum !

Quand la douleur s'estompe enfin, je me lève et décide de marcher un peu. Je suis le sentier jusqu'à ce qu'il sorte du bois et croise un pré d'herbe fraîche recouvert de fleurs sauvages qui sentent le trèfle. Au bout de ce dernier, LFDAC est debout sous le soleil tapant, étudiant d'un air sombre le mur de sécurité. Elle porte un jean usé et un tee-shirt noir, et elle a l'air fatigué. En fait, c'est la première fois que je la vois sans être frappée par sa beauté.

– Tu songes à fuir d'ici ? lui dis-je en approchant.

Elle garde ses yeux fixés sur le mur.

– Tu crois que je pourrais grimper par-dessus ?

– Tu as des pouvoirs de super héros dont je n'ai jamais entendu parler ?

– Nan.

– Alors je crois bien que non.

Elle sourit brièvement, puis son visage redevient sombre.

– Amber, ça va ?

– Non, mais tout le monde s'en fout, pas vrai ?

– Ne dis pas ça. Beaucoup de gens ont à cœur ce qui t'arrive.

C'est vrai. D'une certaine manière, le monde entier est intéressé par ce qui lui arrive. Sinon, je ne serais pas ici.

Elle se secoue, et je vois l'actrice en elle prendre le dessus, changeant son expression de sombre à neutre.

Elle se tourne vers moi.

– Oublie ça. Qu'est-ce que tu fais ici, toi ?

– Je songe à commencer à faire du jogging.

Elle éclate de rire.

– Qu'est-ce que ç'a de si drôle ?

– Ce n'est pas ton genre.

– Quel genre?

– Oh, je ne sais pas. Plus consciencieux, peut-être.

– OK...

– Je pense à un gars que je connais qui fait du jogging, c'est tout.

– C'est ton copain?

– Oh non. Je suis bien trop endommagée pour lui. Il me trouve égoïste. Et gâtée.

– Il semble charmant.

Elle sourit.

– Il a ses bons côtés. Et toi? T'es avec quelqu'un?

– Je suis entre deux.

Amber sort un paquet de cigarettes de sa poche et en libère une.

– Tu en veux une?

– Mon Dieu, oui.

Ceux qui ne peuvent courir, fument.

Je prends la cigarette et le briquet bon marché rose vif qu'elle me tend. J'allume, aspire profondément et me mets tout de suite à tousser.

– Première fois? demande-t-elle, une cigarette entre ses menues dents blanches.

– Non. Mais c'est probablement la première cigarette que j'aie fumée sans avoir un verre à la main depuis que j'ai quatorze ans.

En fait, non. Je n'ai jamais fumé sobre. Même à quatorze ans.

Amber prend une grande bouffée et expire la fumée sous forme d'un long jet.

– Heureusement que nous pouvons encore fumer ici. C'est la seule chose qui m'empêche de perdre les pédales.

– La désintox : dernier bastion de la cigarette.

J'aspire de nouveau et le regrette tout de suite. Qui aurait cru que fumer sans boire était aussi atroce ? J'éteins la cigarette sous la semelle de ma chaussure et je la mets dans ma poche. Peut-être goûtera-t-elle meilleur plus tard.

Amber a l'air amusé.

– C'est très écolo de ta part.

– Je ne suis pas complètement déprogrammée de l'éducation que m'ont donnée mes parents hippies.

– Chanceuse.

– Ouais, ouais... J'allais marcher, tu veux venir ?

Elle consent à me suivre en haussant les épaules, et nous marchons en silence quelque temps. Maintenant que je respire de façon normale, j'apprécie l'air si propre, même si ma bouche goûte comme l'intérieur d'un bar. Quand je retournerai en ville, il faudra que j'en ressorte de temps à autre.

Le sentier se termine à la route recouverte de gravier qui se rend jusqu'au portail d'entrée. Nous nous tenons devant lui, chacune perdue dans ses pensées.

– Tu crois qu'on pourrait se faufiler si une voiture entrait ? demande Amber.

– Ça me semble assez risqué.

Elle me regarde d'un air réprobateur.

– Que serait la vie sans prendre quelques risques ?

– Tu pourras sortir d'ici bientôt, Amber.

– Peut-être pas. Avec la petite injonction judiciaire de mes parents, ce sont eux qui mènent la danse. Je ne peux pas partir d'ici avant qu'ils m'y autorisent, et ils écoutent Sandra et docteur Frankenstein.

Ah, Amy avait bien raison. Il faudra que je transfère l'info à Bob.

– Peut-être peux-tu faire révoquer l'injonction?

– Nan. Les trucs en cour prennent toujours trop de temps. Dis, tu vas m'aider à foutre le camp d'ici ou pas?

Ouais, bien sûr. J'imagine la petite conversation que j'aurais avec Bob : « Tu l'as aidée à faire QUOI? »

– Je ne crois pas que ce soit une bonne idée. Quand je suis arrivée, il y avait des tas de paparazzis de l'autre côté des portes. J'imagine qu'ils sont là pour toi.

– Ces gars sont toujours là?

– Ils y étaient il y a huit jours.

– Foutu paps. Quoique... les as-tu bien observés?

J'essaie de me souvenir du visage de ces hommes qui fumaient leur cigarette et ne me trouvaient pas assez intéressante pour eux.

– J'étais un peu dans les vapes en arrivant ici... pourquoi?

– J'ai une entente avec certains d'entre eux. Je leur révèle certains trucs, et ensuite, ils font semblant de ne pas voir ce que je veux cacher.

Je frémis à la pensée de ce qu'elle veut cacher, étant donné la nature de ce qu'elle semble bien vouloir révéler.

Un bruit sec se fait entendre, et les portes commencent à s'ouvrir, révélant lentement une camionnette verte qui m'est familière.

Oh, merde... Je savais que c'était une mauvaise idée de sortir dehors.

J'agrippe le bras d'Amber et la tire derrière un buisson.

– Qu'est-ce que tu fous?

– Chut!

J'appuie sur sa tête pour que nous soyons toutes les deux dissimulées.

Je jette un coup d'œil à travers le buisson. Zack et sa femme, Meghan, ma meilleure ennemie du secondaire, sortent du camion. Il porte des pantalons en toile de jardinier et un tee-shirt gris à manches longues. Elle, elle a l'air de se préparer pour une séance de photos pour le magazine *Martha Stewart Living*: pantacourts fauves bien pressés, pull rose pastel, bandeau noir retenant ses cheveux dorés. Si j'essayais de sentir son parfum, je suis sûre que ce serait un mélange de miel et de chèvrefeuille.

– Pourquoi nous cachons-nous? me siffle Amber dans l'oreille.

– C'est mon ex! murmuré-je.

Elle me regarde d'un air incrédule et part à rire.

– Chut! Je ne veux pas qu'il me voie comme ça.

Nouvel éclat de rire. Elle met sa main sur sa bouche, mais ses épaules tremblent d'hilarité.

J'observe Zack qui embrasse Meghan, puis qui l'aide à grimper du côté du conducteur. Il referme ensuite doucement la porte de la camionnette.

– La fille, qui est-ce?

– Moi dans une autre vie.

Meghan démarre la voiture, enclenche la première vitesse, puis s'arrête et baisse la vitre. J'imagine qu'elle lui dit: «Il nous faut du papier hygiénique», et qu'il répond: «Je t'aime plus que je n'ai jamais aimé!»

Meghan remonte la vitre et recule jusqu'à l'extérieur des portes.

Amber me donne un coup de coude.

– Tu crois qu'il pourrait nous avoir de la poudre?

– Non!

Merde. J'ai parlé beaucoup trop fort.

– Qui est là? demande Zack, méfiant, alors que les portes se ferment derrière lui. Ce n'est sans doute pas la première fois qu'il croise des patients désespérés dans les bois entourant l'Oasis.

– On est prises au piège, là, dit Amber.

Merde, merde, merde...

Je me relève lentement, replaçant derrière mon oreille les quelques mèches qui se sont échappées de ma queue de cheval.

– Salut, Zack.

Il écarquille les yeux.

– Qu'est-ce que tu fais ici?

Amber sort alors de derrière le buisson.

– Nous pensions nous échapper. Tu veux nous aider?

J'entends un son d'eau qui gargouille dans ma tête. Je pense que c'est ma carrière, en train d'être jetée aux toilettes.

– C'est une blague, dis-je. Nous étions simplement en train de marcher.

Bien sûr, ça n'explique pas pourquoi je me cachais de lui pour la deuxième fois cette semaine, mais j'espère qu'il n'y fera pas attention.

Zack observe Amber. Son visage bronzé se plisse au coin des yeux.

– Tu es Amber Sheppard, n'est-ce pas?

Zack est mignon, mais ça n'a jamais été une lumière.

– Et toi?

– Je m'appelle Zack.

Il regarde ensuite dans ma direction.

– Tu as une feuille dans les cheveux.

Il tend la main et la saisit avec douceur.

– Voilà.

Je me souviens tout à coup de nous à l'école secondaire, quand nous étions le couple de l'heure et que nous avions l'impression que ça durerait toujours. Je me suis sauvée de cette version de l'avenir, et si je n'avais pas peur d'avoir l'air complètement cinglée, je me sauverais de lui en ce moment même. Je ne me rendrais pas très loin, mais c'est le geste qui compterait.

Je glisse mon bras sous celui d'Amber.

– On devrait y aller.

Heureusement, elle joue le jeu.

– Oui, je dois me préparer pour mon spectacle.

Zack semble confus, mais ça me va. Nous nous retournons et marchons dans l'allée. Quand nous ne sommes pas tout à fait assez loin, Amber me demande :

– C'était quoi, cette histoire ?

Je jette un coup d'œil derrière moi. Zack soulève une brouette pleine de terre qu'il approche de la rangée de fleurs qui borde la route.

– Je crois que ça s'appelle avoir un mauvais karma.

• • •

Amy et moi finissons notre dîner lorsque le bruit de quelque chose qu'on traîne sur le sol attire mon attention. Je me retourne pour regarder ce que c'est. Carol grimpe debout sur une chaise, à l'entrée de la cafétéria.

Je donne un coup de coude à Amy.

– Regarde-moi ça.

Elle jette un coup d'œil par-dessus son épaule.

– Oh merde.

– Quoi?

– Tu verras.

• • •

Carol tape des mains pour attirer notre attention. On n'entend plus qu'un vague murmure dans la salle.

– Merci, tout le monde. Bon, je suis sûre que vous êtes tous sous le choc de ce qui est arrivé hier. Souvenez-vous que nous sommes là pour en parler, d'accord? Il n'y a qu'à demander.

Elle adresse un sourire compatissant à la salle. Personne ne semble vouloir accepter son offre, même si on n'a parlé de rien d'autre aujourd'hui. Si Candice désirait réellement attirer l'attention, mission accomplie.

– Bien. Comme vous le savez, Amy nous quitte aujourd'hui. Elle a fait énormément de progrès depuis qu'elle est ici. Elle est la preuve vivante que le programme vaut la peine si on y met les efforts nécessaires.

– Allez, tu te dépêches ou quoi? marmonne Amy.

– Se dépêcher à faire quoi? lui demandé-je.

Elle secoue la tête.

– Il faut le voir pour le croire.

– Comme la plupart d'entre vous le savent, nous avons une petite tradition à l'Oasis, une façon spéciale de dire adieu. Tu viens me rejoindre, Amy?

Amy serre les dents, repousse sa chaise et se lève sans grand enthousiasme.

Je me demande vraiment ce qui va se passer.

Amy se met debout à côté de Carol, face à la salle. Elle aurait sûrement l'air plus gai si elle était face à un peloton d'exécution.

– Vous êtes prêts? demande Carol.

Plusieurs patients hochent la tête. Carol sourit et commence à... chanter. Une chanson de Green Day. *Good Riddance* (*Time of Your Life*), pour être plus précise.

Mais où diable m'a-t-on envoyée?

Je regarde autour de moi, m'attendant à ce que ce groupe d'alcooliques et de toxicomanes cyniques et endurcis rejette du revers de la main un tel geste théâtral. Mais à ma grande surprise, après quelques notes, tout le monde se joint à elle, même le juge coincé qui ne semble connaître aucune parole de la chanson. Quelques notes plus tard, même moi, je commence à chanter.

Ça semble ridicule et pourtant ça marche. Après deux bonnes minutes, Amy sourit, et à la fin de la chanson, elle chante elle aussi. Peut-être la chanson a-t-elle raison, après tout.

«Quelque chose de complètement imprévisible peut bien tourner en bout de ligne[8].»

• • •

Une fois qu'Amy a fini de faire ses adieux, je l'accompagne jusqu'à la porte d'entrée pour lui dire au revoir. Le hall est vide

---

8. Extrait des paroles de la chanson: «*It's something unpredictable/But in the end it's right*». (NDT)

et sent un peu le chien mouillé, mais il n'y a pas de traces de Sandra.

– Tu m'enverras ce que j'aurai oublié? demande-t-elle. L'écho de sa voix rebondit sur les poutres du plafond cathédrale.

– Bien sûr. J'espère te voir dans quelques semaines.

– Ouais, ce serait sympa de garder contact.

Elle jette un coup d'œil nerveux autour d'elle.

– Mais où est cette foutue camionnette? Je vais manquer l'avion.

– Je suis sûre qu'ils vont arriver sous peu. Ne t'inquiète pas.

Son regard croise brièvement le mien, puis elle regarde ailleurs.

– Je ne peux pas m'en empêcher.

Je ressens l'envie étrange de la réconforter. Cet endroit déteint sur moi.

– Cette fois-ci sera différente des autres, Amy.

– Pourquoi dis-tu ça?

– Parce que. J'ai le don pour analyser les gens, tu sais.

Le coin de sa bouche tressaille.

– Ouais, tout comme les autres patients qui sont ici.

– Je suis sérieuse. Tu vas t'en tirer.

– Que Dieu t'entende.

Encore celui-là. Je me demande si Amy pourrait me dire où le trouver.

Ah, j'entends la camionnette qui approche. Amy ramasse son sac.

– Bon, alors ça y est, dit-elle. Candice va s'en remettre?

– C'est ce qu'ils disent.

– Tu me tiendras au courant, hein?

Le klaxon de la camionnette retentit.

– Bien sûr. Allez, arrête de retarder le moment et sort d'ici.

Nous sortons. Le ciel est nuageux, la pluie n'est pas loin. Je croise les bras pour chasser le froid. Evan sort de la camionnette et aide Amy à déposer sa valise à l'arrière. Il retourne ensuite sur le siège du conducteur.

Amy me prend dans ses bras. Je la serre contre moi sans trop d'efforts. Quand elle recule, sa lèvre tremble.

– Je suis contente de t'avoir rencontrée, dit-elle.

– Moi aussi.

Ma gorge se serre, et un truc mouillé coule sur mon visage.

Oh. Mon. Dieu. Je pleure de quitter quelqu'un que j'ai rencontré il y a à peine une semaine. Inscrivez-moi tout de suite à *Big Brother*.

J'essuie mes larmes.

– Allez, grimpe dans ta citrouille et fous le camp d'ici.

– OK, OK, j'y vais.

Elle s'installe sur le siège passager de la camionnette et ferme sa portière. Le moteur se met à tourner et, en un instant, la voilà partie.

• • •

Bon, à force de pleurer et tout le tralala, je suis en retard de quelques minutes pour la séance de groupe.

Je cherche une place du regard. Je m'aperçois qu'Amber ne blaguait pas quand elle a dit à Zack qu'elle devait se préparer pour un spectacle. Elle porte des pantalons de velours côtelé brun et une chemise brune, et ses cheveux sont séparés en deux couettes. Elle a même la langue qui sort de sa bouche.

Je retiens un ricanement quand je prends place à ses côtés. L'ambiance dans la salle est tendue. Les épaules de Sandra sont crispées, même si elle fait de son mieux pour conserver un ton léger et professionnel.

– Comme je le disais tantôt, je crois qu'il est important que nous parlions de ce qui est arrivé à Candice hier soir, ainsi que de la manière dont vous réagissez. Je sais que certains d'entre vous ont déjà parlé de cela en séance de thérapie individuelle, mais je pense que ce serait bénéfique que nous en parlions tous ensemble. Est-ce que quelqu'un veut commencer?

– Où étais-tu? souffle Amber du coin de la bouche.

– Je travaillais à ton plan d'évasion, murmuré-je.

– Vraiment?

– Amber, Katie, voulez-vous partager quelque chose avec le reste du groupe?

Amber plisse les yeux.

– Katie se demandait où tu as acheté ton pull.

Tout le monde éclate de rire. Sandra porte un pull qui donne à son torse l'air d'être un caniche.

– Je vous prierais toutes les deux de faire preuve de davantage de respect, étant donné le sujet de notre discussion.

– Désolée, Sandra, ça ne se reproduira plus, dis-je.

Amber me lance un regard noir.

– Lèche-cul.

Elle s'affale sur son siège et regarde fixement par la fenêtre. Elle serait plus convaincante si elle n'était pas déguisée en chien.

Le scénariste lève la main et commence à raconter sa propre tentative de suicide. Mais ce n'est pas ce qui retient mon attention.

Ni celle de Sandra.

– Qu'y a-t-il, Amber?

Amber est immobile, ébahie par ce qu'elle voit par la fenêtre.

– Amber? Ça va? lui demandé-je.

Amber lève une main tremblante et pointe quelque chose du doigt en demandant:

– Mais qu'est-ce qu'il fout ici, celui-là?

Nos regards suivent le doigt d'Amber. Quelqu'un pousse un cri de surprise. La camionnette qui a reconduit Amy est de retour. Et nous voyons en sortir…

– N'est-ce pas James Bond? demande l'avocat.

– Non, répond Amber d'un ton morne. C'est le Jeune James Bond.

CHAPITRE 9

THE MONKEY ON MY BACK[9]

Je suis à l'entrée du sentier. J'attache mes souliers de course lentement, lentement, essayant de retarder le moment où je devrai commencer à courir.

Nous venons de déjeuner, et il fait déjà une chaleur étouffante.

Une vague de chaleur en mai. Allez, le réchauffement de la planète, allez !

Bon, je suis venue courir. Je n'en ai vraiment pas envie, mais je vais le faire. Je vais me conformer à la résolution que j'ai prise hier de courir au moins cinq minutes, même si ça me tue. Ou était-ce six minutes ?

J'attache la montre d'Amy à mon poignet. Je l'ai trouvée sur mon lit quand je suis retournée à la chambre après le bordel causé par l'arrivée de Connor Parks. Cette gentille attention m'a tiré des larmes pour la deuxième fois aujourd'hui.

Katie-sans-alcool s'amollit. Il faut vraiment que je sorte d'ici avant de perdre toute retenue.

Quand j'ai fini de pleurer, j'ai jeté un coup d'œil sur Internet. Étonnamment, personne ne semblait savoir que Connor Parks

---

9. Titre de chanson d'Aerosmith et de Dave Matthews. Expression qui signifie, entre autres, que l'on a une dépendance à la drogue. (NDT)

était en désintox. Et me voilà, idéalement située pour apprendre un tas de trucs confidentiels à son sujet.

De mieux en mieux.

Je me relève lentement. Mon geste effraie un oiseau dans son nid. On entend le son de ses ailes qui claquent à travers la forêt.

Je me demande ce que le JJB fait ici. A-t-il réellement un problème de drogue ou d'alcool, ou veut-il simplement voir Amber? Et comment diable est-il possible que le monde entier ne soit pas au courant de sa présence?

Quelle que soit la raison de ce silence radio, je me suis chargée d'en apprendre davantage. Ou plutôt, Bob m'en a chargée. Il a très vite répondu au courriel que je lui ai envoyé à l'arrivée du nouveau pensionnaire.

Je ne peux pas rester sur la touche avec un scoop pareil. Même si tu es démasquée, ça en aura valu le coup.

L'histoire est sortie très vite. Quand j'ai vérifié sur *Alerte Amber* quelques heures plus tard, il y avait un grand titre qui clignotait en rouge, disant CAMBER À NOUVEAU RÉUNIS, avec une photo de Connor et d'Amber enlacés sur un tapis rouge.

Alerte Amber vous confirme que Camber sont désormais tous les deux admis à l'Oasis Cloudspin, un centre de désintoxication à mille dollars par jour. Comme nous vous l'avons appris les premiers, Amber est partie en cure de désintox quand un de nos concurrents (à bas TMZ!) a dévoilé une vidéo d'elle fumant du crack. Nos sources nous indiquent que Connor souffre aussi d'une dépendance à l'alcool et aux drogues. Tous les patients de l'Oasis doivent y demeurer trente jours minimum. Les lieux sont réputés être rustiques, mais confortables. Les résidents participent à des séances de thérapie individuelle et de groupe. Nous imaginons que les retrouvailles de Camber furent quelque peu amères, étant donné les circonstances.

Le poste avec *The Line* doit m'être acquis, là, non?

Je mets mes écouteurs sur mes oreilles et je sélectionne *Come on Get Higher*, de Matt Nathanson.

OK, OK. Assez procrastiné. Un, deux, trois, on court.

Je fais quelques pas de course, et ce n'est pas si mal. Il fait plus frais ici, sous les grands arbres verts. Gauche, droite, gauche. Gauche, droite, gauche. C'est joli, en fait. J'aurais dû essayer ça bien avant. Je me sens déjà plus en santé. Je ferai cinq minutes sans problème.

Merde. J'ai oublié de lancer le chronomètre.

Je m'arrête et appuie sur les boutons de la montre pour sélectionner cette fonction. Le résultat de la dernière course d'Amy est encore inscrit : 56 minutes. Comment est-ce possible?

OK, on se concentre.

Je remets le chrono à zéro. Bip. Allez, on court, Katie!

OK. Je suis dans les bois. Je cours. Je me suis bien conformée à ma résolution. C'est une étape importante pour moi. Je dois juste penser à quelque chose qui me distraira de la course.

Mes pensées voguent vers Zack, et j'ai un chatouillement de culpabilité le long du dos.

Je rejette ce sentiment. Notre rupture n'a peut-être pas été mon heure de gloire, mais c'était il y a très longtemps. Et puis, il a épousé Meghan. Il a épousé *Meghan*? Comment cela se fait-il?

OK, ça ne m'aide pas de penser à ça. Pensons à quelque chose d'autre.

Je l'ai. Il faut que je trouve une puissance à l'extérieur de moi pour faire plaisir à Sandra. Cet arbre est vraiment immense. Peut-être qu'il ferait l'affaire? Ô Grand Arbre, aidez-moi à demeurer sobre, même si je n'ai pas réellement un problème d'alcool! Aidez-moi à leurrer Sandra et à demeurer dans le centre incognito pour continuer à dévoiler des secrets au sujet de LFDAC et de son ex-copain. Quoi, Grand Arbre, que dites-vous? Vous ne voulez pas m'aider à agir de manière aussi peu louable? Je ne vous en veux pas, allez.

Merde. J'ai mal aux poumons. Ça doit bien faire cinq minutes que je cours, non? Peut-être moins, en fait. Devrais-je regarder la montre? Non, ce serait une erreur. Je devrais courir jusqu'à ce que je n'en puisse vraiment plus, et à ce moment-là regarder la montre. Peut-être que je me rendrai même à dix minutes, et que j'aurai pris de l'avance sur mon programme. Ouais, si je fais dix minutes, alors je pourrai prendre congé demain.

Gauche, droite, gauche. Droite, gauche, droite.

Mais qu'est-ce que c'est que cette foutue douleur dans mes épaules? Je sais que ça peut sembler cinglé, mais j'ai la sensation d'avoir un singe sur mon dos qui saute à chaque pas que je fais.

Hé, le singe! Débarque de mon dos! Je suis sérieuse, hein, le singe! Va-t'en, allez! OK, tu veux jouer à ce jeu-là? Je vais arrêter de courir et tu disparaîtras.

Je m'arrête, et le poids s'enlève de mes épaules.

C'était quoi, cette histoire? Le jogging me rend vraiment dingue.

Mais au moins, j'ai réussi. J'ai certainement couru beaucoup plus longtemps que cinq minutes.

Je retire mes écouteurs et je regarde la montre d'Amy, qui m'apprend que je cours depuis quatre minutes. Même si l'on considère que j'ai commencé le chrono en retard, ça ne fait tout de même pas cinq minutes.

Bon sang. J'ai fait cinq minutes hier. Je devais en faire six, aujourd'hui. Bon, au moins cinq et demie. Mais je suis incapable de faire un pas de plus, incapable. Le jogging, ce n'est vraiment pas mon truc. Ça me fait discuter avec des singes imaginaires.

– Ça va? demande une voix grave dans mon dos.

Je me retourne, paniquée. Devant moi, sur le sentier, il y a un homme aux cheveux roux courts avec des taches de rousseur sur le nez. Il doit faire un mètre quatre-vingts, semble avoir environ trente ans, et il porte un short de course et un tee-shirt gris.

Je n'ai jamais vu ce gars de ma vie. Je passe les options en revue. Nouveau patient? Membre du personnel? Prisonnier en cavale? Tueur en série?

Que dois-je préférer? La lutte ou la fuite? La lutte ou la fuite? Je suis incapable de courir, donc ça devra être la lutte.

Le problème, c'est que je ne sais pas me battre.

– J'ai une crampe, dis-je.

Imbécile. Maintenant il sait que tu es sans défense.

L'inconnu semble compatir.

– Sur le côté?

Il n'agit pas comme un tueur en série. Mais peut-être est-ce sa méthode, me distraire en étant gentil avant de m'attaquer?

– Un peu partout...

Et malgré tout, tu continues de répondre à ses questions. T'es vraiment nulle.

– Tu viens de commencer à faire du jogging? demande-t-il.

– Non.

Ça, c'est mieux.

– Bon… alors, si ça va, je vais continuer.

Merde. Peut-être essayait-il sincèrement d'être gentil, et que ma réaction est un peu excessive. J'essaie d'avoir l'air sympathique.

– Merci de t'être arrêté.

– Pas de souci. À plus.

Il appuie sur un bouton sur sa montre, et je l'observe qui s'éloigne à grandes enjambées, avec l'aisance d'un coureur d'expérience.

Bien joué, Katie. Un homme bien te demande si tu as besoin d'aide, et tu le fais fuir. Pas étonnant que tu sois célibataire.

Ta gueule.

• • •

– Je pense que j'ai trouvé mon truc, dis-je à Sandra en séance de thérapie ce matin-là. Je porte des pantalons de yoga noirs (version bon marché) et un chandail à capuche orange. Mes cheveux sont attachés et encore humides après la douche.

Elle me regarde par-dessus son bureau, intriguée.

– Ton truc?

– Tu sais, mon truc qui remplace Dieu. Comme tu me l'as demandé.

– L'idée n'est pas de remplacer Dieu, Katie. C'est d'avoir foi en quelque chose, afin de pouvoir réussir les étapes du programme.

– Oui, oui, j'ai compris. Pour moi, c'est la course à pied.

Elle secoue la tête.

– Je ne crois pas que ta puissance supérieure puisse être un sport, Katie.

– C'est pas le sport en tant que tel. C'est plutôt la manière dont je me sens quand j'en fais.

– Tu te sens bien, à ce moment-là?

– Non, c'est atroce.

– Ce n'est pas un bon début.

– Mais justement, c'est ça. C'est la seule chose à laquelle je puisse penser qui m'emmène à l'extérieur de moi-même. La seule chose qui est plus grande que moi... Par exemple, quand je courais aujourd'hui... eh bien... je sais que ça te paraîtra dingue...

– Ne t'inquiète pas pour moi.

– Eh bien, je courais tout à l'heure, et tout ce que je devais faire, c'était cinq minutes, ou peut-être six... enfin, ce n'est pas important... Bon, donc, je courais, et je détestais ça, et j'avais mal partout, et j'essayais de me changer les idées en me demandant ce que ma puissance supérieure pouvait bien être, quand c'est arrivé.

– Qu'est-ce qui est arrivé?

J'hésite. Elle croira vraiment que je suis cinglée.

– Le singe est apparu.

Elle me regarde d'un air ébahi, la main figée au-dessus de son bloc-notes de papier jaune.

– Tu crois que c'est fou, hein?

– Je suis désolée, Katie, j'ai simplement été surprise. Continue.

– Ce n'était pas un vrai singe. J'avais simplement l'impression qu'il y avait un singe.

– Que faisait le singe ?

– Il était assis sur mes épaules.

– Et ?

– C'est tout.

– Je ne comprends pas...

Moi non plus, je ne me comprends plus en m'écoutant raconter ça à voix haute. J'essaie de nouveau.

– Je ne sais pas... J'ai eu l'impression qu'il y avait quelque chose à l'extérieur de moi. Quelque chose à quoi je pouvais m'accrocher.

Elle me dévisage. Les chiens de son chandail gigotent, gigotent, gigotent.

– Je crois que ce qui t'est arrivé est fréquent chez les coureurs quand leurs muscles manquent d'oxygène, Katie. Tu dois trouver quelque chose de permanent. Quelque chose qui est toujours là. Ça ne peut pas être aussi passager.

– Eh bien, moi, c'est ce que je choisis comme puissance supérieure, dis-je, mécontente.

– Alors, il nous reste encore beaucoup de travail à faire..., répond doucement Sandra.

• • •

Après le déjeuner, je me rends à la bibliothèque, espérant de toutes mes forces qu'il y ait quelque chose d'un peu moins exigeant et déprimant que *Hamlet* qui soit apparu par magie sur les rayons.

Un rêve fou.

Sobriété, Moment de lumière, Une étape à la fois, et ainsi de suite. Il n'y a pas un foutu livre de plage là-dedans. Je sais qu'on est censés vouloir s'améliorer (c'est pour ça que je me tue à courir, n'est-ce pas?), mais là, ils vont trop loin. Lire un de ces bouquins m'angoisserait et ne me donnerait certainement pas envie d'arrêter de boire. Pas étonnant que la plupart des livres semblent n'avoir jamais été ouverts.

– Je pense que tu peux choisir n'importe lequel, dit une voix d'homme derrière moi. Je suis sûr qu'ils disent tous les mêmes trucs.

Je me retourne. C'est le tueur en série potentiel que j'ai rencontré sur le sentier en courant, tout à l'heure. Il porte un short beige et une chemise bleu-gris qui s'agence à ses yeux. Il a un livre sous le bras.

– Quels trucs? demandé-je.

Ses yeux brillent.

– Dites non à l'alcool et aux drogues.

– Bien dit. Que lis-tu?

Il me montre la page couverture. Il s'agit de *Running with Scissors*, le récit très dur de l'enfance malheureuse d'Augusten Burroughs, remplie de relations homosexuelles, de drogues et de sentiments œdipiens. Je parie qu'il serait de bonne compagnie pour faire la fête.

– Tu n'as pas dû dénicher ça ici, dis-je.

– Monsieur Dites-oui-à-l'alcool-et-aux-drogues? Bien sûr que non.

– N'est-il pas devenu sobre, dans le livre suivant?

– Vraiment? C'est décevant.

Nous nous sourions et nous déplaçons vers les confortables fauteuils bleu marine qui sont cachés dans un coin de la pièce. Quand nous nous asseyons, je sens un relent de lotion après-rasage. Une odeur épicée et dispendieuse.

– Alors, est-ce que ta course s'est bien terminée? me demande-t-il, tapant du doigt sur son genou.

– Terminée? Tu as vu la fin de ma course.

Il sourit.

– Ça deviendra plus facile si tu persévères.

– Ça, on dirait que c'est le slogan officiel, ici.

– Ouais. Mais je peux te promettre que c'est vrai en ce qui concerne le jogging.

– Et pour le reste?

Son visage devient sombre.

– Qui sait? Je l'espère sacrément, en tout cas.

Qui est ce gars? Il n'est certainement pas un patient.

– Je peux te demander quelque chose?

– Vas-y.

Je gonfle mes poumons pour me donner du courage.

– Eh bien, je sais que ça semblera... étrange, mais pendant que je courais, j'ai eu cette impression bizarre sur les épaules...

– Comme si quelque chose était assis sur toi? me demande-t-il en hochant la tête.

Oh, merci mon Dieu.

– Oui, exactement! Tu sais ce que c'était?

– Peut-être tes muscles ne recevaient-ils pas assez d'oxygène.

– C'est ce qu'a dit Sandra.

– Qui est Sandra?

Comment peut-il ne pas savoir qui est Sandra? Je suis confuse.

– Tu n'es pas un patient, hein?

– Nan.

Je penche la tête de côté.

– Mais si tu faisais partie du personnel, tu saurais certaine-ment qui est Sandra...

– Elle tient le rôle principal?

Je souris.

– Ouais, si on veut. Elle mène la thérapie de groupe et elle est aussi ma thérapeute individuelle.

– Ça fait pas mal de thérapie, tout ça. Ça ne devient pas ennuyeux?

– Parfois, quoique ça puisse être divertissant, d'écouter les histoires des autres patients.

Bravo. Je viens d'avouer que j'aime écouter les gens dévoiler les moments les plus douloureux de leur vie. Je suis une méchante, méchante personne!

– Je détesterais ça, dit-il.

– Écouter les autres ou parler de toi?

– La deuxième hypothèse.

Je bouge les chevilles, pour étirer mes mollets.

– Tu es très catégorique, dis-je.

– Quand on se connaît, on se connaît.

– Qu'est-ce qui t'a éclairé à ce point?

Il me fait un sourire contrit.

– Eh bien... quand toutes les filles avec lesquelles tu es sorti disent la même chose, soit tu l'acceptes, soit tu enterres ta tête dans le sable.

– Toutes les filles, sans exception?

– Ouaip.

– Mais les femmes n'aiment-elles pas les hommes forts et ténébreux?

Il hausse les épaules.

– On ne le dirait pas.

– Peut-être devrais-tu trouver quelqu'un qui sort d'ici. Quand on passe ses journées à écouter douze narcissiques qui déballent leurs pensées les plus profondes, on en vient à vraiment apprécier quelqu'un qui est capable de se la fermer.

– Alors, tu crois que je devrais orienter ma stratégie de séduction vers les femmes qui sont allées en désintox ?

Hé, la poire, tu es une femme qui est allée en désintox !

– Non... je suppose que non, bégaie-je, sentant le rouge envahir mes joues.

Je me lève, totalement courbaturée. Moins de cinq minutes de jogging, et j'ai déjà mal à des endroits dont j'ignorais l'existence.

Il se lève aussi, et nous restons plantés là en silence, mal à l'aise.

– Bon, dit-il enfin. C'était sympa de te parler, euh...

– Kate. Ou Katie. Comme tu voudras.

Il tend la main.

– OK, Kate, Katie, comme tu voudras. Enchanté.

Je place ma main dans la sienne. Un frisson me parcourt le dos.

– Enchantée, euh...

– E., annonce Amber en apparaissant derrière moi.

Il lâche ma main.

– Salut, Amber.

Puis, il hoche la tête dans ma direction.

– À plus tard, Kate.

Il quitte la bibliothèque sans se retourner.

– C'est quoi, cette histoire ? demandé-je à Amber.

– Je ne peux pas croire qu'il l'a emmené en désintox avec lui. Quel enculé...

– Amber ? Tu peux me dire ce qui se passe ?

Elle cligne lentement des yeux.

– E. est l'assistant personnel de Connor.

– A-t-il un problème de drogue, lui aussi ?

– E. ? Ah non, jamais ! Mais Connor ne peut tout simplement pas se passer de lui, ce sacré gros bébé.

– Je n'avais même pas le droit d'apporter mon téléphone cellulaire en désintox. Lui, il peut amener un être humain ?

– Connor obtient toujours ce qu'il veut, dit-elle d'une voix résignée.

– Je croyais que l'idée, en désintox, c'était d'apprendre à faire face à ses propres merdes, non ?

Elle grimace.

– Bienvenue dans la vie des gens riches et célèbres.

Je remarque l'heure en apercevant l'horloge sur le mur. La séance de groupe commence dans cinq minutes.

– Merde, il est presque 15 h. Nous ferions mieux d'aller à la séance.

Amber marmonne son assentiment, et nous nous rendons ensemble à la salle commune. Nous nous asseyons sur nos chaises pliantes habituelles, à côté de Mary et de Candice qui revient tout juste de l'hôpital. L'ancienne enfant-vedette babille au sujet de la météo, faisant ses commentaires à Mary, qui semble s'ennuyer. Les petits bandages blancs serrés sur les poignets de Candice me donnent la chair de poule.

Amber s'affale sur la chaise à côté de la mienne et regarde par la fenêtre. Une minute plus tard, Sandra se joint au cercle et se racle la gorge pour obtenir notre attention.

– Aujourd'hui, j'aimerais que nous parlions du moment où vous avez réalisé que vous aviez besoin d'aide, quand vous avez touché le fond.

Elle se tourne vers moi.

– Katie, je ne crois pas que nous t'ayons entendue parler jusqu'à présent. Veux-tu nous confier ce qui t'a amenée ici?

Seigneur. Je ne me confie pas assez en thérapie individuelle? Il faut aussi que je déballe ces conneries en public?

– Je n'ai pas envie de me confier, aujourd'hui, Sandra.

– La participation aux séances de groupe est un aspect important de ton rétablissement, Katie.

– Tu lui fous la paix, ou merde? menace Amber, reportant son regard sur nous.

– Amber, surveille ton langage, s'il te plaît.

LFDAC se redresse sur sa chaise et dévisage Sandra intensément.

– Tu veux que quelqu'un participe? OK, je vais participer, d'accord? Tu dois être sacrément contente.

– Que veux-tu nous confier, Amber? demande Sandra, inaltérable.

– Je vais te dire ce que tout le monde rêve de savoir, que penses-tu de ça?

Elle parcourt la pièce du regard. Tous les yeux sont rivés sur elle.

– Ne rêvez-vous pas tous de savoir comment je suis arrivée ici?

Euh... ouais. Je veux vraiment, vraiment le savoir.

– Comment es-tu arrivée ici, Amber? poursuit la thérapeute.

– À cause du Jeune James Bond, vous saurez, répond-elle d'une voix forte. Oui, vous avez bien compris. La superstar qui fait sa désintox quelque part dans cet immeuble peut en tirer toute la gloire!

Elle chante et hurle ses derniers mots, peut-être dans l'espoir que Connor les entende, où qu'il se trouve.

– Tu ne peux pas rendre une autre personne responsable de ta dépendance, Amber.

– Oh oui, je le peux !

– Ça ne sert à rien de crier.

– Tu voulais que quelqu'un se confie, n'est-ce pas ? Eh bien, je me confie ! Je me mets à nu, au su et au vu de tous !

Elle fait de grands gestes avec les bras.

– Vous voyez ? Est-ce que je me confie assez à votre goût ? Est-ce. Que. Je. Me. Confie. Assez. À. Votre. Goût ?

Elle gesticule encore plus.

– Ça suffit, Amber, dit froidement Sandra.

– Non, justement ! Ça ne suffit pas ! Ça ne me suffit jamais !

– Je crois que nous, ça nous suffit, intervient Mary.

Le cinéaste et le juge ricanen. Amber leur décoche un regard rageur et sort de la pièce en coup de vent.

Cette foutue Mary... Pourquoi avait-elle besoin de faire ça ? Ça commençait tout juste à devenir intéressant.

Je lui lance un regard noir, mais elle ne le remarque pas. Elle est ivre du plaisir d'avoir pu faire rire ces bonshommes impossibles à séduire.

Ça en fait au moins une qui est ivre, ici.

CHAPITRE 10

CHANTEZ EN CHŒUR SI VOUS CONNAISSEZ LES PAROLES

Quand je retourne à ma chambre après la séance de groupe, j'y trouve Amber, assise sur le lit d'Amy, les genoux repliés sous le menton, les bras autour de ses mollets. Ses joues sont striées de mascara, et elle se balance d'avant en arrière.

Mes yeux font rapidement le tour de la pièce. Mon iTouch est caché, mais mon calepin est sur la table de chevet à côté de *Hamlet*. J'ai arraché les pages incriminantes du livre après avoir failli me faire démasquer l'autre jour, mais cette proximité entre LFDAC et toutes les informations que j'ai recueillies sur elle me rend un peu nerveuse.

Je m'assois à côté d'elle, bloquant son accès à la table de chevet.

– Qu'est-ce que tu fais là?

– Je n'en pouvais plus d'être dans ma chambre, renifle-t-elle. Ça te dérange?

– Non, pas du tout. Tu veux parler?

– J'en ai marre de parler.

– Pas de souci.

Je prends mon calepin et m'approche de la commode, ramassant quelques vêtements en chemin. Je place le tout dans le premier tiroir et je jette un coup d'œil à Amber par-dessus mon épaule. Elle continue à se balancer et à fixer un point sur le mur.

Je pousse un soupir de soulagement et saisis *Hamlet* sur la table de chevet. Je m'allonge ensuite sur mon lit et me plonge dans ma lecture, afin de résister à l'envie de forcer Amber à parler.

– Ça doit être bien, d'avoir quelque chose à faire pour te distraire, me dit-elle lorsque j'ai lu quelques pages.

Je baisse le livre. Amber essuie ses larmes avec sa manche.

– Ouais, mais je me sens un peu coupable quand je le lis.

– Pourquoi?

– Eh bien... ce bouquin, je l'ai piqué à une dame, à l'aéroport.

Amber rit malgré elle.

– Tu as volé du Shakespeare?

– Ouais...

Je lui raconte brièvement l'histoire.

– Assez scabreux, hein?

– Peut-être l'a-t-elle simplement oublié sur le bar, ce livre?

Je secoue la tête.

– Non, je ne crois pas. Elle me tapait sur les nerfs, alors j'ai volé son bouquin. Fin de l'histoire.

– Tu as volé du Shakespeare.

– J'ai volé du Shakespeare.

Amber serre ses mollets encore plus fort.

– Pourquoi est-il ici?

– Je ne sais pas, Amber.

– Il me fait toujours ce coup-là. Il est incapable de me laisser avoir quelque chose qui soit juste à moi, même pas la foutue désintox.

Je me redresse sur le lit et pose mes pieds par terre.

– Peut-être a-t-il besoin d'aide, lui aussi.

– Mais pourquoi a-t-il besoin d'aide ici, là où je suis ?

– Peut-être a-t-il besoin de ton aide…

– Il n'a jamais eu besoin de moi.

– Je suis sûre que ce n'est pas vrai. Vous êtes ensemble depuis toujours, non ? Tu dois compter pour lui.

– C'est juste que… ce qu'on fait… on fout juste le bordel dans la vie de l'autre. Je n'appelle pas ça compter pour quelqu'un.

Elle s'allonge sur le côté et place un oreiller en boule sous sa tête.

– Ça te dérange si je reste ici un moment ?

– Reste aussi longtemps que tu veux.

• • •

Le lendemain, à l'heure du dîner, je me joins à Amber à l'une des tables de style bistro de la cafétéria. Le soleil qui inonde la pièce par les immenses fenêtres éclaire ses cheveux comme si elle était sur un plateau de cinéma. Elle porte un jean noir serré et un grand chandail de la même couleur, une queue de cheval sur le côté, et elle mange une omelette. Faite de vrais œufs, avec le jaune et tout. Il y a peut-être même un peu de fromage là-dedans.

Je pose mon plateau sur la table et m'assois à côté d'elle, me sentant un peu mal fagotée dans mon jean bleu à la coupe garçonne et ma chemise blanche rayée. Elle place un petit morceau d'œuf dans sa bouche et mâche lentement.

– Mauvaise journée ? lui demandé-je.

– La pire des pires.

Elle ne semble pas vouloir parler, alors je prends mon sandwich à la dinde et je commence à manger.

– Bon sang, dit Amber quelques bouchées plus tard.

Je lève les yeux vers elle.

– Qu'est-ce qu'il y a?

Amber pointe l'entrée de la cafétéria du menton, incapable de parler. Connor Parks avance dans la pièce, avec E. qui le tient par le coude.

Il a l'air de... eh bien, d'un jeune James Bond. Les cheveux noirs drus, les yeux bleus, la mâchoire carrée, et des épaules faites pour porter un smoking Armani. Son très beau visage semble exténué, comme s'il venait de passer les derniers jours à vomir tout le contenu de son estomac et à planer grâce aux mêmes pilules que le docteur Houston m'a données. Sa barbe de trois jours lui donne un air sauvage et dangereux, comme s'il pouvait tuer à mains nues.

E. porte un jean noir qui semble dispendieux et un chandail gris pâle. Il a l'air mignon et stressé.

Le silence s'est fait dans la pièce, et tout le monde (je dis bien tout le monde, même les dames de la cafétéria, ainsi que Carol et Sandra qui mangent quelques tables plus loin) regarde le JJB. C'est comme si nous retenions tous notre souffle, attendant qu'il arrive quelque chose.

– C'est sacrément ridicule! beugle Amber en repoussant sa chaise, le visage rouge de colère. Que regardez-vous tous, hein? C'est un être humain, pas un dieu! Foutez-lui une aiguille dans le bras, et il se défonce comme nous!

La vingtaine de paires d'yeux qui suivaient le JJB pivotent comme un seul homme en direction d'Amber. Sandra dit quelque chose à Carol, se lève et marche dans notre direction.

Je tire sur la manche d'Amber.

– Amber, Sandra s'en vient.

– Laisse-la venir.

Amber grimpe sur sa chaise, puis sur la table.

– Quel est votre problème ? continue-t-elle à crier. Vous êtes si aveuglés par sa célébrité que vous en restez muets ? Bon, je ne vous blâme pas. Regardez-le. Il est si célèbre qu'il a même le droit d'emmener son petit entourage personnel en désintox. Dites bonjour à E., tout le monde ! Soyez chaleureux, souhaitez-lui la bienvenue !

Sandra arrive à notre table.

– Descends de là, s'il te plaît, Amber.

– OK, j'ai compris, vous ne voulez pas saluer n'importe qui. Mais je sais que vous voudrez rencontrer le seul, l'unique Coooonnnnooorrrr Paaaarrrkkksss !

– Amber, je suis sérieuse. Descends de là immédiatement.

Amber baisse les yeux vers Sandra, le regard haineux.

– Bouhou ! Tu vas compter jusqu'à trois, comme mon papa ? Je vais t'épargner cette peine.

Amber se penche pour ramasser une serviette et la roule en forme de tube. Ses mains tremblent.

– Et une, et deux, et trois…

Elle commence alors à chanter *Love Song*, de Sara Bareilles, en regardant le JJB. Il l'observe, le visage vide d'émotion.

Quand elle arrive au refrain, la voix d'Amber vacille et s'essouffle, et je suis de tout cœur aux côtés de cette fille détruite. Je veux l'aider. Un peu. N'importe comment.

Alors, je fais la seule chose qu'il me reste à faire. Je me lève et je chante moi aussi. Je grimpe sur la table et je m'approche d'Amber. Toujours en chantant, je prends sa main et je la serre. Elle me regarde avec reconnaissance et joint sa voix à la mienne.

Nous chantons toute la chanson, jusqu'à la dernière note. Quand nous avons fini, il y a un moment de silence, puis les applaudissements explosent. Pendant un instant, nous avons la sensation grisante d'être sous les feux des projecteurs, jusqu'à ce qu'Evan et John nous saisissent les bras et nous escortent à l'extérieur de la cafétéria.

• • •

Evan me dépose au bureau du docteur Houston. En attendant que ce dernier arrive, je tourne en rond dans la salle d'examen, agitée, ouvrant les placards qui ne sont pas fermés à clé, y cherchant quelque chose sans savoir exactement de quoi il s'agit. Dans l'un deux, je trouve un numéro du magazine *In Touch*, datant d'il y a six mois. C'est mieux que rien.

Je m'assois sur la banquette noire. Le papier protecteur qui la recouvre se froisse sous mes fesses. Je feuillette le magazine. En page huit, il y a une photo d'Amber qui danse debout sur une table, un verre à la main, lors d'une fête organisée par Absolut Vodka. Elle a l'air de s'amuser comme une folle. Je voudrais pouvoir passer à travers le miroir, comme Alice, et me retrouver à cette fête afin de m'amuser comme une folle, moi aussi.

Un instant plus tard, je m'aperçois que le JJB et E. sont aussi présents sur cette photo. E., d'ailleurs, c'est le diminutif de quoi? Éric? Ethan? Elliott? Mon Dieu, j'espère que non. Elliott, ce n'est vraiment pas un prénom sexy. Bref, JJB et E. sont assis derrière LFDAC à une table, sur laquelle on peut distinguer plusieurs verres vides et des bouteilles de vodka. E. semble regarder Amber d'un air renfrogné, mais peut-être est-ce juste une illusion à cause des néons derrière lui.

– Qu'est-ce que tu as là? demande le docteur Houston quand il entre dans la pièce en boutonnant sa blouse blanche.

Je ne l'ai pas revu depuis la nuit où Candice a failli mourir, et les images de cette scène sanglante me reviennent en tête.

– Rien, c'est juste un magazine.

Je le jette sur le côté. Il s'ouvre à la page que je regardais. Le docteur Houston le ramasse.

– Tu sais, ça arrive souvent.

– Quoi?

– Que des patients qui ne sont pas habitués à être entourés de célébrités se laissent influencer par leur prestige.

Je ne me suis pas du tout laissé influencer par Amber. J'ai été embauchée pour percer ses secrets à jour. Ce n'est pas du tout la même chose, mon gars.

– Ce n'est pas ce qui m'arrive. Nous sommes copines, c'est tout.

Il me regarde d'un air inquiet.

– Katie, je ne crois pas qu'en devenant une amie d'Amber, tu favorises ton rétablissement. Tu devrais développer de nouvelles manières de réagir, afin ne pas retomber dans de mauvaises habitudes en sortant d'ici.

– Nous ne pouvons pas nous aider mutuellement?

– Je ne le crois pas, non.

Il lève la main pour m'empêcher de demander pourquoi.

– Je ne peux révéler ses secrets, Katie. Mais ton bien-être me tient à cœur. Me fais-tu confiance?

Moi aussi, mon bien-être me tient à cœur.

– Je suppose que oui, réponds-je finalement.

– Bien. Et toi, alors, comment vas-tu ?

Il s'assoit sur son tabouret et le fait rouler jusqu'à moi.

– Ça va pas mal.

– As-tu eu des envies fortes de consommer ?

Mes yeux se posent sur le magazine.

– Parfois.

– Comment y fais-tu face ?

– Je fais semblant qu'elles n'existent pas.

Il fronce les sourcils. J'essaie de nouveau.

– J'en discute avec Sandra.

– Très bien. As-tu de la difficulté à dormir ?

– Eh bien, oui, mais c'est l'histoire de ma vie.

– Comment t'y prenais-tu, par le passé ?

Je me rappelle le déclin des provisions de vin d'investissement de Joanne.

– Je pense qu'on appelle ça s'automédicamenter.

– Tu utilises de l'alcool pour t'endormir ?

Non. J'utilisais de l'alcool pour m'endormir. Il faut le mettre à l'imparfait depuis dix jours, maintenant. Ou plutôt huit, puisque les deux premiers soirs, j'avais les petites pilules du doc pour m'endormir.

– Oui… mais ces jours-ci, je compte les rayons de lune.

Il me sourit.

– Je peux te donner certaines techniques qui t'aideront à dormir, si tu veux.

Il feuillette mon dossier.

– Je vois que tu perds du poids.

Plus de cinq kilos à la dernière pesée.

– Un peu.

– As-tu déjà eu des problèmes alimentaires?

Je n'ai pas de problèmes alimentaires, l'ami. Mon problème, c'est le combo pénurie-d'alcool-et-bouffe-atroce.

– Non. C'est peut-être parce que j'ai commencé à courir.

Son visage s'assombrit.

– Oui, je voulais te parler de ça. Sandra m'a dit que tu as eu des hallucinations?

Seigneur!

– Non.

– Peut-être ai-je mal compris. Tu n'as pas dit à Sandra que tu voyais un singe quand tu courais?

Ça semble encore plus idiot venant du mignon docteur Houston.

– Eh bien, pas tout à fait. C'est une impression que j'ai quand je cours. Comme s'il y avait quelque chose sur mes épaules. Je dis que c'est un singe, mais ça pourrait être n'importe quoi...

Son stylo est en suspens au-dessus de son bloc-notes.

– Je vois. Et ce... singe... te parle-t-il?

– Évidemment que non. Ce n'est pas un vrai singe. Je ne suis pas folle.

– Mais tu veux quand même que ce singe soit ta puissance supérieure?

– Pas le singe en tant que tel, non, mais ce qu'il représente. C'est ... c'est dur à expliquer... En fait, ça pourrait être un arbre ou une feuille, non?

Le docteur Houston penche la tête et écrit quelque chose. Vu de loin, ça ressemble à: «Recommencer l'étape».

– Non... Je n'ai pas besoin de recommencer l'étape. Je la comprends, je vous jure.

Il me regarde.

– Je vais en parler avec Sandra. En attendant, je suggère que tu essaies de trouver une puissance supérieure dans le vrai monde.

D'un élan du pied, il fait glisser sa chaise à travers la pièce. Il pivote avec aisance, ouvre un tiroir et en retire un dépliant. Un autre coup de pied, et il est de retour à côté de moi.

– Lis ceci, ça pourra t'aider avec ton insomnie.

– Merci.

– Tu te débrouilles mieux que tu ne le penses, Katie. Continue comme ça.

Je quitte le bureau du docteur Houston et je repars vers la cafétéria. En effet, en raison de mon tour de chant sur table en compagnie d'Amber, je n'ai pas fini mon sandwich et je suis affamée.

En déambulant dans les corridors, notre chanson me revient en tête. Je me demande pourquoi Amber a choisi de la chanter au JJB. Ce choix peut-il fournir des indices sur leur relation, ou est-ce simplement la première chanson qui lui est venue en tête ?

– On n'a pas assez entendu cette chanson, aujourd'hui ?

E. est debout devant moi, l'air amusé. Il porte des vêtements de jogging, mais il ne doit pas encore avoir couru parce que ses cheveux sont secs.

Zut ! Je chantais à voix haute ? C'est vraiment gênant...

Je place mes mains sur mes hanches.

– Quoi ? Tu n'as pas apprécié notre petit spectacle ?

– Je plaide le cinquième amendement.

– Ouais, ça ne m'étonne pas.

– De toute façon, vous chantiez la mauvaise chanson. Leur relation ressemble beaucoup plus à du Britney Spears qu'à du Sara Bareilles.

– Que veux-tu dire ?

Il chante un extrait de *Toxic* d'une voix de fausset, faisant une imitation étonnamment juste de Britney Spears. Étonnamment juste.

– Pas mal. Tu as tout un talent.

Il rougit.

– Ne raconte pas ça à tout le monde, hein ? Ça ne ferait pas des merveilles pour ma réputation.

– Ta réputation ?

– Ce n'est pas en chantant comme une fille que je vais attirer les nanas.

– « Attirer les nanas » ? OK, d'accord. Et puis, tu as aussi cette histoire de refus de te confier qui joue contre toi.

Il hausse les sourcils.

– Tu as une bonne mémoire.

– C'est ce qu'on me dit.

Nous nous sourions, et je me demande si je suis la seule qui se sent mal à l'aise et nerveuse.

– Je peux te demander quelque chose ? dis-je, un instant trop tard pour que ça ait l'air naturel.

– Combien d'alcoolos faut-il pour visser une ampoule ?

– Nan.

– Si je préfère le crack ou la bonne vieille cocaïne ?

– Non plus.

Il sourit.

– Alors, je n'ai plus d'idées. Vas-y.

– E., c'est le diminutif de quoi ?

Son sourire s'estompe.

– C'est le diminutif de rien.

– Alors ton nom est E., comme la lettre ?

– Non... C'est comme ça qu'Amber m'appelle. Tu sais, comme E. dans *Entourage*? À cause des cheveux roux et...

– Parce que tu travailles pour Connor?

– J'imagine.

– Alors, c'est quoi, ton vrai nom?

– Henry.

– Henry... J'aime bien. Ça te va bien.

– Merci, Kate, Katie, comme tu voudras. Bon, je devrais bien aller courir... à moins que... tu veuilles venir avec moi?

– J'ai déjà couru ce matin.

– Peut-être une autre fois?

– Avec plaisir.

Il pose sa main sur mon épaule et la serre doucement, puis sort par une porte française qui mène à l'extérieur.

Je l'observe jogger avec aisance sur la pelouse, et je sens encore la chaleur de sa main sur mon épaule. Est-ce une bonne chose ou un signe que je devrais éviter tout contact avec lui?

J'étudie la preuve accumulée jusqu'à présent: ma réaction quand il me touche, nos silences inconfortables, nos sourires idiots, et j'en conclus qu'il vaut mieux éviter tout contact, puisque je suis en désintox et que j'espionne la copine de son patron.

Ouais... Henry est formellement en zone interdite.

CHAPITRE 11

PELURES DE POMMES ET AUTRES CONTES DE FÉES

Je suis réveillée par le bruit d'une branche qui frappe à ma fenêtre. Je faisais l'un de ces rêves vivides et réalistes qui disparaissent dès qu'on se réveille. Il n'en reste qu'un goût dans ma bouche, et ce rêve goûtait l'alcool. Des *shooters* de tequila, je crois.

Pourquoi, mais pourquoi a-t-il fallu que je me réveille ?

J'ouvre les yeux. La noirceur complète m'indique qu'il est très très très tard.

Je repousse les couvertures et m'approche de la fenêtre. Je jette un coup d'œil à la cour bien entretenue. Le ciel ressemble à un dôme d'étoiles qui vont jusqu'à l'horizon. Des nuages noirs cachent par moments la lune.

Je me sens chaude et fiévreuse. Je passe la main à travers les barreaux et ouvre la fenêtre. L'air frais pénètre dans la pièce. Le vent me fait du bien aux joues.

Je retourne dans mon lit et cherche mes nouvelles amies nocturnes, à savoir les craques du plafond. J'essaie ensuite de retourner dans mon rêve, de me rebaigner dans la fête, mais il y a quelque chose qui m'agace.

Oh mon Dieu. Je n'ai tout de même pas fait un rêve de dépendance ? Non, non, bien sûr que non. Oui, j'ai rêvé que je buvais, que je me soûlais, même, mais c'était un rêve agréable, non? Très amusant, en fait. Rien à voir avec les cauchemars de drogue d'Amy.

Dieu qu'Amy me manque. Sans elle, la chambre est vide et je me sens seule. J'espère qu'elle va bien et qu'elle réussira à s'en sortir au troisième essai.

Je ferme les yeux, déterminée à dormir.

Ça finit par marcher.

• • •

J'en suis au jour 11 : «Identifier nos comportements récurrents». Debout sur le sentier, j'essaie de me motiver à courir.

OK. Huit minutes, aujourd'hui. Les cinq ou six minutes de poltronne, c'est fini. Je n'ai qu'à trouver la chanson la plus longue sur mon iTouch et à courir jusqu'à ce qu'elle finisse. Je passe en revue ma collection. Et le grand gagnant est... *Hotel California*.

D'accord. Quoique... est-ce réellement une bonne idée d'écouter une chanson qui parle d'un endroit qu'on ne peut jamais quitter, étant donné ma situation?

Je cherche la deuxième chanson la plus longue de mon répertoire. C'est la version des Pogues de *And the Band Played Waltzing Matilda*, d'une durée de huit minutes onze secondes. Non, non, c'est encore pire. La voix imbibée de whisky de Shane MacGowan ne m'aidera certainement pas à oublier le goût de mon peut-être-rêve-de-dépendance d'hier soir.

Hotel California fera l'affaire.

Je termine mes étirements, place les écouteurs sur mes oreilles, puis mets un pied devant l'autre. Ça fait aussi mal que d'habitude. Décidément, le jogging ne semble pas devenir plus facile, à la longue. Enfin, pas pour moi.

Je me souviens de la dernière fois que j'ai dansé au son de cette chanson. C'était avec Zack, à notre bal de graduation de l'école secondaire. Je savais que je partirais pour la grande ville dès que j'avais lancé mon mortier vers le ciel. Mes cours à l'université ne débutaient pas avant quelques mois, mais je voulais profiter de ce temps pour découvrir la ville et trouver un boulot qui m'aiderait à financer les frais de scolarité que mes parents étaient incapables de défrayer. J'avais dit à Zack que je partais, mais pas encore que je ne voulais pas d'une relation à distance. Il me demandait sans cesse de lui permettre de passer l'été avec moi en ville, et j'évitais de répondre. Il a encore abordé le sujet quand nous dansions dans le gym. Je ne sais pas pourquoi, mais j'ai soudain craqué et je lui ai dit non.

C'était juste au moment où la chanson s'accélère, quand la batterie embarque et qu'on ne peut pas danser comme il faut. Zack a laissé tomber ses mains de ma taille et a ôté mes bras de ses épaules. Une minute plus tard, la chanson était finie et il n'était plus à moi.

La batterie se fait entendre, et j'accélère le pas en cadence. Da, da, da, da, da, da. Boum, boum, boum, boum.

La chanson se termine alors que j'arrive sur la route en gravier qui chemine jusqu'au portail d'entrée. Amber se trouve ici, en plein milieu du chemin, les bras croisés sur la poitrine, regardant encore une fois sa possible échappatoire. Elle porte une queue de cheval. Je retire mes écouteurs et regarde la montre d'Amy.

Huit minutes. J'ai réussi! Et pas un singe à l'horizon!

– Qu'est-ce qui se passe? demandé-je.

Elle détourne à regret ses yeux du portail.

– Pas grand-chose. Merci pour hier, en passant.

– T'en fais pas.

Elle me regarde des pieds à la tête.

– Ton visage est pas mal rouge...

– C'est un des effets secondaires de la santé.

– E. aussi devient tout rouge quand il court. Cheveux rouges, visage rouge, rouge partout.

– Ouais. Alors, où t'ont-ils emmenée, hier?

– Juste dans ma chambre. Toi?

– Le docteur Houston m'a fait la leçon.

Elle esquisse un sourire de dédain.

– Il t'a dit qu'il fallait t'éloigner des influences néfastes comme bibi?

– Ouais, un truc du genre.

– Tu m'étonnes.

Elle donne un coup de pied sur le sol.

– Tu ne trouves pas que Connor a vraiment une sale gueule?

Oui. La bonne réponse à cette question est oui.

– Je suppose. Je ne l'ai jamais rencontré, alors je ne peux pas comparer.

Elle ne semble pas contente de m'entendre dire ça.

– J'aimerais pouvoir dire la même chose.

– C'était quoi, l'histoire, hier?

– J'ai chanté ce que je pensais.

– Au moins, tu as vaincu ton trac du public.

– Avec un peu d'aide, oui.

Ses yeux se reportent vers le portail d'entrée.

– T'as pensé à une manière de sortir d'ici?

– Pas encore.

– Moi, j'en connais une.

Sa tête se tourne vers moi. Voyant que je n'embarque pas dans son jeu, elle demande :

– Quoi ?

– Finis ton séjour ici. Ils te laisseront partir en bout de ligne.

Une ébauche de sourire se trace sur ses lèvres.

– Tu ne m'aides pas du tout, là.

• • •

– J'aimerais revenir à quelque chose dont nous avons parlé brièvement l'autre jour, Katie, dit Sandra pendant ma séance de thérapie individuelle. C'est au sujet de ta famille.

Je m'enfonce dans ma chaise et étire mes jambes jusqu'à ce qu'elles touchent le bureau de Sandra.

Après tout, n'est-on pas supposé avoir un fauteuil, en thérapie ? Je pourrais bien m'allonger, là.

– Qu'est-ce qu'elle a, ma famille ?

– Es-tu proche d'elle ?

– Pas trop.

Elle prend une gorgée de café dans sa tasse J' ♥ LES CHIENS.

– Pourquoi, selon toi ?

– Je ne sais pas. Avant, on l'était, mais quelque chose a changé en cours de route.

– À cause de ta consommation d'alcool ?

Une vague de fatigue me traverse.

– Non, c'était... avant ça.

– Peux-tu me dire quand ?

Je pense au passé, avant tous les Noëls et les anniversaires que j'ai manqués. Avant les appels de ma mère que j'évite ou que j'écoute à moitié. Avant que ma sœur arrête de m'idolâtrer et commence à me blâmer pour tout ce qui va mal dans sa vie.

– J'imagine que ça date du temps où je suis partie pour l'université, ou même avant. Je me souviens que j'avais l'impression de vouloir fuir mes parents. Et chaque fois que je revenais, je me sentais encore plus éloignée d'eux.

Sandra m'observe par-dessus sa tasse.

– Malgré cela, tu as choisi un centre près de chez eux quand tu as décidé d'obtenir de l'aide.

Oui. Mais ça, c'était l'erreur d'Amber, pas la mienne.

– Je ne vois pas ça comme ça.

– Crois-tu que peut-être, inconsciemment, tu sentais qu'ils faisaient partie de ce dont tu avais besoin pour guérir?

– Je ne sais pas. C'est possible.

– J'aimerais que tu penses à les inviter au programme de thérapie familiale. Je crois que ça te serait très bénéfique.

Mon corps se tend.

– Ouais, peut-être.

– Veux-tu être proche d'eux à nouveau?

– Tout le monde veut que ça finisse bien, non? Avec les parents aimants, l'homme idéal et la petite clôture blanche parfaite.

Elle sourit.

– Ça doit te sembler bien loin, tout ça, en ce moment, non?

– Oui. En fait, on ne peut obtenir de dénouement heureux si on n'a jamais été amoureuse.

Mon Dieu, pourquoi ai-je dit ça? Avec le manque de sommeil, je suis sonnée, et je dis vraiment n'importe quoi.

– Tu voudrais être proche de quelqu'un?

– Oui, bien sûr.

– Alors, qu'est-ce qui t'en empêche ?

– Je ne sais pas. Je suppose que je n'ai toujours pas rencontré quelqu'un avec qui je veux être à long terme.

– Et où rencontres-tu habituellement des hommes ?

Je le savais, que ça allait en venir là... Et malgré tout, c'est moi qui ai abordé le sujet. Brillant, super brillant.

Je devrais vraiment me concentrer davantage sur cette conversation avant de laisser échapper des informations encore plus personnelles.

Je me redresse sur mon siège.

– Eh bien... surtout dans les bars.

– Et quel genre d'hommes rencontres-tu dans les bars ?

– Le genre qu'on imagine.

– Ce qui veut dire ?

Je hausse les épaules.

– Ils sont immatures et cherchent à s'amuser, pour la plupart d'entre eux.

– As-tu déjà eu des relations sérieuses ?

– Oui, deux.

– Est-ce que la fin de ces relations était liée à ton problème d'alcool, ou était-ce avant ?

– Pas la première...

Nan. Je m'étais simplement sauvée de lui et de la bague qu'il m'avait achetée, si j'en crois la machine à potins du village.

– Et l'autre ? insiste Sandra.

Je voudrais pouvoir nier, mais... zut, l'alcool était réellement la cause de ma rupture avec Greg. Greg était mon copain à l'université, et il était intelligent, mignon, drôle et très attaché à moi. Nous sommes sortis ensemble deux ans, mais un soir, à une fête, j'étais soûle et j'ai folâtré un peu avec un gars qui ne me plaisait même pas. Je croyais qu'on pourrait s'en remettre, mais Greg ne me faisait plus confiance.

– Oui, peut-être, avoué-je.

– Comment, peut-être ?

Je m'écroule sur ma chaise.

– Je l'ai trompé quand j'étais soûle, et il a rompu.

– Comment t'es-tu sentie ?

– J'ai été triste pendant un moment.

– Mais tu n'étais pas amoureuse de lui ?

– Non, je ne le crois pas.

– Pourquoi ?

Pour un million de raisons qu'il serait trop déprimant d'énumérer à voix haute.

– Parce que je n'ai jamais remarqué comment il pelait ses pommes, dis-je plutôt.

– Qu'est-ce que ça signifie, Katie ?

– C'est comme ça qu'on décrit l'amour, dans les films. Comme dans *Sleepless in Seattle*... (c'est le film qu'ils nous ont montré la veille au soir). Le personnage de Tom Hanks se demande pourquoi il est tombé amoureux de son épouse décédée, et il dit que c'est parce qu'elle savait peler une pomme d'un seul coup de couteau, ou un truc dans le genre. Et j'ai lu quelque chose de similaire dans un livre récemment, mais cette fois-là, c'était au sujet de l'épluchage d'une orange... Enfin... Je n'ai jamais eu l'impression que la façon dont un gars pèle un fruit était une raison suffisante de passer ma vie avec lui.

Le regard de Sandra se fait sérieux.

– Je ne crois pas que ton idée de l'amour devrait être fondée sur ce qu'on en dit dans les films.

– Je le sais bien, mais ne crois-tu pas que l'essence de leur message est assez vraie ?

– En quoi ?

– Que l'amour devrait être simple ?

– L'amour n'est pas simple, Katie, et la vie non plus. Les choses qui en valent la peine sont parfois compliquées, et elles évoquent des émotions qui le sont tout autant. Tu sais, souvent, les gens se tournent vers la drogue ou l'alcool quand ils ne peuvent faire face à ces complications.

– Mais la vie de tout le monde ici est compliquée. Regarde ce que Candice a essayé de faire.

– Oui, bien sûr. Parce que l'alcool et la drogue ne réussissent pas à rendre les choses plus simples. Il faut que tu laisses la place à un peu de désordre dans ta vie, Katie, si tu veux être amoureuse. Et aussi si tu veux demeurer sobre.

Quand la séance se termine, j'erre dans la cour fleurie, réfléchissant à notre conversation. Il y a quelque chose que Sandra a dit qui ne me convient pas tout à fait. Est-ce que le désordre est vraiment la clé ? Ma vie n'a-t-elle pas été assez désordonnée jusqu'à présent ? J'ai couché avec, quoi, vingt-sept hommes. N'est-ce pas un peu désordonné comme manière d'agir ?

La première fois, c'était avec Zack, bien sûr. Nous l'avons fait dans son lit simple de garçon, un dimanche après-midi, pendant que ses parents rendaient visite à sa grand-mère. C'était inconfortable, il était gentil, et nous avons utilisé un condom. Quand je me suis enfuie du village, nous avions fait l'amour cent quarante-deux fois. Oui, je les ai comptées. Pas par écrit, mais j'ai simplement une bonne mémoire. Zack aussi trouvait cela étrange.

Par la suite, le sexe s'est intégré facilement dans mes relations. Parfois, pas souvent, mais quelquefois, je suis rentrée avec un gars que j'avais rencontré le soir même. Une fois, je ne savais même pas son nom. Bien sûr, il y avait de l'alcool là-dessous. Mais je n'en ai pas fait un plat, à l'époque. En fait, je me souviens qu'à vingt-deux ans j'étais impressionnée d'avoir osé le faire... et je le suis encore un peu.

Mais en dehors de Zack et Greg, aucun de ces gars ne comptait pour moi. Ils étaient là pour me distraire, pour passer le temps avant que ma vraie vie ne commence.

Alors, le désordre, je m'y connais. Et ce n'est pas ça, l'amour. Non, l'amour est censé être simple. C'est censé être une histoire de gouttes de pluie qu'on essuie sur nos paupières, et de regards à travers une pièce bondée. Contempler une étoile filante, ou la manière dont une feuille se détache de l'arbre et flotte jusqu'au sol.

C'est censé être une histoire de pelures de pommes.

CHAPITRE 12

MESSAGES ENVOYÉS ET REÇUS

– J'utilise la méthode Stanislavski pour écrire, explique Mary en séance de groupe, quelques jours plus tard. J'assume la personnalité de mes personnages, afin de pouvoir les raconter comme s'ils existaient vraiment.

Elle s'interrompt, hésitante.

Nous sommes assis, comme d'habitude, en demi-cercle sur nos chaises pliantes, face à Sandra. La cafetière s'active sur le buffet. On n'a pas vu le soleil depuis plusieurs jours, et un brouillard persistant s'accroche aux montagnes. Aujourd'hui, il enveloppe même l'Oasis, nous donnant l'impression d'être dans une cabane perchée sur un arbre en pleine forêt.

– Continue, Mary, l'encourage Sandra.

Mary dissimule ses mains dans son grand chandail de pêcheur et prend une profonde inspiration.

– J'écrivais un livre au sujet d'une fugueuse qui vit dans la rue. Elle demeure innocente pendant un moment, mais elle finit par céder aux tentations qui l'entourent. Elle devient héroïnomane.

Je regarde autour de moi. Les autres patients ont l'air de s'ennuyer. Ils regardent distraitement leur tasse de café ou contemplent le plafond, effondrés sur leurs chaises. Mais le producteur se réveille en entendant le mot «héroïne».

– Que veux-tu nous dire exactement, Mary ? insiste Sandra.

L'humidité a fait exploser les cheveux poivre et sel de la thérapeute. Ils sont retenus de peine et de misère par un large bandeau noir, sur lequel des chiens se pourchassent. Mary a la mine basse.

– Je voulais tant décrire chaque détail avec précision que... que j'ai commencé à prendre de l'héroïne.

– Et tu en es devenue dépendante ?

Mary hoche la tête.

– Dis-le, Mary. Avoue-le.

Des larmes coulent sur son visage ridé.

– Je suis dépendante de l'héroïne.

Monsieur Fortune 500 grogne de dédain, et le banquier ricane à côté de lui.

Mary essuie ses larmes et leur jette un regard noir.

– Va te faire foutre, Ted.

– Tu voudrais contribuer d'une quelconque manière, Ted ? demande Sandra.

Il lève sa main droite dans les airs et examine ses ongles.

– Je m'étais attendu à une histoire plus impressionnante, c'est tout.

– Quelle idée ! s'exclame Mary, fâchée. Il ne s'agit pas d'un spectacle de contes. On est en séance de thérapie de groupe, bordel.

– Ça ne veut pas dire que tu ne peux pas nous divertir en même temps.

Mary essuie ses larmes rageusement.

– Quoi ? Comme les histoires de Rodney, avec les grands bols de cocaïne et les célébrités ? Ou comme Amber ? Je devrais vous chanter une chanson ?

Je jette un coup d'œil à LFDAC. Elle est assise tranquillement sur la chaise à côté de la mienne, en train d'observer l'échange entre Mary et Ted comme s'il s'agissait d'un match de tennis.

Sandra claque la langue de désapprobation.

– Mary, ne personnalisons pas nos échanges.

– Ce n'est pas parce que je ne suis pas une star du cinéma que je n'ai rien à dire.

Parlant de stars du cinéma… Le JJB est assis à l'autre bout de la pièce. Il porte un jean foncé abîmé et un chandail bleu ciel. Son teint est plus sain qu'il y a quelques jours, et il est rasé de près. En dehors de ses mains tremblantes, il a l'air à deux pas de son personnage. Il lui manque juste le smoking et le revolver Walther PPK.

Il n'a toujours pas vraiment parlé en groupe, alors je n'ai pas eu grand-chose à rapporter à Bob depuis la chanson de la cafétéria. Ça, il a adoré.

– Ted, Mary, ce genre de débat n'aide personne.

– Ce n'est pas juste ! Personne d'autre ne se fait ridiculiser après s'être confié.

– Je crois que nous avons tous une leçon à apprendre, dit Sandra en parcourant la pièce du regard. Les séances de groupe sont censées être un havre de paix. Un moment au cours duquel chacun peut parler et s'enrichir de l'expérience des autres. Quand vous sortirez d'ici, il y aura bien assez de gens dans votre entourage qui feront obstacle à votre rétablissement. Alors, ici, vous devriez vous écouter, vous aider, vous accepter les uns les autres. Le centre n'est pas un lieu où l'on se juge. C'est un cercle de vérité. Un cercle de confiance. Vous comprenez ?

– Oui, Sandra, répondons-nous tous en chœur.

• • •

En fin d'après-midi, le vent s'est levé et a chassé le brouillard. Quand j'arrive à la cafétéria pour le souper, qui a lieu aussi tôt que dans une maison de retraite, j'aperçois le soleil couchant derrière les montagnes pour la première fois depuis des jours. Le ciel est strié de mauve et d'orangé, au-dessus du vert vif des arbres. C'est beau à en couper le souffle. Pourtant, personne ne remarque ce genre de trucs ici.

J'accepte l'assiette de poulet rôti et de légumes que me tend la dame derrière le comptoir, et je prends place à la table de Mary. Elle est assise, étonnamment, avec le JJB, Henry et le banquier.

– Bette Middler et Susan Sarandon, dit ce dernier. Ses doigts sont entrecroisés sur son gros ventre.

– Hé, mon gars, pourquoi choisis-tu deux vieilles bonnes femmes ? demande le JJB d'une voix traînante, avec un accent à mi-chemin entre le Midwest (d'où il vient réellement) et la haute société britannique.

– Parce que je ne veux pas baiser la vieille dame du *Titanic*.

– Même pas pour te taper Scarlett Johansson ? demande Henry, me faisant un clin d'œil quand je m'assois en face de lui. Si j'en crois les lettres blanches sur son chandail rouge vif, il a reçu une formation universitaire impressionnante et dispendieuse.

– Eh bien...

– De quoi parlez-vous ?

– Ils jouent à « 2 font 100 », explique Mary. Il faut choisir deux personnes connues dont l'âge cumulatif est d'au moins cent ans, avec lesquelles on coucherait.

– C'est pas un jeu de boisson, ça ?

– Et puis, qu'est-ce que ça fait ? répond le banquier.

Je croise le regard de Henry. Il a l'air de bien rigoler.

– Oubliez ça...

– Tu choisirais qui ? me demande Henry.

J'y réfléchis un moment.

– Euh... Sean Connery et...

Le JJB me défie du regard.

– On peut choisir quelqu'un qu'on connaît ? demandé-je.

Le banquier secoue la tête.

– Non, non, non.

– Pourquoi pas ?

– Personne qu'on connaît. Ça ferait de la chicane.

– OK, alors... Sean Connery et... Daniel Craig.

Le JJB m'adresse un sourire aguichant.

– Dommage que tu ne puisses pas choisir quelqu'un que tu connais. Ç'aurait pu être intéressant.

Je rétorque du tac au tac :

– Je pensais qu'on ne pouvait choisir que des célébrités.

Henry et le banquier sont pliés en deux de rire.

Le JJB tape sur l'épaule de Henry.

– Fais attention, Henry, elle est vive, celle-là.

• • •

– Il y a quelque chose que Mary a dit hier qui m'agace un peu, dis-je à Sandra lors de notre séance personnelle suivante.

Nous en sommes au jour 14 : « Reconstruire votre carrière ». Je porte un short de surf rose et un tee-shirt bleu foncé décoré de palmiers. Mon look veut clairement dire : « Je préférerais être à la plage. »

– Quoi ?

– Quand elle a raconté comment elle est devenue héroïnomane.

– Tu t'associais à elle ?

– Non... pas du tout.

– Alors, pourquoi est-ce que ça t'a dérangée ?

– Parce que... je pense à l'engagement qu'elle a pris.

– L'engagement à prendre de l'héroïne ?

– Non. Le fait qu'elle ait voulu essayer. Ce que je veux dire, c'est que moi, je n'arrive même pas à écrire tous les jours. Alors qu'elle, son travail lui tient tant à cœur et elle veut tellement que ce qu'elle écrit fasse vrai, qu'elle a même été prête à prendre de l'héroïne. Juste pour que son histoire colle.

Sandra lève la tête de son bloc-notes.

– On dirait que tu l'admires.

– En effet.

– Katie, je sais que tu aimes bien me taquiner...

– Je l'admire réellement. Je voudrais avoir ce qu'elle a.

– Une dépendance à l'héroïne ?

– Non, bien sûr que non.

– Quoi, alors ?

Je remonte mes pieds sur la chaise et dépose mon menton sur mes genoux, cherchant la formule exacte.

– Je ne sais pas... quelque chose... une volonté assez forte pour résister aux tentations autour de moi, j'imagine.

– Ces tentations ont-elles affecté ta carrière, Katie ?

– Ouais.

– Tu veux m'en parler ?

Je repense à cette journée à *The Line*. Mon cerveau refusait de fonctionner. J'ai vomi et vomi, et je ne me sentais toujours pas moi-même.

– J'ai eu la chance de décrocher la job de mes rêves, et je suis sortie la veille... c'était mon anniversaire... enfin, la veille de mon anniversaire... et puis, je n'allais prendre qu'un verre...

Oh, mon Dieu. Je ne peux pas croire que je raconte une histoire qui commence par «je n'allais prendre qu'un verre», la formule classique de toutes les séances de groupe. Ces récits me donnent envie de hurler. Comme dans les films, quand la fille idiote va dans le sous-sol pour vérifier la source d'un bruit étrange, juste après avoir reçu une douzaine de coups de fil anonymes. N'y va pas, imbécile! Il y a un fou furieux en bas!

Mais c'est à mon tour...

– Et? m'encourage Sandra.

– Bien sûr, je n'en ai pas bu qu'un...

On n'en boit jamais qu'un, dans ces histoires.

– Tu as raté l'entrevue?

– Non, j'y suis allée. Mais j'étais encore soûle, et après cinq minutes, j'étais aux toilettes en train de vomir comme une damnée. Et ç'a fini là.

– C'est ce qui t'a fait réaliser que tu devais venir ici?

C'est une manière de voir les choses.

– Oui.

– Est-ce la seule fois où l'alcool a joué un rôle dans ta carrière?

– Je crois que je n'ai jamais eu le don de terminer ce que j'entreprenais, et l'alcool n'aide pas.

– Pourquoi, d'après toi?

– Je suis facilement distraite.

– Par l'alcool?

– Par la vie.

– Alors, ce n'est pas un problème d'alcool en soi, mais un problème de Katie ?

Oui, c'est bien moi, le problème.

– Ouais, j'imagine.

Sandra sourit.

– Katie, je pense que tu ne dois pas être si sévère envers toi-même.

– Que veux-tu dire ?

– Tu dois accepter les choses que tu ne peux pas changer.

Ah, la prière de la sérénité, il ne manquait plus qu'elle. « Mon Dieu, donnez-moi la sérénité/d'accepter les choses que je ne peux changer/Le courage de changer les choses que je peux/Et la sagesse de faire la différence. » Pour une raison quelconque, quand je la récite, je ne me sens jamais très sereine.

– Sandra, je sais que nous récitons ça tous les jours, mais qu'est-ce que ça signifie réellement ?

– Ça signifie que tu dois t'accepter. Accepter tes défauts, mais aussi tes qualités. Tu n'as à vivre qu'avec une personne, Katie, et cette personne-là, c'est toi. Une fois que tu auras fait ça, que tu auras accepté tes limites, tu ne pourras plus t'en servir comme excuse. Si tu veux terminer quelque chose, fais-le. Tu contrôles ce que tu fais. Tu décides.

– Ça semble trop facile.

– C'est facile, Katie, d'une certaine façon. Si tu t'y prends un jour à la fois.

Je pense aux nombreuses ébauches de romans que j'ai écrites, puis abandonnées et qui encombrent la bibliothèque de mon appartement en ville. C'est un cliché, non, la journaliste avec des romans à moitié finis qui traînent partout ? Après tout, il y a pas mal de gens qui ont une idée de livre, un récit semi-autobiographique qui n'attend que d'être le prochain *Attrape-cœurs.*

Mais mes romans n'ont rien à voir avec moi, ce qui est sûrement une partie du problème. Par exemple, le deuxième a été inspiré par *Home* de Sheryl Crow. Cette chanson me tue. Donc, le roman devait porter sur une femme luttant pour demeurer fidèle à son partenaire de longue date. J'ai écrit une trentaine de pages, réalisé que je ne connaissais rien de l'amour fidèle, me suis promis que j'entreprendrais des recherches sur le sujet, puis je suis allée à la fête soulignant le vingt-huitième anniversaire de Rory. J'ai fini par coucher avec mon partenaire numéro vingt-quatre beaucoup plus tard, ce soir-là. Il s'appelait Chris. Non, Steve. Chris. Steve. Merde.

Enfin... Ai-je décidé de ne jamais terminer ce que j'entreprends ? Ou me suis-je laissé facilement distraire, me donnant ainsi la permission sous-jacente d'échouer ? Est-ce mon problème depuis le début ? De n'avoir pas pris de décisions ? D'avoir laissé la vie me mener plutôt que de mener ma vie ?

Ma tête tourne sous le poids des questions, mais je n'ai pas de réponses à donner. J'ai l'impression qu'elles flottent devant moi, mais qu'elles n'ont pas encore pris forme. Et au lieu d'avancer, je suis en hibernation, attendant, espérant que quelque chose arrive, mais incapable d'y parvenir.

• • •

Avec mon cerveau en effervescence, ce n'est pas étonnant que je n'arrive pas à dormir. Encore une fois. Les trucs contenus dans le dépliant du docteur Houston ne semblent pas m'aider. Se coucher tous les soirs à la même heure. C'est fait. Un programme d'exercice régulier. C'est fait. Tenter de ne pas se concentrer sur les problèmes qui vous agacent... Impossible à faire.

Alors, je suis bien réveillée un peu après 23 h, quand un coup léger est frappé à ma porte.

– Qui est-ce?

– C'est Henry, chuchote une voix grave. Laisse-moi entrer. Je pense que j'entends quelqu'un qui s'approche.

Zut. Je porte un chandail agrandi par l'usure et une paire de boxers d'homme, et mes cheveux sont ébouriffés parce que je sors du lit. Bon, tant pis, on composera avec ça.

Je saute du lit et j'ouvre la porte. Henry se glisse dans ma chambre.

– Que se passe-t-il?

– J'ai besoin que tu me rendes un service.

– Lequel?

– Peux-tu allumer la lumière?

J'appuie sur le bouton de la petite lampe sur ma table de chevet, et la lumière envahit la chambre. Henry porte un jean usé et un tee-shirt blanc. Ses pieds sont nus. Ses cheveux roux bouclent sur son front, lui donnant l'air d'un jeune garçon.

– Merde. Quelqu'un pourrait voir la lumière, dit-il.

Je prends la serviette que j'ai utilisée pour me sécher les cheveux un peu plus tôt et je la lui tends.

– Mets ça le long de la fente sous la porte.

Il a l'air impressionné.

– Tu viens d'où, toi? La CIA?

– Nan, mais j'ai des années d'expérience avec mes parents. Fallait bien que je leur cache le fait que j'étais encore debout.

Il se penche et pousse la serviette contre la porte.

– Décevant.

– Toi, par contre, tu es de toute évidence très bon pour t'infiltrer dans des endroits interdits.

Il se relève et me regarde.

– Je le prends comme un compliment.

Nous nous regardons, et il y a un drôle de courant dans l'air. Une odeur de danger que je n'ai pas sentie depuis un moment. Pas comme s'il allait m'arriver quelque chose de mal, mais plutôt comme si j'allais faire quelque chose de mal.

– Alors... que fais-tu dans la section des filles?

– Je passe un message.

– Sérieusement?

– Malheureusement, oui.

Il met la main dans la poche avant de son jean et en ressort une feuille de papier pliée. Il me la tend.

– C'est pour Amber?

– Ouaip.

– Tu veux que je lui apporte ce message maintenant?

Je jette un coup d'œil à l'horloge.

– À 23 h 37?

– Ouaip.

– Pourquoi ne le lui donnes-tu pas toi-même, pendant la journée?

Il grimace.

– Tu crois que je n'ai pas déjà essayé? Elle ne voulait pas le prendre.

– Je suppose que c'est de la part de Connor, c'est ça?

– Ouaip.

– Il veut la voir?

– Probablement.

– Ils vont avoir de sacrés problèmes, s'ils se font prendre.

– Alors, ils devront faire de leur mieux pour éviter ça.

– Pourquoi veut-il la voir?

Henry me lance d'un air incrédule.

– D'après toi?

– Ce n'est pas une réponse, ça. Il doit bien t'avoir dit quelque chose.

– Pour ton info, les gars ne parlent pas de ce genre de trucs.

– Et pour la tienne, les filles ne croient pas les gars quand ils disent ça.

Nous nous sourions. Un autre de ces échanges inconfortables et confortables à la fois.

– Et si elle ne veut pas le voir? finis-je par demander.

– Pourquoi ne voudrait-elle pas le voir?

– Eh bien... étant donné ce qui s'est passé à la cafétéria l'autre jour...

Il a l'air sûr de lui.

– Elle le rejoindra.

– Malgré la toxicité à la Britney Spears de leur relation?

– Essaierais-tu de me faire chanter, par hasard?

– Pourquoi pas?

– Rien à faire. C'était une performance unique, qui ne sera jamais répétée.

– Dommage...

Je croise le regard de Henry. Il a une intensité qui me fait rougir. Je regarde mes genoux. Nous sourions encore tous les deux.

– S'ils sont si néfastes l'un pour l'autre, pourquoi joues-tu le messager?

– La vie est pleine d'ironie.

Plus que tu ne le penses, l'ami.

Il y a un bruit dans le corridor. Nous nous levons et nous rapprochons l'un de l'autre, surpris. Nous sommes si près que je sens la chaleur de son corps et que j'entends le son de sa respiration. C'est étrangement intime.

J'écoute attentivement, retenant mon souffle. Ce doit être Carol qui vérifie que chaque patiente est dans son lit.

– Vite, lui chuchoté-je, cache-toi sous le lit.

Il hoche la tête et se glisse sous le lit d'Amy. Je m'assure que la couverture rayée bleue touche le sol du côté qui fait face à la porte, puis je saute dans mon lit, éteignant la lumière d'un geste. J'entends Carol qui ouvre la porte de la chambre de Mary et Candice, à deux portes de la mienne.

– Kate, chuchote Henry, la serviette !

Merde ! Je saute hors du lit, saisis la serviette et replonge sous mes draps aussi vite que je le peux. Je tire la couverture sur moi juste quand la porte s'ouvre. Je ferme les yeux et essaie de donner à mon visage l'air d'une personne endormie.

Un rayon de lumière passe sur moi. Puis la porte se referme.

Je pousse un soupir de soulagement, mon cœur battant jusque dans mes oreilles.

Seigneur ! Je suis une femme de trente ans en train de tenir une note pliée en quatre contre ma poitrine, inquiète de me faire surprendre avec un homme que je connais à peine caché sous un lit. Comment diable en suis-je arrivée là ?

– La voie est libre ? murmure Henry.

Je sors du lit et remets la serviette sous la porte. J'allume la lumière et soulève la couverture. Henry est couché sur le côté, entouré de boules de poussières. Il a l'air de tout faire pour ne pas éternuer.

J'étouffe un éclat de rire en mettant mon poing sur ma bouche.

– Qu'y a-t-il de si drôle? demande-t-il.

– Tu t'amuses, là-dessous?

Il se tortille pour sortir de sa cachette et se relève en essuyant la poussière collée à ses vêtements.

– Y a pas de doute.

Il passe la main dans ses cheveux, en les ébouriffant.

– Merde, c'était serré. Qu'est-ce qui serait arrivé s'ils m'avaient découvert ici?

– J'imagine qu'on se serait fait renvoyer.

Il est surpris.

– Ça ne semble pas te déranger.

Merde. C'est vrai. Je suis en désintox. Je suis censée avoir besoin d'être ici. Je suis même censée vouloir être ici.

– Bien sûr que ça me dérangerait. En fait, je suis très fâchée que tu m'aies mise dans cette position.

Il a un petit rire.

– Ça n'arrivera plus.

– Bien. Alors, dis-je en tendant la note, que suis-je censée faire avec ce truc?

– Te glisser dans la chambre d'Amber et le lui donner.

– Mais si je n'arrive pas jusqu'à elle?

– Je me suis bien débrouillé pour venir ici.

– Ah, mais toi, tu as de l'expérience.

– Peut-être.

– Sais-tu où est sa chambre?

Il m'adresse un regard surpris.

– Je croyais que tu étais sa nouvelle meilleure-amie-pour-la-vie?

– Ah bon?

– C'est dans le prochain corridor, la deuxième porte. Tu iras?

– Je vais essayer.

– Merci. Bon, je ferais mieux de partir d'ici avant de me faire prendre.

– Bonne idée.

– Attends cinq minutes avant d'y aller, OK?

Il serre mon épaule, laissant sa main s'y attarder un moment.

– Bonne chance, Kate.

Il ouvre la porte, jette un coup d'œil dans le corridor, puis disparaît.

Je suis assise au bout de mon lit, regardant les minutes s'écouler sur l'horloge, résistant à la tentation très puissante de lire le message. Quoique... ne suis-je pas ici spécifiquement pour obtenir ce genre d'informations? J'entends la voix de Bob dans ma tête : « Lis la foutue note. »

Je la déplie et y lis ces mots, écrits à la hâte.

Chérie, enkontrati mi cercati la grande arboti cê noktomezo.

Mais ils se moquent de moi.

Je lis et relis. C'est toujours incompréhensible.

Que c'est frustrant. Je me demande bien pourquoi il veut la voir. Sûrement pour coucher avec elle, non? Ou pour de la drogue? Sexe et drogue? Amber sera vraiment dans le pétrin si elle se fait prendre. Elle se fera peut-être même mettre dehors, malgré l'injonction judiciaire.

Qu'est-ce que ça peut te faire? Livre-lui simplement le message comme une bonne petite facilitatrice, et ne te fais pas prendre.

OK, bonne idée.

Je glisse la note dans l'élastique de mes boxers et je quitte la chambre furtivement, glissant sur le plancher pour ne pas faire de bruit. Quand j'arrive au bout du corridor, je me fige contre le mur du coin et jette un coup d'œil de l'autre côté. La voie est libre. Je me précipite dans le corridor, m'arrêtant devant la deuxième porte.

J'entends un bruit. Ça semble provenir d'un autre corridor, mais ça pourrait aussi être plus proche. Je lève donc la main pour frapper à la porte, mais dans l'urgence, décide plutôt de prendre une chance et d'entrer. Je tourne la poignée doucement et me glisse dans la chambre. Une personne avec de longs cheveux noirs dort sur le côté, une couverture entourant ses frêles épaules. C'est sûrement Amber.

– Amber, chuchoté-je.

Elle ne réagit pas. J'approche du lit et je pose la main sur son épaule. Soudain, elle agrippe mon poignet et le serre violemment.

– Qu'est-ce que tu fous dans ma chambre ? crache-t-elle.

– Amber, c'est moi, Katie.

Sa poigne se relâche un peu. Un tout petit peu.

– Qui ?

– Katie. Katie qui a chanté avec toi à la cafétéria.

Katie qui veut se servir de ta vie à ses propres fins.

– Katie ?

– Oui.

Elle lâche mon poignet et s'assoit.

– Que fais-tu dans ma chambre ?

– J'ai un message pour toi. De la part de Connor.

Elle est assise, silencieuse, immobile comme une personne très concentrée.

– Je peux allumer la lumière ? lui demandé-je.

– Ouais, d'accord.

J'aperçois une serviette pliée sur une chaise et m'en sers pour couvrir l'espace entre le plancher et la porte. J'allume ensuite la lumière. Amber porte un pyjama en flanelle, et ses cheveux tombent en boucles douces sur ses épaules. Elle a l'air tout droit sortie de chez le maquilleur-coiffeur.

Elle tend la main.

– Je peux avoir le message ?

Je le sors de mes boxers et le lui donne. Je l'observe avec nervosité pendant qu'elle le déplie. Et si je ne l'avais pas replié comme il le fallait ? Peut-être ont-ils un code spécial pour plier leurs notes, qui sait ? Ça serait nul. Nul, nul, nul.

Elle regarde le mot pendant un moment et le jette sur le lit. Mes épaules se relâchent.

– Que veut-il ?

– Que je le rejoigne dans les bois.

– Tu vas y aller ?

– Pas sûre. Il t'a apporté ça ?

– Non, c'était Henry.

Elle grogne.

– J'aurais dû le savoir. Il n'a pas les couilles de livrer ses messages lui-même.

Même si chaque parcelle de mon corps meurt d'envie de tout faire pour obtenir plus d'informations, quelque chose me dit que la meilleure stratégie, ici, serait de m'en aller.

– Bon, alors... je vais retourner à ma chambre.

– Tu pourrais rester avec moi un moment ?

– Bien sûr.

Je m'assois sur son lit.

– Quelle heure est-il?

Je regarde ma montre.

– Hmm, 23 h 50... Que veut-il, d'après toi?

– La même chose qu'il veut chaque fois.

Sexe? Drogues? Rock'n' roll?

Je m'aperçois que les mains d'Amber tremblent. Elle remarque mon regard et les replie, ses poings serrés.

– Ouais, je sais. Quand je pense à lui, j'ai envie de consommer comme une folle.

– Alors, peut-être que tu ne devrais pas y aller.

– C'est ce que ma tête me dit.

– Et ton cœur?

Elle s'assombrit.

– Mon cœur? Mon cœur me dit... «Connor Parks t'attend»...

Connor Parks t'attend. Connor Parks... Même moi, je suis tentée d'y aller, même si je sais que ce n'est pas moi qu'il attend.

– Alors... tu vas y aller?

– Ouais.

Elle se lève et marche jusqu'à sa commode. Elle en sort un jean noir et un chandail foncé. Elle les dépose sur le lit et retire son haut de pyjama, révélant une poitrine nue et plutôt généreuse. Je me détourne pour qu'elle puisse se changer en privé, quoique ça n'ait pas l'air de la déranger.

– Maudite bouffe de désintox, marmonne-t-elle.

Je la regarde. Elle essaie de boutonner son jean.

– Que dis-tu?

– Rien. Merci de m'avoir apporté le message.

– Pas de problème... Je n'arrivais pas à dormir, de toute façon. Surtout pas après avoir reçu la visite d'un homme en pleine nuit.

Son regard se fait pénétrant.

– Tu l'aimes bien, n'est-ce pas ? E. ?

Zut. Qu'est-ce qui l'a rendue aussi perspicace tout à coup, celle-là ?

– Je viens juste de le rencontrer…

– Ne t'en fais pas, je ne dirai rien.

Elle met du brillant à lèvres et les humecte.

– Qu'en penses-tu ? Je fais l'affaire ?

– Pour un rendez-vous clandestin dans les bois avec ton peut-être-ex-copain ?

– Exactamundo.

– Tu es impeccable.

Elle me sourit.

– Super. Alors, à la prochaine ?

– Ouais. Fais attention, hein ?

– Aucune chance.

CHAPITRE 13

FAIS-MOI CONFIANCE

Je suis debout sur une plateforme à six mètres du sol. J'ai un harnais autour de la taille et de la craie sur les mains. Sous moi se trouve un filet pour arrêter ma chute. Je tiens une barre de trapèze extrêmement lourde de la main droite. La main gauche, elle, s'agrippe de toutes ses forces à un câble bien tendu. D'une seconde à l'autre, le musclé en collants derrière moi criera « Hep ! » et je devrai me lancer dans le vide.

C'est ça, ouais.

Je suis ici parce qu'aujourd'hui c'est le jour de la confiance.

Quand Sandra nous en a parlé, ce matin, je m'étais imaginé le genre de jeux de confiance qu'on faisait au camp. Celui, par exemple, où on se bande les yeux, puis où on tombe à la renverse dans les bras de nos copains. Bref, voilà ce à quoi je m'attendais. Je ne croyais vraiment pas que, quelques heures plus tard, je serais suspendue dans la stratosphère, à la veille de sauter dans le vide.

• • •

Je suis de mauvaise humeur depuis que je me suis réveillée, ce matin.

Je suis de mauvaise humeur parce que, pour la première fois depuis que je suis en désintox, je commence à avoir mauvaise conscience. Mauvaise conscience à cause de ma présence en désintox. Mauvaise conscience à cause des raisons qui ont conduit à mon amitié naissante avec Amber. Peut-être même mauvaise conscience à cause de certaines histoires que j'ai racontées à Sandra.

Je ne sais pas ce qui a causé cet accès de culpabilité, mais je n'aime pas ça du tout.

Je n'aime pas la façon dont ça m'a réveillée à l'aube, quelques heures après avoir réussi à m'endormir après ma livraison de message nocturne, et la façon dont ça m'a accompagnée pendant ma course de neuf minutes (ce qui est tout de même très impressionnant). Je n'aime pas la façon dont ça m'a rendue bavarde pendant ma séance avec Sandra (regarde-moi, regarde-moi, je suis aussi déglinguée que les autres patients!), ni la façon dont ça m'a volé l'appétit au dîner, alors que j'étais assise seule, mâchant mécaniquement un hamburger.

Et surtout, je n'aime pas la façon dont ça me rappelle constamment que si je n'étais pas dans cet endroit idiot, je pourrais boire un ou deux gin tonic, et je me sentirais trop bien pour avoir mauvaise conscience au sujet de quoi que ce soit.

Si tu n'étais pas ici, tu n'aurais aucune raison d'avoir mauvaise conscience.

Je suis au courant, d'accord?

Il fallait quand même que je le souligne.

Tu me fous la paix ou quoi?

– À qui parles-tu? demande soudain Henry en s'asseyant en face de moi avec son plateau-repas. Ses cheveux sont humides, et il porte un short bermuda et un tee-shirt noir, sur lequel est imprimé le logo d'un groupe de rock alternatif.

Pourquoi ce gars me surprend-il toujours quand je fais des trucs gênants?

– À personne.

– La conversation me semblait pourtant très animée.

– Ouais, bon...

– Écoute, si tu préfères être seule...

Il commence à se lever. Ah, merde!

– Non! Ne pars pas...

OK. Réaction méga excessive.

– Reste, reprends-je d'un ton plus modéré. Je suis désolée. Je suis un peu grincheuse, aujourd'hui.

Il se rassoit.

– Pourquoi?

– Je n'ai pas beaucoup dormi hier soir...

– Parce que tu as suivi Amber et Connor dans les bois?

– Non!

– Tu n'étais pas tentée de le faire? Les retrouvailles ont dû être très touchantes, dit-il d'un ton sarcastique.

– Alors pourquoi ne les as-tu pas suivis toi-même?

Il prend une grosse bouchée de hamburger.

– Parce que je ne suis pas une fille.

– Bien joué. Euh... tu as du ketchup sur le menton, là.

Je commence à tendre la main pour l'essuyer, puis la ramène à la vitesse de la lumière.

Il me regarde d'un air curieux pendant qu'il passe sa serviette sur son visage.

– Merci. Alors, pourquoi n'y es-tu pas allée? demande-t-il.

– Parce que ça ne me regarde pas.

– Je vois. Dis-moi… as-tu déjà lu un magazine à scandale ?

Mes mains se mettent à suer. Où diable veut-il en venir ?

– Bien sûr.

– Eh bien, toutes ces photos « Les stars sont comme nous », ça ne regarde personne non plus.

– Je sais, mais au moins, je ne suis pas celle qui envahit leur vie privée.

Du moins, pas dans ces magazines-là en particulier.

– Mais tu es tout de même impliquée. Si personne ne lisait ces trucs-là, les paparazzis ne seraient pas là, pour commencer.

Si personne ne lisait ces trucs-là, je ne serais pas ici, pour commencer.

J'essaie de tourner le tout à la blague.

– Alors, si une star se soûle toute seule en forêt, ça ne fait pas de bruit ?

Il sourit.

– C'est exactement ça.

– Mais certaines stars ne désirent-elles pas être le centre d'attraction ?

– Bien sûr. Mais cela signifie-t-il qu'elles n'ont aucun droit à une vie privée ?

– Je n'ai pas dit ça.

– Alors, que dis-tu ?

Cette discussion commence à être trop réaliste à mon goût.

– Je dis que je suis aussi curieuse que mon voisin au sujet de la vie de jeunes beautés extrêmement bien payées, mais que je n'ai tout de même pas espionné Amber et Connor dans les bois hier soir.

– Mais tu as lu le message ?

– Non…

220

Il se penche vers moi.

– Seulement parce que tu ne pouvais pas le déchiffrer, n'est-ce pas?

– Pourquoi n'aurais-je pas été capable de le déchiffrer?

– Bien essayé. Allez, avoue.

– Juste si tu me dis pourquoi je n'aurais pas été capable de lire ce message.

– Parce qu'il était écrit en esperanto.

– En esperanto? Cette langue inventée qui devait remplacer l'anglais?

– Ouaip.

– Ils communiquent en esperanto?

– Ouaip.

– Mais c'est...

Il me fait un sourire entendu, tandis qu'il croque une frite.

– Incroyablement *geek,* hein?

– C'est le gars qui parle l'esperanto qui dit ça?

Il place une main sur son cœur.

– Tu me blesses, Kate, Katie, comme tu voudras.

– Tu t'en remettras.

• • •

Quand je quitte Henry pour aller en thérapie de groupe, le sentiment de culpabilité revient. Peut-être cela s'explique-t-il parce qu'on y parle beaucoup de culpabilité, mais ce jour-là, alors que j'écoute la version du jour de «Je n'allais prendre qu'une ligne», je me sens plus seule et déprimée que je ne l'ai été depuis que j'ai raté l'entrevue pour la job de mes rêves, le jour de mon anniversaire.

Je crois que j'ai besoin de quelque chose de dramatique pour m'enlever ces bleus à l'âme. Et comme je n'ai pas accès à ce que j'utilise normalement pour pallier ce genre de souffrance, quand Sandra nous parle du jour de la confiance, nous dit de porter des vêtements confortables et demande un volontaire, ma main s'élance dans les airs comme à l'école primaire, quand j'étais sûre de connaître toutes les réponses.

« Inscrivez-moi à tout ce que vous voulez, sauf à l'activité consistant à passer du temps dans ma tête avec moi-même ! »

Je me sens comme ça jusqu'au moment où nous entrons dans le gymnase et que je vois l'équipement de trapèze installé en plein milieu du terrain de basketball.

Sandra a l'air plus jeune et athlétique que d'habitude, vêtue d'un pantalon stretch noir et d'un chandail orné des mots « LES CHIOTS NOUS AIMENT ! », avec la même écriture cursive brillante qu'on utilise normalement pour des slogans comme « PORN STAR ».

– La confiance, dit-elle, c'est la chose la plus difficile à donner et la plus facile à perdre. Vous avez tous perdu la confiance de vos proches à cause de votre dépendance. Vous devrez donc apprendre comment la regagner. Mais d'abord, vous devrez apprendre à faire confiance aux autres, ainsi qu'à avoir confiance en vous-même. Voilà le but de cet exercice.

– De quelle manière le fait de recréer une scène tout droit sortie de *Sex and the City* va-t-il nous aider à faire ça ? demande le cinéaste.

La jambe droite de son pantalon de sport est remontée jusqu'au genou. Il a l'air d'un choriste dans une comédie musicale.

– C'est une bonne question, Rodney. Cet exercice fonctionne de deux façons. Tout d'abord, vous devrez faire confiance à l'équipement et aux gens qui l'ont installé. Mais aussi, je dois vous le dire, ça fait peur, là-haut. Sauter de la plateforme requerra beaucoup de courage. Or, en trouvant ce courage en vous-même, vous commencerez à rebâtir votre confiance personnelle. Et vous aurez besoin de confiance en vous avant d'en inspirer aux autres.

Elle nous regarde.

– D'autres questions? Non? Super, alors. Commençons.

Au cours de la demi-heure suivante, nous apprenons à voler. C'est la chose la plus facile du monde quand on a les pieds sur le plancher des vaches, et je commence à me détendre. Peut-être qu'après tout je serai capable de faire son exercice.

Quand nous maîtrisons les mouvements de base, un des instructeurs (un homme très musclé et un peu efféminé, vêtu d'un léotard de cirque bleu foncé) met de la craie sur ses mains, grimpe en haut de la corde pendue à la plateforme et s'y place.

– Tenez la barre comme ceci dans votre main droite, beugle-t-il vers nous, sa voix semblant soudain très lointaine. Quand je dirai «Prêt», vous lâcherez le câble, poserez la main gauche sur la barre et vous tiendrez prêts. Et quand je dirai «Hep!», vous sauterez.

Il saute ensuite dans le vide et se balance au-dessus du grand filet.

– Au bout du mouvement de balancier, je dirai «Jambes en l'air».

Il se penche alors vers l'arrière, lève ses genoux près de sa poitrine, et il fait passer ses jambes par-dessus la barre.

– Ensuite, je dirai : « Lâchez les bras. »

Il lâche les bras et pend par les genoux.

– Quand je dirai « Les mains en haut », vous ramènerez vos mains sur la barre et décrocherez vos genoux.

Il suit ses propres instructions et est de nouveau accroché par les mains.

– Enfin, quand je dirai « Lâchez », vous vous laisserez tomber dans le filet.

Il tombe avec grâce, puis marche jusqu'au bord du filet, y pose les mains et culbute jusqu'au sol.

Candice applaudit, et même les gars les plus coincés, comme l'avocat et le juge, ont l'air impressionné. Il a fait ça avec beaucoup de facilité, mais nous savons tous que c'est loin d'être le cas en réalité.

– Tu es prête à jouer la star ? me demande Amber. Elle est vêtue comme une ballerine, les cheveux retenus en chignon serré, et elle porte un léotard rose et des collants coupés au mollet. Je n'arrive pas à imaginer ce qui lui est passé par la tête quand elle a décidé d'apporter un ensemble pareil en désintox.

Moi, en revanche, j'ai plutôt l'air d'une figurante dans une vidéo d'aérobic de Jane Fonda dans les années 80. Il ne me manque que le bandeau rouge vif et les jambières assorties.

– Nan..., réponds-je.

– Mais tu t'es pourtant portée volontaire, me taquine-t-elle.

– Ouais, faudra que je me souvienne de ne plus faire ça, à l'avenir.

Amber rit, et je m'aperçois qu'elle est de bonne humeur. Pas de cette humeur fébrile « j'en-ai-joué-une-bonne-à-Sandra » qu'elle a parfois après les séances de groupe. Nan. Cette fois-ci, il s'agit d'une bonne humeur sincère, du genre «ma-vie-va-bien», que je ne lui ai jamais vue auparavant. Ç'a dû bien se passer dans les bois, hier soir.

– Tu veux prendre ma place dans la ligne? dis-je.

– OK, pourquoi pas?

– Tu n'as pas peur?

– Nan. J'ai déjà fait ça.

Elle va en tête de file, et Carol attache la corde de sécurité à son harnais. Elle grimpe ensuite l'échelle avec agilité et attend qu'on lui donne le signal de s'élancer. Quand vient le temps de réaliser l'exercice, elle saute avec grâce de la plate-forme, approche ses genoux de sa poitrine, les glisse sur la barre. Wow. Elle pend dans le vide, accrochée par les genoux, avec autant d'aisance que l'instructeur. Quelques retours du balancier plus tard, et elle est revenue à la verticale sans effort apparent, avant de tomber dans le filet. Encore quelques sauts, elle la voilà de retour sur le plancher des vaches à côté de moi.

Ses yeux brillent d'excitation.

– J'avais oublié à quel point c'est amusant! s'exclame-t-elle.

– Je croyais que nous devions apprendre une leçon au sujet de la confiance.

– Laisse tomber. J'ai reçu assez de leçons pour le restant de mes jours.

Ça, tu peux le dire.

– Katie? appelle Carol. C'est à ton tour.

Mon cœur se met à battre à tout rompre dans ma poitrine.

– Je ne pense pas être capable de faire ça..., bredouillé-je.

– Bien sûr, que tu le peux, intervient Amber.

Depuis quand est-elle devenue Miss-tu-es-capable?

Je redresse les épaules et m'approche de Carol. Je réussis à grimper l'échelle en m'y prenant un barreau à la fois, les yeux fermés. L'instructeur se penche et me hisse sur la plateforme par les aisselles. Quand je me redresse après mon atterrissage disgracieux, le monde entier semble pivoter autour de moi.

J'inspire profondément, tandis que l'instructeur me détache de la corde de montée et m'attache à celle de sécurité. Il me place près du bord de la plateforme, face à la barre, puis il utilise un long bâton muni d'un crochet pour ramener cette dernière vers moi. Je tends la main pour la saisir, et son poids me fait pencher vers l'avant, prêt à m'entraîner vers le néant. Ma jambe gauche se met soudain à trembler de manière incontrôlable.

– Ça va? demande l'instructeur.

– J'ai plutôt peur des hauteurs...

– Tu aurais dû dire quelque chose avant de monter ici.

– Ouais, eh bien...

– Tu veux redescendre?

Oui, je vous en prie !

– Donnez-moi une minute.

Je prends quelques grandes respirations et me concentre sur ma jambe tremblante. Tu portes un harnais de sécurité. Tu es attachée à un énorme câble. Il y a un filet. C'est parfaitement sécuritaire. Tu. Es. Capable.

– Il n'y a pas de souci si tu veux redescendre, ajoute le gymnaste.

– Je sais. J'ai seulement besoin d'une minute.

Je réalise que ce sont les mots exacts que j'ai prononcés, il y a un siècle, quand Élizabeth me parlait à travers la porte de la salle de bain, dans le bureau de *The Line*.

Donnez-moi juste une minute.

L'histoire de ma vie...

– Tu en es capable, Katie ! crie quelqu'un en bas.

Je regarde précautionneusement par-dessus la plateforme. Henry est assis tout en bas, dans les gradins, à côté du JJB. Il a mis ses mains en porte-voix autour de sa bouche, pour que ses encouragements parviennent jusqu'à moi.

Peut-il voir ma jambe trembler?

Seigneur. Si tu vas assez bien pour te soucier de ça, tu vas assez bien pour sauter de cette plateforme.

– OK, je suis prête…, dis-je d'une petite voix.

L'instructeur saisit le côté gauche de la barre, pour qu'elle soit parallèle au sol.

– Bon, lâche le câble et tiens la barre fermement.

Plus facile à dire qu'à faire.

– Vas-y, Katie!

La voix lointaine de Henry monte jusqu'à moi.

Je relâche ma prise ur le câble et j'agrippe la barre. J'ai l'impression qu'elle pourrait m'entraîner dans le néant si l'instructeur ne retenait pas mon harnais aussi fermement.

– Tu te sens prête?

NNOOOOOOONN!

– Moui…

– Rappelle-toi, tu sautes quand je dis «Hep», d'accord?

Can you say hep, hep, hep, hep a hep[10]?

– D'accord.

– Allez… Hep!

Je plie les genoux, je ferme les yeux, je fais un petit saut et… ça y est! Je fais du trapèze!

– Monte les genoux!

Je serre mes muscles abdominaux plus fort que je ne l'ai jamais fait et j'accroche mes chevilles sur la barre. Puis, je

---

10. Paroles d'un morceau de *jive* des années 40. (NDT)

pousse de nouveau sur mes jambes. Ça y est, la barre est bien ancrée sous mes genoux.

Ouais !

– Lâche les mains !

Je lâche les mains. Mon corps tombe à la renverse et je sens qu'il est soutenu par mes genoux. La barre s'appuie sur l'arrière de mes jambes.

– Relève les mains !

Je lance mes mains vers ma tête, cherchant la barre, mais je n'arrive pas à l'attraper.

– Attends mon signal !

La barre se balance vers la plateforme, puis s'en éloigne. Lorsqu'elle atteint le point le plus éloigné de sa base, l'instructeur hurle :

– Relève les mains !

Je tends les mains et, cette fois-ci, j'attrape la barre fermement.

– Baisse les jambes !

Je tire mes genoux vers ma poitrine, et mes jambes glissent naturellement de la barre. Pas d'un mouvement fluide comme l'instructeur ou Amber, mais j'arrive tout de même à me balancer par les bras. Maintenant, tout ce qu'il me reste à faire, c'est...

– Lâche !

J'avais peur qu'il me dise exactement ça.

– Lâche !

Quand faut y aller...

J'ouvre les mains et je tombe. Je sens la secousse soudaine de la corde sur le harnais, et mes pieds touchent le filet. Je bascule.

Toujours aussi gracieuse.

À quatre pattes, je rampe jusqu'au bord du filet. Il n'y a aucune chance que je réussisse une super pirouette pour sauter sur le sol. Je m'assois plutôt sur les fesses, laisse pendre mes jambes et me pousse avec les mains, atterrissant sur le sol en chancelant.

– Bien joué, Katie, dit Carol avec un sourire étincelant.

– Merci...

J'essuie la craie encore présente sur mes mains et m'approche d'Amber, Connor et Henry. Mon cœur bat fort, fort, fort, mais je me sens euphorique et plus heureuse que je ne l'aie été depuis longtemps. Presque invincible, en fait. Ça doit être comme ça qu'on se sent quand on prend de la cocaïne. Je commence à comprendre pourquoi les gens aiment tant ça.

– Ouais, Katie! dit Amber en levant les bras au ciel, parodiant une meneuse de claques. C'était pas totalement amusant?

– Oh, totalement, se moque Connor avec son accent mi-britannique traînant.

Elle lui donne une petite tape affectueuse sur le bras.

– Oh, arrête, toi!

Je croise le regard de Henry par-dessus leurs têtes, et il roule des yeux. Je retiens un éclat de rire.

– Alors, comment as-tu trouvé ça? me demande Amber, ses doigts jouant dans les cheveux de Connor.

– C'était une expérience unique.

– Bonne ou mauvaise? intervient Henry, perspicace.

– À essayer une fois dans sa vie; mais juste une.

– Ah, allez, tu dois réessayer! dit Amber.

– Une fois, ça me suffit.

– OK. Alors, toi, tu dois y aller, Connor.

– On verra.

– Connnnnor !

Il chasse la main d'Amber de son cou.

– Lâche-moi, Amb. J'irai si je veux.

Amber se tourne vers moi.

– Vous ne vous êtes pas encore rencontrés, vous deux, n'est-ce pas ?

Je suis sûre que ce serait une erreur de lui raconter notre échange semi-dragueur à la cafétéria, quand nous jouions à « 2 font 100 ».

– Nan.

– Connor, voici Katie, la seule personne normale, ici.

– Salut, Connor.

Ses yeux croisent brièvement les miens.

– Salut.

– Katie court, tout comme E. ! N'est-ce pas, E. ?

Mais qui est cette fille ?

– Ouais, j'imagine, grommelle Henry.

– Et elle est critique musicale pour le *Rolling Stone*, n'est-ce pas, Katie ?

– Oh, rien d'aussi prestigieux que *Rolling Stone*...

– Ne sois pas si modeste.

Sérieusement. Qui EST cette fille ?

Un instant. Un foutu instant... Je sais de qui il s'agit. Elle est LFDAC. Littéralement. Elle agit exactement comme son personnage dans *La fille d'à côté*. Énergique. Pétillante. Un peu idiote. C'est quoi, l'idée ?

– Connor, appelle Carol de l'autre bout du gymnase. C'est à ton tour.

Le visage de Connor affiche une expression qui signifie clairement « J'en ai rien à faire ».

– Peut-être plus tard.

– Allez, Connor.

– Ouais, allez, Connor, se moque Henry.

Amber lui jette un regard noir.

– Que fais-tu ici, de toute façon, E. ? Tu n'es pas un patient.

Connor émet un grognement agacé.

– Amb, nous en avons déjà parlé. Tu sais ce que Henry fait ici.

– Eh bien, je ne comprendrai jamais pourquoi il ne pourrait pas au moins rester dans sa chambre.

– Est-ce que j'aurais le droit de sortir pour les repas ? demande ironiquement Henry.

– Connor ! appelle de nouveau Carol.

L'acteur pousse un soupir et se lève. J'observe son visage alors qu'il regarde Carol et l'équipement derrière elle. Il a un drôle d'air. C'est presque comme si...

Non. Ce n'est pas possible.

Je regarde de nouveau. Ça y est, c'est immanquable. Surtout si on vient de passer par la même chose exactement.

Le jeune James Bond a peur. Une peur bleue.

Connor traîne les pieds jusqu'à Carol. Amber bondit pour le suivre, bavardant gaiement, lui disant à quel point il va s'éclater.

Je ne sais pas ce qui me surprend davantage. Le fait qu'Amber devienne un personnage de télé quand elle est avec Connor, ou le fait que le gars qui a sauté d'un bateau de course en feu pour attraper une échelle pendant d'un hélicoptère a peur de faire du trapèze.

– C'est quoi, l'histoire ? demandé-je à Henry.

– Tu veux parler d'Amber ?

– Oui. Elle est si...

– Énervante? Niaise? Stupide?

– Différente.

Il sourit.

– Très diplomatique.

– Elle est toujours comme ça avec lui?

– Ouaip.

– Tu dis souvent «ouaip», hein?

Sa lèvre tressaute.

– Ouaip...

– Tu veux aller admirer le spectacle?

– Bien sûr.

Nous nous approchons du filet, alors que Carol donne quelques trucs de dernière minute à Connor. On voit clairement un muscle tressauter dans sa mâchoire.

– Je n'arrive pas à croire qu'il va le faire, marmonne Henry.

– Parce qu'il est mort de peur?

Il se retourne vers moi, surpris.

– Comment l'as-tu deviné?

– Ça prend une poltronne pour en reconnaître un autre.

– Tu peux garder un secret?

Euh... oui. Et non.

– Bien sûr.

Il baisse la voix.

– Connor ne fait pas ses propres cascades.

– Mais... son personnage de dur à cuire?

– Ce n'est qu'un rôle.

– Il n'est pas si bon comédien que ça!

– Si, il l'est.

– Merde.

– Ouaip.

Je réfléchis un instant.

– Alors, il n'a pas sauté du bateau?

– Bien sûr que non. Il a peur de l'eau. Et des hauteurs.

– Il n'a pas non plus sauté d'un immeuble à un autre?

– Tu ne m'écoutes pas ou quoi? Il a peur de tout, je te dis.

– Tu te moques de moi, là.

– Nan.

– Mais… comment fait-il pour s'en sortir, alors?

– Comment, d'après toi?

– Effets spéciaux d'animation?

– Mais non!

– Comment, alors?

– La drogue et l'alcool, chérie. La drogue et l'alcool.

CHAPITRE 14

DROITS DE VISITE

Je me réveille, le matin du jour 16 (thème «Reconnecter avec nos amis et notre famille») de meilleure humeur, mais chaque centimètre de mon corps est douloureux. J'ai littéralement l'impression de m'être fait étirer sur un chevalet. Pas étonnant qu'ils aient utilisé cette méthode de torture au Moyen Âge.

Je m'assois par terre et essaie de faire les étirements qu'Amy m'a montrés, mais ça ne semble pas aider ma cause. En fait, tout ce que ça parvient à faire, c'est à me permettre de me rappeler l'emplacement de chaque muscle que j'ai utilisé hier pour mettre mes genoux sur la barre. Je vois bien que les quelques semblants de redressements assis que je fais après mes séances pathétiques de jogging ne font pas l'affaire.

Tiens, en parlant de ça...

Après le film d'hier (*The Lake House*, pas trop mauvais), Henry a dit qu'il me croiserait peut-être pendant ma course à pied, aujourd'hui. Typiquement, en vrai gars, il ne m'a pas demandé d'aller courir avec lui, ni indiqué à quelle heure il allait courir pour que je puisse le croiser presque par hasard. Bien sûr que non. Il a simplement dit: «On se voit pendant ton jogging, demain?», m'a serré l'épaule (c'est sa spécialité, ce geste) et il est parti.

Après quelques étirements supplémentaires, j'enfile mes vêtements de course et je vérifie que les piles de mon iTouch ne sont pas à plat. Non, ça va, et je n'ai pas de courriel de la part de Bob non plus. On dirait qu'il a enfin confiance en moi et qu'il sait que je le contacterai si j'apprends quelque chose d'important... Ou alors, il est trop occupé à gérer ses autres espions.

Je place les écouteurs sur mes oreilles, prépare ma sélection musicale du jour (*Slow Motion*, de David Gray et *The One Who Loves You the Most*, de Brett Dennen, pour un total de dix minutes). Puis, je sors.

Dehors, l'air est frais et sent bon. Le ciel bleu est rempli de gros nuages molletonneux qui voguent paresseusement vers l'horizon.

Je jogge en direction du sentier, déterminée à ne pas chercher Henry. S'il voulait courir avec moi, il n'avait qu'à me le demander. Et de toute façon, j'ai ma musique, j'ai tout ce qu'il me faut.

Je pose les mains sur un arbre et je m'étire les jambes. Ouch! Ça va être mortel, aujourd'hui.

Quelqu'un pose soudain la main sur mon épaule et je saute au plafond (si plafond, il y avait, bien sûr). Je me retourne d'un bond, serrant le iTouch contre ma poitrine comme si j'allais me le faire voler. C'est Henry. Bien sûr que c'est lui, ce qui n'empêche pas mon cœur de tambouriner dans ma poitrine.

Il articule quelque chose que je n'entends pas, et j'enlève les écouteurs de mes oreilles.

– Quoi?

– J'ai dit, désolé de t'avoir fait peur.

– Ça va. Je commence à m'habituer.

236

– Voilà ce que tous les gars rêvent d'entendre.

– Je croyais que ça aiderait ta réputation ?

– Tu te souviens vraiment de tout, toi, hein ?

– Est-ce que ça pose problème ?

Ses yeux brillent.

– Pas sûr encore.

OK, on passe à autre chose.

– Alors... tu es ici pour courir ou pour me terroriser ?

– Oh, pour te terroriser, bien sûr. En fait, c'est mon look habituel de terroriste.

De la main, il indique son tee-shirt noir et son short de course gris pâle.

– T'es malin.

– Désolé, je ne pouvais pas résister.

– Tu veux courir avec moi ?

Pourquoi serait-il ici, sinon, idiote ?

– Oui, d'accord.

– Je suis lente, tu sais...

– Je vais me débrouiller.

Nous marchons jusqu'au sentier. Quand nous y sommes, je commence à courir, essayant d'aller un peu plus vite que d'habitude. Henry trotte avec aisance à mes côtés.

– Comment te sens-tu aujourd'hui ? demande Henry.

– J'ai mal partout.

– Ouais, Connor aussi. Je n'arrive toujours pas à croire qu'il s'est rendu en haut de l'échelle.

Je souris, songeant à la montée hésitante de Connor. Sa méthode était similaire à la mienne : un pied à la fois, les yeux fermés. Mais alors que je n'ai même pas essayé de camoufler ma terreur, Connor, lui, tentait d'avoir l'air complètement blasé. Il n'a pas trop bien réussi. Il faut dire qu'on peut difficilement prétendre être d'un calme olympien quand on tremble comme une feuille dans son pantalon de jogging, même s'il est de marque P. Diddy.

– Ouais... C'était ... très drôle, dis-je péniblement entre deux foulées.

– Trouves-tu que tu inspires davantage confiance, maintenant?

– Ha. Ha.

– Alors, qu'y a-t-il au menu aujourd'hui? Une formation d'astronaute? Ou juste de la thérapie habituelle?

– Pas. De... thérapie... aujourd'hui.

– Pourquoi pas?

– Jour. De... Visite.

– Ah, super. As-tu des amis qui viennent te voir? Ou ta famille?

Je secoue la tête, incapable de prononcer un mot, et j'arrête de courir. Je pose les mains sur mes genoux, m'en servant pour me soutenir pendant que j'essaie de reprendre mon souffle.

Henry pose la main sur mon dos.

– Ça va?

– Je ne peux... pas... parler... quand je cours.

– Désolé, moi, je bavarde pas mal quand je cours.

– Je croyais... que tu étais... du genre fort et ténébreux.

– Faut croire que le jogging est ma kryptonite.

Ma respiration revient bientôt à la normale, et je me redresse.

– Aucune de tes ex-copines n'avait pigé ça?

– Aucune d'entre elles n'aimait courir.

– Tant pis pour elles...

Et que veux-tu donc dire par là, mademoiselle Henry-est-en-zone-interdite?

Pas un mot de plus!

Je détourne mon regard.

– Bon, alors, on court?

– Allons-y.

Nous continuons à courir sur le sentier. Je décide de lui poser une question pendant que je peux encore parler.

– Alors, c'est quoi ton boulot, exactement?

Il me regarde de côté.

– T'essaies d'exploiter mes faiblesses, toi?

– Jamais, voyons...

– Je suis le gérant de Connor.

– Amber a dit... que. Tu... étais... son. Assistant.

– Ça ne m'étonne pas.

– C'est... quoi. Un... gérant?

– Je gère la carrière de Connor. Tu sais, je l'aide à choisir les films qu'il va faire, ses contrats publicitaires, les émissions de variété auxquelles il va participer, ce genre de trucs...

Pendant que nous courons, Henry jacasse (au sens littéral du terme), me racontant qu'il a passé son enfance avec Connor et que son boulot consiste en gros à s'assurer que l'acteur ne prenne pas de décisions d'affaires stupides. Sauf que récemment, il a aussi dû le cacher des paparazzis à cause des drogues et de l'alcool et... — «Je ne devrais pas parler de tout ça, de toute façon... C'est difficile à expliquer» —, il sait que ça semble idiot, comme s'il travaillait pour un rappeur ou un truc du genre, mais que vraiment, c'est seulement transitoire, le temps qu'il décide ce qu'il veut faire de sa vie. En fait, quand Connor lui a demandé de l'accompagner en désintox, c'était presque la goutte qui a fait déborder le vase, et ç'a pris une énorme donation au programme de consultation externe de l'Oasis pour qu'on le laisse venir. Il sait que tout le monde trouve étrange qu'il soit ici, mais Connor a dit qu'il avait besoin de lui, et il ne pouvait pas l'abandonner alors que ce dernier tentait enfin de se reprendre en main, n'est-ce pas?

Son discours est étrangement réconfortant et me fait presque oublier que je cours. Presque. Jusqu'à ce que mon corps entier soit en feu, et que le singe soit de retour à la puissance mille.

S'il vous plaît, faites que nous ayons couru au moins dix minutes.

Je m'arrête et je regarde ma montre. Douze minutes, deux secondes.

Je brandis le poing en l'air de joie. Oui, oui, oui! Mon Dieu que ça fait mal.

– T'as fini? demande Henry, respirant facilement, un petit reflet rose sur les joues.

– Oh oui.

– Crampe?

Je hoche la tête.

– Une crampe affreuse. Ça te gêne si on retourne au centre?

Il accepte, et nous marchons lentement pendant que je me frotte le côté droit de l'abdomen.

– Alors, aimes-tu ton travail? demandé-je.

– Parfois. C'est sympa, de passer du temps avec Connor, de vivre la grande vie. Mais... parfois, ça me fait bizarre, que mon meilleur ami soit mon patron. Et parfois, j'ai l'impression de vivre sa vie à lui, plutôt que la mienne.

– Alors, pourquoi le fais-tu?

Il hausse les épaules.

– Je venais de finir une maîtrise quand il m'a invité à me joindre à lui à L.A. Je n'étais pas tout à fait prêt à me lancer dans la vraie vie, alors j'y suis allé.

– C'était il y a combien de temps?

– Presque huit ans.

– Ça fait un moment, alors.

– Ouaip.

– Qu'as-tu étudié, en maîtrise?

– Littérature anglaise.

– T'es écrivain?

– Nan. Prof.

– C'est vrai? C'est assez éloigné d'une job de gérant de star d'Hollywood.

– Imagine la diminution de salaire si je lâchais tout ça.

– On dirait que tu es accro à lui.

Il me regarde.

– Pardon?

Tu sais, Katie, ce n'est pas parce que tous les gens autour de toi font face à des vérités brutales à leur sujet vingt-quatre heures sur vingt-quatre et sept jours sur sept que Henry veut faire la même chose.

– Désolée. Oublie ce que j'ai dit.

Il s'arrête.

– Non, parle-moi. Pourquoi as-tu dit ça?

Je regarde mes chaussures. Elles sont couvertes de boue.

– Eh bien, c'est juste que… La façon dont tu le décris ressemble à une dépendance. Être coincé dans une situation qui se répète et dont on n'arrive pas à se sortir parce que ça signifierait faire des sacrifices. Ta vie entière devenant centrée là-dessus…

Je le regarde d'un air malheureux.

– C'est comme ça, être accro.

– Je sais ce que c'est qu'être accro, dit-il doucement.

Merde.

– Oublie ce que j'ai dit, OK ? J'ai passé trop de temps, dernièrement, à partager la moindre pensée sans filtre.

Il semble songeur.

– Non, tu as peut-être raison. Je suis plus ou moins accro au mode de vie que j'ai grâce à Connor. J'ai une super bagnole et un grand appartement, ce que je ne pourrais me permettre sans lui.

– C'est agréable quand même.

– Ouais, mais c'est aussi facile.

– Ce n'est pas parce que quelque chose est facile que cela veut obligatoirement dire que c'est mauvais pour toi. Au moins, être accro à Connor te fait gagner de l'argent et des jouets. La plupart des accros ne peuvent pas en dire autant.

Il sourit.

– Et des nanas. N'oublie pas les nanas.

– Bien sûr, comment ai-je pu oublier les nanas ? Tu sais, si tu inventais une pilule qui te procurait de l'argent, des jouets et des nanas, tu serais maxi-millionnaire.

– Je ne crois pas que ce mot existe.

Nous recommençons à marcher. Un engoulevent trille au-dessus de nos têtes, son cri répétitif rappelant la trame sonore de mon enfance. Mon esprit vogue brièvement en direction de mes parents, qui ne sont pas loin d'ici à vol d'oiseau. Viendraient-ils me rendre visite s'ils savaient où je suis et ce que j'y fais ?

– Alors, vas-tu vraiment tout lâcher et devenir prof ?

Il soupire.

– J'y pense. Mais je ne peux pas partir avant que Connor aille mieux.

– Tu es un bon ami, Henry.

– Merci. Mais tu ne m'as toujours pas dit si tes amis venaient te rendre visite aujourd'hui.

Mon cœur se serre à la pensée de Rory. Va-t-elle accepter de me reparler un jour?

– Non, je ne crois pas.

– Pourquoi pas?

– Oh, je ne sais pas… Je leur ai causé assez de problèmes, j'imagine.

– Je parie que tes amis sont très fiers de toi et de ta décision de venir ici.

– Peut-être.

– Fais-moi confiance, c'est sûr.

Je fais une grimace.

– Le jour de la confiance, c'était hier.

– Alors, que vas-tu faire de tout ce temps libre?

– Espérer que quelqu'un ait placé un truc lisible à la bibliothèque?

Il sourit.

– Je ne compterais pas là-dessus.

– Un miracle peut toujours arriver.

– Eh bien, s'il n'y a pas de miracle qui se présente, on pourrait toujours passer ce temps ensemble… si tu veux.

Avait-il l'air nerveux quand il a dit ça?

– J'aimerais ça…

Après le dernier tournant du chemin, la pelouse s'étale devant nous. Il y a plus de voitures que d'habitude dans le stationnement. Ça grouille de nouveaux visages. Un groupe de quatre personnes s'approche de nous. Ils me semblent vaguement familiers.

– Connais-tu ces gens ? demande Henry. Ils te saluent de la main.

Je suis son regard. Non... ce n'est pas possible.

– Salut, *lassie* ! hurle Greer à l'autre bout de la pelouse, le visage souriant. C'est qui, le canon avec toi ?

• • •

Quelques minutes plus tard, Rory et moi marchons vers ma chambre pour que je puisse prendre une douche.

Quand notre gros câlin de groupe a cessé, Henry a gentiment proposé de guider Greer, Scott et Joanne (!) jusqu'à la salle commune, pour que je puisse me rafraîchir. Rory a demandé à m'accompagner et, bien sûr, j'ai dit oui. En route, elle m'explique qu'elle a croisé Joanne par hasard peu de temps après mon départ, et que c'est comme ça qu'elle a appris que j'étais en cure de désintox. Je lui demande comment ils ont su où me trouver.

– Scott a trouvé l'endroit à partir du numéro de téléphone que tu avais donné à Joanne.

– Qui aurait cru qu'il était si débrouillard ?

– Ouais, il n'est pas mal.

Je la regarde, curieuse. Rory n'a jamais apprécié ni Scott ni Greer, en fait. Je me demande ce que ça signifie, qu'ils soient ici tous ensemble.

J'ouvre la porte de ma chambre, et Rory s'assoit sur le lit d'Amy pendant que je ramasse mes affaires pour la douche.

– C'est bien, dit-elle en regardant autour d'elle. As-tu une coloc?

– J'en avais une. Elle est partie.

– Oh. Elle était comment?

– Elle était super.

– Je suis contente.

Rory regarde nerveusement ses sandales, les mains repliées sur sa jupe fauve étroite. Je m'aperçois que ça fait des siècles que je n'ai pas vu Rory en vêtements relax. Ça lui va bien. Elle a même l'air d'avoir pris un ou deux kilos, et son teint est moins blême que la dernière fois que je l'ai vue.

– Tu es jolie, Rory. As-tu pris du poids?

Elle lève les yeux.

– Oui.

– C'est super.

– Oui, eh bien, ta venue ici a été une sorte de signal d'alarme pour moi. En fait, je vais... euh... aller voir une thérapeute pour parler de... euh... de mes problèmes avec la nourriture.

Je suis renversée. Hormis la chicane à son bureau, nous n'avions jamais parlé de son poids. J'ai voulu le faire mille fois, mais mes tentatives étaient toujours accueillies par un silence glacial, donc j'avais appris avec les années à la laisser tranquille à ce sujet.

– Je suis très fière de toi, Ror.

– Oublie ça. C'est moi qui suis fière de toi.

– Je t'en prie, ne le sois pas.

– Je suis sérieuse, Katie. Je suis tellement impressionnée que tu aies admis que tu avais un problème et que tu sois venue ici avant que ça ne devienne tout à fait catastrophique.

Et je me sens vraiment mal de n'avoir pas répondu à tes courriels dès que j'ai appris où tu étais.

– Oublie ça. Je sais que tu as pris une chance en m'obtenant ce boulot. Je suis vraiment désolée de n'avoir pas pu l'accepter.

– Pas grave. Ce que tu fais ici est tellement plus important.

Super. Vraiment super. Juste quand je pensais qu'elle allait me faire la leçon. Une leçon que je mérite, que je suis prête à entendre. Ce que je ne suis pas prête à entendre, par contre, c'est la fierté que je sens dans sa voix.

– Je t'en prie, ne m'applaudis pas, Rory. Je ne le mérite pas.

– Pourquoi dis-tu ça?

Zut, zut, zut. Je n'ai jamais été capable de mentir à Rory.

– Parce que je n'ai rien fait d'extraordinaire.

– Ne sois pas ridicule.

Si nous parlons de ça une seconde de plus, je vais tout lui déballer. Et ça ne va pas être la joie.

Je l'attire dans mes bras, utilisant enfin ce que j'ai appris ici à bon escient.

– Je suis désolée, Rory. Tout ce que je fais ici, c'est de parler de ce genre de trucs, et j'en ai marre. J'aimerais avoir une journée normale avec vous. C'est correct?

Tout ce que j'ai dit est vrai. Alors, pourquoi est-ce que je me sens encore comme une sale menteuse?

Parce que tu en es une.

Ta gueule, ta gueule, ta gueule..

– OK, je comprends, dit Rory.

– Merci, Ror, tu es la meilleure.

Je la relâche.

– Tu ne me croiras pas si je te dis qui j'ai croisé ici...

• • •

Après avoir pris ma douche, qui enlève la sueur de mon corps, mais pas la culpabilité de mon esprit, Rory et moi retrouvons Greer, Joanne et Scott dans la salle commune. Henry est toujours avec eux, jouant à l'hôte. Je le remercie de leur avoir tenu compagnie et m'excuse de ne pouvoir passer du temps avec lui.

– Ne t'en fais pas. Amuse-toi avec tes amis.

Il me quitte sans son serrage d'épaule coutumier. Je me demande brièvement si cela signifie quelque chose, jusqu'à ce que mon attention soit redirigée vers Greer, qui exige de manger.

– Miss Joanne-nous-devons-être-à-l'heure a insisté pour que nous quittions la ville à une heure de fou. Je suis affamée.

– Je ne voulais pas être prise dans le trafic du pont, explique Joanne, irritée.

– En fait, c'était assez spécial, dit Scott. Je n'avais jamais vu la ville aussi tranquille.

– N'as-tu pas quitté l'appartement de cette fille à six heures du matin, il y a quelques semaines? le taquine Greer. Ça devait aussi être tranquille, à ce moment-là.

– Quelle fille? demandé-je.

– C'était personne. Et j'étais encore soûl, alors je n'ai pas remarqué le calme plat dans les rues.

Les yeux de Rory se concentrent sur moi.

– Je ne pense pas que tu devrais parler de tes soûleries ici, tu ne crois pas?

– Merde. Désolé, Katie, dit Scott d'un air repentant.

– Ne t'en fais pas. De quoi penses-tu que les gens parlent ici, à longueur de journée ? J'ai entendu de tout, tu sauras.

– Je ne crois tout de même pas que ce soit approprié, dit Rory.

– Je suis d'accord, ajoute Joanne.

Rory a l'air absolument épouvanté de constater qu'elle et Joanne sont d'accord concernant quelque chose.

Je me mets à rire.

– Qu'y a-t-il de si drôle, *lass* ?

– Rien. Je suis juste heureuse de vous voir. Je suis très touchée que vous soyez venus.

– Ah la la, tu ne nous feras pas encore faire un câlin de groupe, hein ?

– La ferme, Scott.

– On peut manger, maintenant ?

• • •

Après le dîner, nous allons marcher autour du centre, échangeant des nouvelles et parlant de tout et de rien. Tous les quatre ne sont pas d'accord au sujet de la nécessité de ma présence en désintox. Bien entendu, Joanne tombe dans le camp du « ç'aurait dû arriver il y a longtemps, mais mieux vaut tard que jamais », tandis que Scott semble honnêtement étonné.

– As-tu décidé d'être proactive ? me demande-t-il en me dévisageant avec intensité. Ce n'est peut-être pas une mauvaise stratégie.

Greer est pragmatique.

– C'est bien, de prendre une pause de temps à autre, pour laisser ton corps se remettre, non ?

J'approuve ses propos, mais je me sens un peu bizarre en sa compagnie, comme si j'avais une démangeaison que je ne réussissais pas à gratter.

Rory et moi sommes plutôt silencieuses, mais ce n'est pas un silence désagréable. Chacun de mes amis me dit à sa manière qu'il est fier de moi. Je les remercie en quelques mots et je passe rapidement à d'autres sujets plus légers. L'après-midi passe vite.

Quand les heures de visite sont presque terminées, nous retournons vers le stationnement.

– Ça ne peut pas être Connor Parks! s'écrie Greer.

Je regarde vers l'Oasis. Connor et Henry se lancent un ballon de football sur la pelouse.

– Oui. Le seul et l'unique.

Scott est excité.

– C'est super! Crois-tu qu'il me signerait un autographe?

Joanne lève les yeux au ciel.

– Ne sois pas idiot, Scott.

– Pourquoi pas? Je suis sûr qu'on le lui demande souvent.

Greer lui tape sur l'épaule.

– Ouais. Mais pas en désintox, d'accord?

– OK. OK.

Nous les regardons se passer le ballon à quelques reprises.

– Ce Henry, il est mignon, pour un rouquin. Tu es sur le dossier? me demande Greer.

– Nous sommes juste amis.

– Si tu le dis, *lass*...

Amber sort au même instant en passant par la porte principale du centre, puis se dirige vers Henry et le JJB. Ses cheveux sont retenus par une queue de cheval, et elle porte une longue jupe vaporeuse.

Joanne saisit mon bras, ses doigts pénétrant presque ma peau.

– Est-ce que c'est…? Oh mon Dieu, je l'adore!

– C'est vrai?

– J'ai vu chaque épisode de *La fille d'à côté*.

– Ah bon?

– La fille à côté de quoi? demande Greer.

– *La fille d'à côté*. Vous n'avez pas la télé, de l'autre côté de l'Atlantique?

– Bien sûr qu'on a la télé, abrutie. Mais pas la télé nulle à chier.

Les yeux de Joanne s'agrandissent sous l'effet de la colère, tandis que le coin de la bouche de Greer tressaille. Elle sait qui est LFDAC (bien sûr qu'elle le sait), mais elle ne peut pas s'empêcher de taquiner Joanne.

– Tu es vraiment une garce.

Rory s'interpose.

– Ne ruinons pas la journée de visite de Katie, les filles.

Je leur souris avec affection.

– Ne t'inquiète pas, vous ne ruinez rien du tout.

– Seigneur, *lassie*. Tu ne vas pas nous forcer à encore faire un câlin, hein?

Ouaip.

CHAPITRE 15

C'EST LA GUERRE

Le matin suivant, je reçois un courriel furieux de la part de Bob avec un lien vers le site Alerte Amber. Ils ont réussi à obtenir des photos d'Amber et de Connor lançant le ballon de football à Henry. Apparemment, un des visiteurs a pris des photos avec un téléphone cellulaire et les a vendues aux enchères. J'imagine ses doigts colériques en train de tambouriner sur le clavier.

Pourquoi ne m'as-tu pas dit qu'ils étaient de nouveau ensemble ? Tu peux me dire pourquoi je te paie, au juste ?

Seigneur. Mais qu'est-ce qu'il me veut, celui-là ? Ce n'est pas suffisant, d'exposer mes pensées secrètes en thérapie, de m'occuper de tentatives de suicide et de jouer à l'espionne ?

Bob, désolée de ne t'avoir pas tenu au courant. Ils sont bel et bien de nouveau ensemble, mais si tu publies ce que je m'apprête à te dire, je serai dévoilée. Bon, alors voici ce qui se passe...

Je tape une longue description de leur rendez-vous nocturne et de leur façon étrange de communiquer en esperanto. Quand j'ai terminé, j'ai mal aux doigts, et j'ai une douleur vive entre les yeux parce que j'ai regardé l'écran trop longtemps. Je me sens aussi coupable que vide, mais ça, je commence à y être habituée.

La réponse de Bob est presque instantanée.

J'accepte tes excuses. Continue ton beau travail.

Je tire la langue à l'écran et j'éteins le iTouch. C'est l'heure de ma punition.

– Quatrième étape : « Nous avons procédé sans crainte à un inventaire moral approfondi de nous-même ». Te sens-tu prête à faire ça ? me demande Sandra lors du jour 17 : « Admettre nos erreurs et nous pardonner à nous-même ».

Je me mords le pouce. Ça ne m'inspire pas trop, tout ça.

– Tu ne trouves toujours pas ça bizarre, ce pluriel de majesté ?

– Arrête de changer de sujet, Katie.

– Désolée. Je me sens un peu... à plat depuis que mes amis sont partis.

Sincèrement, comment doit-on se sentir si la chose la plus intéressante que l'on ait faite au cours des huit dernières années, c'est de boire suffisamment pour convaincre la moitié de ses amis que l'on a besoin d'être en désintox ?

– Pourquoi, d'après toi ?

Le regard de Sandra est gentil, patient, attendant que je lui offre une réponse.

– Peut-être parce que je ne suis pas sûre que tout ceci fonctionne.

– Que tout quoi fonctionne ?

Ma vie. Ma tête. Mon cœur.

– Ceci. La désintox. La thérapie. Les séances de groupe. Personne ne semble aller mieux. Pas le producteur, ni l'enfant-vedette, ni personne d'autre.

– Pourquoi penses-tu ça?

– Parce qu'ils parlent encore tous de l'alcool et de la drogue comme d'un amant qu'ils voudraient retrouver.

– Ce dont les patients parlent en thérapie de groupe n'est pas le seul indicateur de leur rétablissement.

– C'est la seule chose que je voie.

– Peut-être est-ce ton problème.

– Que veux-tu dire?

– Eh bien, à part Amber, tu ne sembles pas t'être liée avec les autres patients.

Je croise mes bras sur ma poitrine.

– J'aimais bien Amy.

– Amy n'est plus ici.

– Mais je n'ai pas l'impression d'avoir quoi que ce soit en commun avec eux.

– Vous avez votre maladie en commun.

– Alors, si j'avais le cancer, je devrais me faire des amis cancéreux pour guérir?

– Peut-être.

– C'est ridicule.

– Nous devons tous travailler ensemble, Katie. Tu dois apprendre de tes expériences, mais aussi de celles des autres patients. Tu dois apprendre à te fier aux autres. Et tant que tu n'en seras pas capable, tu continueras à chercher refuge dans une bouteille, une pilule ou une seringue.

– Je n'aime pas les seringues.

– Tu sais ce que je veux dire.

– Ouais, je sais. Mais je n'y arrive pas, on dirait.

– Tu pourrais commencer par apprendre leurs vrais noms, dit-elle doucement.

Touché.

– Je vais essayer.

– Bien. Je crois que l'inventaire moral t'aidera.

– Mais comment vais-je me sentir mieux en écrivant la liste de tous les pires trucs que j'ai faits au cours de ma vie ?

– Je sais que ça semble contre-intuitif, Katie, mais en les écrivant, tu pourras commencer à lâcher prise.

Ou me retrouver avec un gros titre en première page.

– Je l'espère.

● ● ●

Après le petit-déjeuner, je prends quelques feuilles de papier et je cherche un endroit tranquille où procéder à mon inventaire moral. Je décide de m'installer à la bibliothèque. Je semble être la seule personne qui y passe du temps et, au pis aller, je peux regarder la vue par la fenêtre.

Je prends place dans le fauteuil en velours brun qui se trouve au milieu de la pièce et je place mes pieds sur la petite table en bois. Je joue avec mon crayon en songeant à l'état pathétique dans lequel je me trouve.

Est-ce que ça peut vraiment être aussi simple que Sandra le prétend ? Puis-je réellement me débarrasser du pire en moi en l'écrivant ? Je ne le saurai jamais si je n'essaie pas, alors… voici, sans aucun ordre particulier, les cinq pires choses à mon propos :

1. Quand j'ai quitté mon patelin, je n'ai pas seulement abandonné Zack. J'ai aussi coupé les liens avec tous mes amis de l'école secondaire, à part Rory. Et même si je l'aime énormément, j'aurais probablement aussi coupé les liens avec elle si elle n'avait pas emménagé avec moi. J'ai toujours expliqué ce revirement en prétextant qu'ils n'étaient mes amis qu'à cause de notre proximité géographique, et que je n'avais pas grand-chose en commun avec eux. Mais au fond de moi-même, je connais la vérité. J'aimais mes amis du secondaire. J'avais des choses en commun avec eux, mais je ne voulais plus que ce soit le cas. Je les ai abandonnés de manière aussi délibérée que l'accent, les longs cheveux et le crayon à paupières bleu. J'avais l'impression qu'ils me nuiraient, alors j'ai coupé le cordon.

2. Il y a quatre mois, j'ai écrit un truc moche au sujet de Greer dans les toilettes de notre bar préféré. Elle m'a fait chier en se tapant un gars que je draguais. Il avait l'air intéressé à moi, jusqu'à ce qu'elle se pointe avec ses cheveux châtains, son teint de porcelaine et son accent alléchant. Quand elle s'est assise à notre table, il s'est interrompu en plein milieu de sa phrase, et c'était comme si je n'existais plus. Elle est sortie avec lui pendant une semaine, et je suis rentrée seule à la maison, ce soir-là. Mais pas avant d'avoir commis cet acte : de la main gauche, j'ai écrit au rouge à lèvres, juste en haut des urinoirs, son numéro de téléphone et son adresse de courriel, avec une phrase grivoise insinuant qu'elle faisait de super pipes. Elle a après reçu tellement d'appels, de textos et de courriels qu'elle a dû changer de numéro et d'adresse. Elle ne connaît toujours pas l'identité du coupable, mais je sais ce qu'elle voudrait faire à cette personne et, croyez-moi, ce n'est pas jojo.

3. Trois semaines après que Rory et Dave ont commencé à sortir ensemble, j'ai croisé Dave dans un bar avec ses copains et je me suis jetée sur lui après avoir bu deux pichets de bière diluée. Il m'a repoussée, et nous ne l'avons jamais dit à Rory. Jusqu'à ce jour, nous sommes mal à l'aise dès que nous sommes seuls tous les deux, même si je me suis excusée un milliard de fois.

4. La moitié de mes bons amis croit que je suis une étudiante de vingt-cinq ans. Pas besoin d'en dire plus.

5. J'ai accepté d'aller en cure de désintox pour exposer la vie d'Amber Sheppard. Encore une fois, pas besoin d'en dire plus.

Seigneur, je veux un verre. Juste un petit verre de rien pour faire taire le bruit dans ma tête. Et je sais que c'est pathétique, de penser à boire et de m'ennuyer de boire quand je viens de dresser la liste des pires choses à mon sujet, une liste qui est censée être une étape sur le chemin vers la sobriété. Mais plus je me répète ça, plus je veux boire.

Juste.

Un.

Petit.

Verre.

Et maintenant, au lieu de compter mes jours de sobriété, je compte les jours jusqu'à ce que je puisse sortir d'ici. Jusqu'à ce que je puisse faire ce que je veux, quand je le veux. Mais je ne sais pas quand je partirai parce que je ne sais pas quand Amber partira. Ce qui me ramène au numéro cinq de ma liste de hontes éternelles. Et me donne envie de boire un verre.

Juste.

Un.

Petit.

Verre.

Merde, merde, merdeeeeeeee. Je ne sais pas ce qui est pire. Avouer les pires aspects de ma personne, ou avouer à quel point je veux boire un verre en ce moment. Et si je suis si avide de boire un verre, qu'est-ce que ça peut foutrement bien vouloir dire ? Je sens que la réponse à cette question contient certaines vérités auxquelles je ne pourrais faire face sans Un. Petit. Verre.

Un avion en papier fend l'air à côté de mon oreille et atterrit sur mes genoux. Je me retourne d'un coup sec et j'aperçois le dos de… est-ce Henry ?

Je prends l'avion et je le déplie. Il contient le message suivant : *Les jeux de guerre commencent à 23 h 15 ce soir dans la salle de jeux. Soyez-y*, suivi d'une série d'instructions pour éviter les patrouilles de surveillance. On dirait bien que quelqu'un (de toute évidence Henry) a passé un temps considérable à étudier les allées et venues des surveillants.

Devrais-je y aller ? Si on se fait prendre, on se fera certaine-ment jeter dehors. Et puis alors ?

Alors, tu pourras boire un verre.

Enfin une bonne idée.

J'aplatis l'avion sur mes genoux. *J'y serai*, écris-je, soulignant les mots jusqu'à ce que l'encre coule presque à travers le papier.

• • •

À 23 h 08, cinq minutes après que Carol a vérifié que je dormais bien, j'ouvre la porte de ma chambre avec précaution et suis les instructions de Henry. Mes oreillers sont sous mes couvertures, et je porte mon plus beau pyjama. Mes cheveux sont brossés, et je suis maquillée (juste un peu de mascara et de brillant à lèvres, mais quand même). J'ai choisi une tenue de pyjama, parce que je me suis dit que si je me fais attraper dans le corridor, je pourrai tenter l'argument du somnambulisme. J'ai mis du maquillage parce que... eh bien... on doit/veut avoir bonne allure quand on passe du temps avec une (OK, deux) mégastars du cinéma, non ?

Oh, arrête. Tu fais juste ça pour Henry.

OK. OK, mais je ne le devrais pas.

Je file silencieusement vers le bout du corridor, pieds nus, serrant mes sandales contre ma poitrine, et j'attends deux minutes avant de tourner à gauche pour longer le couloir qui mène à la bibliothèque et à la salle de jeux. J'arrive à 23 h 15 précises sans avoir vu ni entendu qui que ce soit.

Je cogne doucement à la porte. Amber l'ouvre, et je me glisse à l'intérieur.

Le JJB et Henry sont assis à une table recouverte de feutrine, eux aussi en pyjama (des pantalons d'hôpital verts pour Connor, un short en coton gris et un tee-shirt blanc pour Henry). Il y a un jeu de société que je ne connais pas sur la table. La pièce est faiblement éclairée par une lampe dans le coin, et quelqu'un a tiré les rideaux pour couvrir les portes-fenêtres qui mènent dehors.

Amber dépose une serviette au bas de la porte. Elle porte un legging noir et une chemise de nuit diaphane.

– Contente que tu aies pu venir, dit-elle.

– Salut, Kate, dit Henry en m'examinant rapidement.

C'était sans aucun doute une bonne idée, ce maquillage.

Le JJB hoche la tête en me voyant.

– Katie. Parfait.

– Alors, qu'est-ce qui se passe ? demandé-je en m'asseyant à côté de Henry.

– C'est *Risk*, dit Amber. Tu as déjà joué à ça ?

– Je ne crois pas, non.

– Voici les règles, explique Henry. La tablette est une carte du monde divisée en territoires. Chaque joueur manœuvre une armée qui peut en contrôler un. Le but ultime du jeu est de contrôler le monde, ce qu'on peut réussir en entrant en guerre contre les autres joueurs.

– Une armée plus importante ne signifie pas que tu vas gagner, ajoute Amber. Mais ça t'aidera.

– Peut-on prendre des prisonniers de guerre ?

– Nan. Une armée est vivante ou morte.

– Dur.

– T'apprendras en jouant. Je vais t'aider au début.

Connor tire un paquet de cigarettes de sa poche.

– Il n'en est pas question. C'est chacun pour soi.

– Je ne crois pas que ce soit une bonne idée, dit Amber alors que Connor approche son briquet du bout de sa cigarette.

– Arrête avec ta rengaine de mère poule, Amber.

– Je ne veux juste pas qu'on se fasse prendre, chéri.

Il ricane.

– Depuis quand est-ce que ça te dérange, de te faire prendre ?

– Pourquoi n'ouvrons-nous pas une fenêtre, hein ? propose Henry en se levant pour ouvrir l'une des fenêtres grillagées.

– Bon, alors, je peux en avoir une ? demande Amber.

Connor lui lance le paquet.

– Alors, on enclenche ?

– Je veux être l'armée rose, dit Amber.

Henry me tend la rouge, il prend la bleue pour lui et donne la noire à Connor. Nous lançons les dés et prenons nos positions initiales sur la carte du monde. Henry a la gentillesse de corriger mes premières erreurs, au grand dam de Connor, mais il cesse de me donner des conseils quand je gagne une bataille contre lui et que je décroche le Québec.

Pendant que nos armées s'étendent lentement pour recouvrir toute la carte, la pièce s'emplit de fumée de cigarette, et je me sens presque comme si j'étais dans un bar (du temps où on pouvait y fumer), à ceci près que l'alcool est absent, bien sûr. Je prends une des cigarettes de Connor, afin de combattre l'envie d'un bon verre froid de … de n'importe quoi, en fait. Je ne suis pas difficile.

– Je me demande qui sera le prochain à aller en désintox, dit Connor. Ça arrive toujours par paquet de trois.

– Mais non, ça, ce sont les décès de célébrités, imbécile, répond Henry.

Il jette les dés, obtient un six et contre une tentative de contrôle de l'Australie de la part des armées de Connor.

C'est à mon tour et je décide de m'attaquer à l'Asie. Ça ne se passe pas très bien.

– Une erreur de débutant, dit Henry, les yeux brillants lorsqu'il m'achève. Mais une manœuvre agressive. Ça me plaît.

Connor se penche allégrement sur le plateau.

– Pauvre crétine ! Te voilà victime d'une des erreurs les plus élémentaires. La plus fameuse est : Ne jamais participer à une guerre en Asie.

– Mais il en existe une autre, légèrement moins connue et qui est celle-ci : ne jamais se mesurer à un Sicilien lorsque la mort est en jeu, dis-je en complétant la citation du film *Princess Bride*.

– J'adore ce film, dit Amber.

Connor penche la tête en arrière et souffle de la fumée en faisant des ronds.

– Tout le monde adore ce film.

– Con-nor, pourquoi es-tu toujours si méchant avec moi?

– C'est à ton tour, Amber, dit Henry.

Amber jette les dés, essayant de ne pas avoir l'air blessée. Je me demande (et ce n'est pas la première fois) ce qui lui plaît chez Connor. Il est mignon, bien sûr... il est superbe. Mais Amber a raison. Il est méchant avec elle.

Je décide de la laisser remporter la partie de l'Amérique du Sud que je contrôle. Elle est au septième ciel quand elle y pose son armée rose à la place de mon armée rouge.

Nous entendons un bruit dans le corridor et écarquillons les yeux, surpris. Henry se lève rapidement et éteint la lampe du coin. Il ouvre ensuite les rideaux pour que nous puissions nous voir à la lueur de la demi-lune.

– Qu'est-ce qu'on fait? chuchote Amber.

– Chut!

Henry se rend à la porte et enlève la serviette roulée sur le plancher. Il appuie son oreille contre la fenêtre. Son visage est plissé par la concentration. Il me fait signe de m'approcher. Je marche aussi doucement que possible et je me place à côté de lui.

– Quelqu'un parle, mais je ne comprends pas ce qu'ils disent, chuchote-t-il. Et toi?

J'appuie mon oreille contre la porte. J'entends deux grondements de voix qui semblent appartenir à un homme et une femme. Je me concentre.

– Amber... pas dans... lit, dit la voix féminine.

– Fumée... jeu..., répond l'homme.

La cata.

– Ils savent qu'Amber n'est pas dans sa chambre et s'en viennent ici.

Connor passe immédiatement à l'action.

– Amber, essaie de chasser la fumée. OK, laissez-moi réfléchir. Nous resterons ici, mais vous deux, vous devez partir.

Amber prend la serviette et la secoue énergiquement.

– Connor, je ne crois pas que ce soit une bonne idée, dit Henry.

– Nous nous en tirerons. Mais elle, elle se fera jeter dehors si elle se fait prendre.

Il me pointe du doigt et adresse un regard entendu à Henry.

– Henry, il a raison, interviens-je. Amber se permet des tonnes de trucs qu'ils ne toléreraient jamais de ma part...

Du bruit nous parvient à nouveau dans le corridor, plus près cette fois. Je saisis le bras de Henry.

– Allons-y.

Il échappe un grognement de frustration, et nous nous dirigeons vers les portes-fenêtres. J'essaie d'en ouvrir une, mais elle est fermée à clé. Henry sort son portefeuille de sa poche et glisse une carte de crédit entre une porte-fenêtre et son cadre. Il la secoue, l'air de s'y connaître, et la serrure cède.

– Vite !

Il m'attire dehors, le long de l'immeuble. Nous sommes à un mètre environ de l'ouverture. J'ai des sueurs froides, et l'air frais me fait frissonner.

– Chut, dit Henry. Tu claques des dents.

Je les serre aussitôt. Henry me prend dans ses bras, appuyant mon visage contre sa poitrine. Il pose son menton sur ma tête et place doucement ses mains sur ma taille. Je sens l'odeur de son baume après-rasage épicé et dispendieux, ainsi que celle du même savon que celui que j'utilise.

– Silence sur le plateau ! siffle Connor.

La porte de la salle de jeux s'ouvre. Quelqu'un allume la lumière, qui illumine l'espace que nous entrevoyons à travers les portes-fenêtres.

– Amber, Connor, que faites-vous hors de vos lits? demande Carol, irritée.

– Merde, dit Henry si bas que je l'entends à peine. Allez, Amber.

– Je suis désolée, dit Amber de sa voix de *La fille d'à côté*. J'avais des envies puissantes de consommer et j'avais besoin d'une cigarette. J'ai cru qu'il valait mieux fumer ici que dans ma chambre.

– Hum... et toi, Connor?

– Que voulez-vous, dit-il de sa voix traînante, les grands esprits se rencontrent.

J'imagine le sourire charismatique que Connor est en train d'afficher.

– Nous devions parler de certaines choses, ajoute Amber. Je lui ai demandé de me rejoindre ici.

– Tu sais que c'est interdit, Amber.

– S'il vous plaît, ne nous dénoncez pas.

– Je suis désolée, mais je devrai signaler cet incident. Et vous perdez tous les deux le droit d'aller dehors pendant deux jours.

– Ca-rol...

– Ça suffit, Amber. Retourne dans ton lit tout de suite.

Les deux acteurs se dirigent vers la porte, et pendant un moment, je crois que nous nous en tirerons.

– Carol, quelqu'un a fait sonner l'alarme, dit l'homme.

Oh, oh...

– Amber, Connor, êtes-vous sortis dehors?

– J'ai ouvert la porte-fenêtre, dit Amber faiblement. Pour laisser sortir la fumée.

– John, peux-tu t'assurer que ces deux-là retournent dans leurs chambres? Je m'en occupe.

Henry grince des dents au-dessus de ma tête.

– Nous sommes dans la merde, murmure-t-il.

J'entends Carol traverser la pièce. Henry m'entraîne à l'ombre, plus près encore de sa poitrine.

– Comment…? marmonne Carol en fermant les portes solidement. Nous sursautons tous les deux quand la porte se referme. Nous entendons faiblement l'écho de pas qui s'éloignent. La lumière s'éteint, et nous voilà dans le noir.

Nous attendons pendant ce qui me semble être une éternité, inspirant, expirant, attendant. Ma respiration adopte le même rythme que celle de Henry. Nous respirons bien ensemble.

– Alors, qu'est-ce qu'on fait, maintenant? lui demandé-je enfin.

– J'imagine qu'ils ont réactivé l'alarme, alors on dirait bien que nous serons pris ici jusqu'au petit matin.

Zut, c'est ce dont j'avais peur.

Il relâche ses bras, et je recule d'un pas. Je serre mon pyjama sur moi pour chasser le froid. À ce moment précis, un chandail serait une bien meilleure idée que du maquillage.

– Nous ne pouvons pas rester ici tout ce temps-là, dis-je, consternée.

Le sourire de Henry est rassurant.

– Bien sûr, qu'on le peut.

Il tourne son poignet vers moi. Les chiffres lumineux sur sa montre indiquent qu'il est 2 h 12.

– Il fera jour dans quelques heures.

– Et si quelqu'un nous voit?

– Nous devrions aller dans les bois. Il y aura moins de risques de se faire prendre.

– OK, bonne idée.

Nous nous éloignons du centre, mes sandales claquant doucement contre mes pieds. Il fait très noir sous les arbres et il est difficile de distinguer le chemin. J'ai toujours trouvé la forêt terrifiante, la nuit. J'ai l'impression d'entendre les pas d'un ours affamé dès qu'un craquement se fait entendre. J'essaie de marcher en levant les pieds très haut, comme mon père me l'a appris, mais je trébuche et je cogne mon orteil sur une grosse racine.

Heureusement, Henry m'attrape avant que je tombe et m'aide à me redresser, ses mains puissantes tenant fortement mes avant-bras.

– Merci.

– Y a pas de quoi.

Il me relâche.

– Peut-être devrions-nous arrêter ici, dit-il. Je doute que quiconque nous trouve.

Et si nous sommes découverts, au moins pourrai-je dire à Bob que je me suis fait mettre dehors en traquant ses deux cibles favorites.

Henry s'assoit sur le sol et s'appuie contre un rocher. Ses jambes et ses bras blancs ressortent dans la noirceur, et je me souviens qu'il ne porte qu'un short et un tee-shirt.

– As-tu froid? lui demandé-je.

– Un peu. Tu veux t'asseoir ici?

Je ne vois pas dans quelle direction il pointe, mais je sais ce qu'il veut dire. Ça semble être une mauvaise idée, mais avons-nous le choix? Entre l'hypothermie et se blottir l'un contre l'autre, la question ne se pose pas vraiment.

Je m'assois devant lui et recule. Il plie les jambes et pose ses pieds à plat sur le sol, faisant une petite cage autour de moi. Nous tremblons tous les deux de froid.

Il entoure ma taille de ses bras. Je pose ma tête contre sa poitrine. J'entends son cœur battre.

– Alors, est-ce que ça rend ta décision de changer de carrière plus facile à prendre?

Il soupire.

– Ce soir n'est qu'une des nombreuses choses dans ma vie que je dois changer.

– Ah bon? Alors, ce n'était pas ton rêve d'enfant de te retrouver en pleine forêt, en espérant ne pas être découvert, avec une fille étrange que tu as rencontrée en désintox dans tes bras?

– Avoir la fille dans mes bras en pleine forêt, oui. Fuir les autorités en désintox, non.

Un sur deux, ce n'est pas trop mal.

CHAPITRE 16

PROBLÈMES TECHNIQUES

Je me réveille à l'aube dans les bras de Henry.

Quelques instants plus tôt, je rêvais. Je fuyais d'un asile avec James Bond. Mais ce Bond-là a les cheveux roux au-dessus de son smoking noir. Il aime toujours les martinis, et je fais une tentative de séduction à tout casser pour en obtenir un. Le martini est sec et glisse comme du feu dans ma gorge. Quand je le finis, je me sens bien au chaud et intrépide. J'entoure son cou de mes bras et je presse ma bouche contre la sienne.

– Tu goûtes la cigarette, dit-il.

Mes yeux s'ouvrent. Je vois les poils blond-roux du bras de Henry.

– Quoi?

– J'ai dit, nous sentons la cigarette.

– Ah… oui.

Je m'éloigne doucement de lui et me lève avec raideur. Ma bouche goûte les olives et l'alcool pur.

Seigneur. Si je dois me taper ces rêves de dépendance, ne pourraient-ils pas au moins me fournir une pastille à la menthe avec?

– Quelle heure est-il? demandé-je, un peu gênée.

Henry jette un coup d'œil à sa montre. Il a l'air fatigué.

– Presque 6 h. Nous devrions rentrer.

– Comment allons-nous faire pour entrer?

– Ils déverrouillent les portes à cette heure-ci.

J'essuie mon derrière couvert de brindilles et de terre.

– Comment diable sais-tu ça?

– J'ai l'habitude de me réveiller assez tôt.

– À bien y penser... Comment savais-tu ouvrir la porte avec ta carte de crédit? Et pourquoi sais-tu à quelle heure les surveillants font le tour des chambres?

Il sourit.

– Ce truc de carte de crédit, j'ai appris ça quand j'étais ado, et pour le reste, eh bien... j'ai pas de mal de temps à perdre, ici, alors je surveille le personnel pour m'amuser.

– Pour t'amuser, ou pour faciliter les rendez-vous de Connor et Amber?

Son sourire se fige.

– Toi, tu n'en laisses pas passer une, hein?

Encore une fois. Tu dis toujours juste ce qu'il faut pour t'assurer de rester seule.

– Je suis désolée, Henry, je ne sais pas pourquoi je fais ça.

– Ça va. Tu as raison. Je suis le parfait petit facilitateur. Merde, je viens de passer la nuit en forêt, s'il me fallait encore des preuves de la chose.

– Moi qui pensais que tu avais dormi en forêt pour que je ne me fasse pas expulser.

– Peut-être que c'était ça, après tout.

Il caresse ma joue de la main. Pendant un instant, je crois qu'il va m'embrasser. Puis cet instant s'évanouit.

– Vas-y d'abord, dit-il. Je suivrai quand la voie sera libre.

– OK. Merci.

– Pourquoi ?

Je n'en suis pas trop sûre, alors je hausse les épaules et je m'éloigne.

● ● ●

Après une sieste et une douche, je sors mon iTouch pour envoyer à Bob son compte-rendu quotidien. Mais cette fois-ci, quand je clique sur le petit symbole qui me relie à Internet, il ne se passe rien. Je me rends compte que je ne suis pas reliée au réseau de l'Oasis, alors je retrace les étapes que j'ai mémorisées il y a dix-neuf jours pour y avoir accès. On me demande un mot de passe. J'écris « catalyseur ». L'écran affiche « Mot de passe invalide ». Je l'écris de nouveau, plus lentement cette fois-ci, observant attentivement chaque lettre qui se transforme en astérisque. Rien à faire.

Je commence à paniquer. Ils ont dû changer le mot de passe. Bordel, je fais quoi, moi, maintenant ? Bob ne survivra jamais douze jours de plus sans sa dose quotidienne de « La vie de Camber en désintox ». On est en situation d'urgence.

OK. On va s'en tirer. Monsieur Bob-je-rêve-de-superviser-une-équipe-d'agents-de-la-CIA a un plan pour les situations d'urgence.

Je vais dans la section « Notes » de mon iTouch et j'y trouve une petite note intitulée « En cas d'urgence ». Je l'ouvre. Un numéro de téléphone à dix chiffres s'y trouve. Parfait. Parfait.

À l'heure du dîner (que je suis contente, pour une fois, de passer seule), j'essaie de trouver une façon d'appeler ce foutu numéro. La méthode la plus simple serait d'utiliser un des téléphones payants qui ornent le mur, à la sortie de la cafétéria.

Nous pouvons les utiliser dix minutes par semaine, en utilisant deux jetons qui donnent chacun droit à cinq minutes d'appel.

Mais les téléphones sont situés à l'endroit le plus fréquenté de l'Oasis. Or, les patients, les surveillants, les médecins, Sandra, bref, tout le monde passe tout le temps devant ces appareils. Impossible d'avoir une conversation privée, ce qui est sûrement l'objectif de leur emplacement. Ça me rappelle l'unique téléphone que nous avions à la maison et que mes parents avaient placé dans la cuisine. Pas un ado n'aurait osé planifier une super beuverie devant sa mère, non? Ha!

Merde. J'aimerais bien agir comme Matthew Broderick dans le film *War Games* et me faire envoyer au bureau du directeur. Puis, tandis qu'il serait occupé ailleurs, j'ouvrirais le tiroir de son bureau et volerais le nouveau mot de passe. Ce serait un plan sans faille, non?

– Excusez-moi, tout le monde, dit Carol, debout à l'avant de la cafétéria. Comme vous le savez, Gerry et Keith nous quittent aujourd'hui.

Elle prononce son discours habituel au sujet du départ de l'avocat et du producteur, se préparant à inviter tout le monde à chanter en chœur... Un instant. C'est super. Dans environ trente secondes, tout le monde va commencer à chanter à tue-tête pendant trois bonnes minutes. La diversion idéale.

Je me lève et quitte rapidement la pièce. Je ne fais pas attention au regard désapprobateur que me lance Sandra. Je suis sûre que j'entendrai parler de mon manque de liens avec les autres patients. Encore une fois.

Je sors deux jetons de ma poche et les insère dans la fente du téléphone, puis je compose le numéro de Bob, le cœur battant.

La sonnerie retentit trois fois, puis j'entends:

– T'as intérêt à ce que ce soit une urgence.

– Oui.

– Elle est partie ?

– Non.

– Tu es sur une ligne sécurisée ?

– Non.

– Tu peux me donner un indice ?

J'enroule ma main autour du combiné.

– Mot de passe.

J'entends une main qui claque sur un bureau. Bam !

– Zut de zut ! J'avais peur que ça arrive. T'as combien de temps ?

– Pas beaucoup.

– C'est quoi, ce foutu bruit ?

– Des gens qui chantent.

– Mais dans quel bordel... ?

– Laisse tomber.

Je n'entends plus que du silence sur la ligne, et peut-être une respiration un peu sifflante, mais avec ce chant affreux dans les oreilles, il est dur d'en être sûre.

– Tu es toujours là, Bob ?

– Ne prononce pas mon nom.

– Désolée.

– OK. Nous pouvons obtenir le nouveau mot de passe. Je peux te rappeler à ce numéro ?

– Non.

– Tu peux me rappeler ?

– Pas avant une semaine.

– Bordel. T'as pas une idée ? Comment puis-je te faire parvenir le nouveau mot de passe ?

N'en fais-je pas déjà assez ?

Je me creuse les méninges.

– Tu pourrais m'envoyer un colis de survie.

– Ils ne vérifient pas ces trucs-là ?

– Oui, mais il faudrait dissimuler l'info.

Il claque sa langue trois fois.

– OK, d'accord, je ne vois pas d'autre option. Tu as une amie en qui tu as confiance ?

– Pourquoi ?

– Pour qu'elle poste le colis. Il ne peut pas venir d'ici.

– Je vais voir si je peux convaincre ma copine Greer de t'appeler.

– Ne lui dis que le strict minimum.

– Bien sûr.

J'entends un déclic, puis la tonalité du téléphone. Il est toujours agréable de te parler, Bob.

La chanson se termine alors que je raccroche. Qu'est-ce que je viens d'accepter de faire ? Même si je réussis à obtenir d'autres jetons, il n'y aura pas d'autre diversion musicale jusqu'à ce que Mary parte, dans trois jours. Je ne pourrai jamais expliquer cette histoire à Greer dans un lieu aussi public.

– Qui est Bob ? demande Amber derrière moi.

Je sursaute, et mon cœur qui battait déjà la chamade enclenche la vitesse supérieure. Je me retourne vers son visage curieux.

– Seigneur, tu m'as fait une peur bleue !

Elle sourit.

– Désolée, mais tu avais l'air si cachottière, je n'ai pas pu résister.

Que dit-on quand même les gros mots sont impuissants ? Parce qu'en ce moment, je n'entends qu'un grésillement sourd dans le fond de ma tête.

– Pp... pas de secrets, dis-je en me raclant la gorge. C'était quelqu'un du travail.

– T'as des ennuis?

– Si on veut.

Elle fait la grimace.

– Je sais de quoi tu parles. Je suis censée tourner un remake de *Rebecca* en ce moment même.

– Nul. En tout cas...

Je me détourne, tentant de fuir. J'ai besoin de quelques heures en isolement pour me calmer les nerfs.

Elle prend mon bras.

– Oh non, madame. Tu ne t'en tireras pas si facilement.

Oubliez les quelques heures. C'est plutôt quelques jours que ça me prendrait.

– Quoi?

– Je ne te laisserai pas partir tant que tu ne m'auras pas raconté...

Elle se penche vers moi et baisse le ton.

– ... ta nuit dans la forêt avec E.

Mon corps est inondé d'endorphines, et j'ai de la peine à retenir un éclat de rire hystérique. Elle veut simplement faire sa commère. À la bonne franquette, entre copines.

Je m'efforce de lui faire un sourire évasif.

– Pas ici. Viens dans ma chambre après la séance de groupe, d'accord?

Elle me fait un clin d'œil.

– D'acc. Mais je veux tout savoir, hein?

Elle n'est pas la seule.

• • •

Une heure plus tard, j'ai un plan, et une nouvelle flambée d'adrénaline parcourt mes veines. Je me sens exactement comme lorsque j'ai fait du trapèze, le jour de la confiance : terrorisée et euphorique.

Je marche à travers le jardin de fleurs, à la recherche de Zack. Oui, vraiment. Pour une fois, je le cherche au lieu de me cacher quand je l'aperçois. Est-ce un pas dans la bonne direction ? Seul le temps le dira.

Je le trouve à l'endroit où la pelouse cède la place à la forêt. Il verse de l'engrais à l'aide d'une pelle sur un carré de terre où poussent des lys prêts à éclore. Ses bras sont musclés et bronzés. Il porte des lunettes Oakley.

– Salut, Zack.

Il pose la pelle sur le sol et s'appuie dessus comme s'il s'agissait d'une béquille.

– Salut, toi. Je ne t'ai pas vue depuis un moment.

– J'ai été... occupée.

– Bien sûr.

J'entrecroise mes doigts. Les paumes de mes mains sont mouillées de sueur.

– Tu crois que tu pourrais me rendre service ?

– Je ne sais pas. Ça dépend.

– Je peux utiliser ton cellulaire ?

Il glisse ses lunettes de soleil sur son front. Son regard est réservé.

– Pour quoi faire ?

– J'ai besoin de passer un appel privé, et c'est plutôt impossible au centre. Je ne ferai rien de mal. Tu sais, ce n'est pas pour commander de la drogue ou un truc du genre...

– Ah, je ne sais pas, Katie... Nous ne sommes vraiment pas censés faire ce genre de choses.

– Je sais. Alors oublie ça, d'accord ?

Je baisse la tête et je frappe le sol du pied, comme j'en avais l'habitude du temps où je pouvais convaincre Zack de faire tout ce que je voulais.

Je suis presque gênée de l'avouer, mais ça fonctionne toujours à merveille.

Il soupire.

– Tu ne feras rien d'interdit ?

Je garde la tête baissée. C'est plus facile de mentir ainsi.

– Je te le promets.

– Bon, d'accord.

Je le regarde, souriant de toutes mes dents.

– Merci, Zack, tu me sauves la vie.

Il n'a pas l'air convaincu, mais il prend son téléphone de sa poche et me le tend.

– Je reviens dans une minute.

Je m'éloigne assez pour qu'il ne puisse pas m'entendre, et je m'appuie contre un arbre, me cachant du centre. Je compose le numéro de Greer, me croisant les doigts pour qu'elle réponde. Je tombe sur sa boîte vocale.

« Vous êtes bien sur la messagerie de Greer. Soyez bref. »

Zut. Mais il faut ce qu'il faut.

– Salut, Greer, c'est Katie. Merci encore d'être venue me voir l'autre jour, c'était super. OK, euh... j'ai besoin d'un service. Tu vas trouver ça bizarre, mais ça m'aiderait vraiment si tu pouvais appeler un gars de ma part. Il s'appelle Bob. Il doit m'envoyer quelque chose ici, mais pour une raison que je ne peux pas t'expliquer maintenant, le colis ne peut pas provenir de son bureau.

Je m'interromps. Elle va tellement penser que je veux de la drogue. Merde.

– OK, je me suis mal expliquée. C'est pour un truc de boulot, ce n'est pas du tout lié à de l'alcool ou à de la drogue, je le jure. Et je t'expliquerai tout quand je serai de retour à la maison. Mais en attendant, je te serais vraiment, vraiment reconnaissante si tu pouvais appeler Bob et faire ce qu'il te dit sans poser de questions. Je comprendrai si tu refuses, mais même si c'était le cas, pourrais-tu quand même appeler Bob pour le lui dire, stp? OK, désolée du long message. Bye.

Je raccroche, découragée. Quel putain de plan pourri... Greer n'appellera jamais Bob après avoir entendu un message pareil. Même moi, elle ne m'appellera sûrement jamais plus.

Et puis tu ne lui as même pas donné le numéro de Bob.

Bordel de merde !

Je regarde l'heure sur le cadran du téléphone. Il est 14 h 50. Je suis attendue en séance de groupe dans dix minutes. Je regarde Zack derrière moi, qui remue la terre sans enthousiasme dans son carré de fleurs en m'observant. Je lui fais signe que j'en ai pour une minute.

Je recompose le numéro.

– Salut, Greer, c'est encore moi, Katie la cinglée. J'ai oublié de te donner le numéro de Bob. Le voici... Enfin, tu me rendrais vraiment service si tu l'appelais, alors... OK, je vais raccrocher, maintenant.

Oh, bien joué. C'est à peu près certain qu'elle ne l'appellera pas, maintenant.

Toi, tu te la fermes, je suis déjà bien assez stressée comme ça.

Je referme le téléphone et je retourne vers Zack. Il le prend et le glisse dans sa poche rapidement, comme si je venais de lui passer un petit paquet plein de drogue.

– Merci, Zack. C'est très gentil.

Il hoche la tête.

– Et toi, ça va ? me demande-t-il.

J'essaie de sourire.

– Certains jours vont mieux que d'autres.

– Non, je voulais dire… tu es pâle et en sueur. Es-tu malade ?

Je passe une main sur mon front. C'est vrai que je suis bouillante.

– Je ne sais pas. Peut-être. Bon, je dois aller en séance de groupe.

– D'accord. À la prochaine.

Je m'éloigne, mais quelque chose me retient. Je me retourne.

– Zack ?

– Ouais ?

– Merci. Et… je suis désolée.

Il fronce les sourcils.

– De quoi ?

– D'être partie. De tout.

– C'était il y a très longtemps, Katie.

– Je sais. Je suis désolée pour ça aussi.

Il esquisse un sourire, les mains enfoncées dans ses poches. Le Zack de dix-huit ans ne se cache pas très loin.

– Au revoir, Zack.

– Bye, Katie. Et donne de tes nouvelles, hein ?

– OK.

• • •

Deux jours plus tard, il y a un colis qui m'attend dans ma chambre quand je reviens du déjeuner. Le cachet a été brisé, et le mot « Approuvé » est tamponné en grosses lettres rouges sur la boîte. À l'intérieur du paquet, je trouve une enveloppe et plusieurs objets emballés dans du papier journal. Je sors tout d'abord la carte. Il s'agit d'un dessin, sur lequel se trouve un bonhomme et une bulle qui sort de sa bouche. Dans cette dernière, on peut lire : « Alors, tu es en désintox. Que faire ? » J'ouvre la carte. Le bonhomme est assis sur une chaise longue, lisant un livre et fumant une cigarette. Sa main plonge dans une boîte de bonbons. La légende se lit : « Fume, mange et lis des romans à l'eau de rose. Bisous, Greer ».

Je défais les paquets emballés dans du papier journal. J'y trouve une cartouche de cigarettes, un gros paquet de réglisse rouge et trois romans Harlequin, mais pas de mot de passe.

Merde. Elle a bien appelé Bob, non ? Pourquoi m'aurait-elle envoyé un colis de survie, si ce n'était pas le cas ? Mais alors, où diable est ce foutu mot de passe ? OK, OK, on se calme. Il ne peut pas être mis en évidence, ça gâcherait tout. Il doit bien y avoir un message caché, là-dedans. Mais où ?

Je l'ai ! La carte doit contenir un indice. Je la regarde de nouveau. Greer a souligné le mot « lis ».

Je prends donc le premier des trois livres et feuillette les pages une à une. Rien. Sur la couverture du deuxième livre, il y a une femme qui ressemble vaguement à Greer. Mêmes longs cheveux châtains, même étincelle de malice dans les yeux. Beaucoup moins de vêtements. À la page 38, le mot « curatif » est encerclé. Je sors mon iTouch et je me rends jusqu'à l'écran qui exige un mot de passe. Je tape le mot « curatif » et... oui ! C'est parti.

Je consulte ma boîte de réception. Un courriel de Greer m'y attend.

Si tu lis ce message, tu es plus intelligente que je le croyais. Pas besoin de m'expliquer, *lass*. L'intrigue en valait la peine.

Je ris à voix haute. On peut vraiment être surpris chaque jour, même en désintox.

CHAPITRE 17

ATTENTION, ÇA VA BARDER !

Le jour 24 (« Se préparer à sa nouvelle vie »), Carol cogne à ma porte et me présente ma nouvelle coloc, Muriel, une beauté désespérée mariée au PDG d'une grosse boîte de commerce sur Internet. Ses trois valises Louis Vuitton prennent plus de place qu'elle, ses cheveux blonds n'étaient certainement pas de cette couleur à la naissance, et chaque centimètre de son visage est si botoxé qu'une ridule n'oserait jamais tenter d'y élire domicile. Elle manifeste une nervosité caractéristique de la période post-sevrage sous supervision médicale. Je commence à m'y connaître en la matière et estime tout de suite qu'elle est accro aux antidouleurs légaux.

Elle me regarde à peine, évalue d'un coup d'œil mon apparence (je suis vêtue de ce qui constitue, en quelque sorte, mon uniforme officiel en désintox : pantalon de yoga, tee-shirt à manches longues, queue de cheval négligée) et déclare à Carol qu'elle ne peut partager sa chambre avec qui que ce soit, qu'elle a besoin de silence et qu'elle est certaine que c'est primordial pour sa guérison.

– Muriel, je t'ai déjà expliqué que tu ne peux avoir ta propre chambre, répond Carol, patiente.

– Même si je paie le double ?

– Ce n'est pas une question d'argent. C'est le programme qui est conçu comme ça.

Si son visage était capable de réagir, Muriel froncerait les sourcils.

– On verra ça...

Carol n'accorde aucune attention à cette remarque.

– Katie, pourrais-tu accompagner Muriel à la séance de groupe? me demande-t-elle plutôt.

– Bien sûr, pas de problème.

– Je viendrai prendre de tes nouvelles demain, Muriel.

– Ouais, peu importe..., grommelle Beauté désespérée.

Carol s'éloigne et j'observe ma nouvelle coloc, qui tire ses valises jusqu'au placard. Elle ouvre la porte et recule d'horreur.

– Ils se foutent de ma gueule, ou quoi?

– Tu n'es pas habituée à ça, hein?

Elle me jette un regard qui me fait me sentir de trop dans la chambre, même si c'est moi qui y habite depuis des semaines.

– Pardon?

– Le placard. Il est plutôt petit.

Elle plisse les yeux jusqu'à ce qu'on ne les voie presque plus. Wow! Sa peau n'a pas bougé d'un pouce! Comment ont-ils réussi à lui faire ça?

– On va s'entendre tout de suite, Kristie, articule-t-elle.

– Je m'appelle Katie.

– Si tu savais comme je peux m'en foutre!

– T'as un sacré problème, hein?

– Le problème que j'ai, c'est que je n'ai aucune envie d'avoir un petit tête-à-tête au sujet de tes problèmes ou de quoi que ce soit d'autre. Je veux juste qu'on me foute la paix.

Je me mets à rire. Muriel a l'air enragée. Ou du moins, c'est ce dont elle aurait l'air si son visage pouvait bouger.

– Qu'y a-t-il de si drôle? s'offusque-t-elle.

– Je ne sais pas où tu crois te trouver, miss Garbo, mais si tu veux qu'on te foute la paix, tu n'es pas venue au bon endroit pour ça.

• • •

Le lendemain, je demande à Sandra :

– Suis-je obligée de partager une chambre avec elle?

Muriel ne m'a pas adressé la parole du reste de la journée. Elle a passé une heure à se préparer bruyamment pour aller au lit (j'ai compté trois crèmes différentes pour le visage, deux lotions toniques et plusieurs outils d'épilation), puis elle a éteint la lumière d'un geste sec alors que j'étais en plein milieu d'une scène de séduction assez détaillée dans l'un des romans que Greer m'a envoyés. Puis, alors que je m'apprêtais finalement à m'endormir à une heure décente, pour une fois, elle s'est mise à ronfler. Et attention, il ne s'agissait pas d'un petit ronflement mignon et féminin. Non, non. Ça rappelait plutôt le son d'un marteau-piqueur ou d'un pic-bois.

– Y a-t-il un problème avec Muriel?

Le coin de la bouche de Sandra tressaille un peu.

– Tu veux que je te les énumère?

Peut-être pas.

– Katie...

– Eh bien, de un, je ne dormirai plus jamais. Elle ronfle comme un vieil homme.

– Ce n'est pas sa faute.

– Ce n'est pas la mienne non plus.

– Je pourrais te donner des bouchons pour les oreilles.

– Elle refuse aussi de me parler.

– Je suis sûre qu'elle a les nerfs à vif, en ce moment, Katie. Te souviens-tu comment tu te sentais après le sevrage initial ?

Bien sûr que je m'en souviens. J'étais euphorique.

– Ouais.

– Et n'était-ce pas sympa d'avoir Amy à qui parler ?

– Mais Amy était gentille, elle.

– Et toi aussi, tu l'es. Souviens-toi, Katie, c'est toi qui joues le rôle d'Amy, maintenant.

Ah, ouais... Comment diable en suis-je arrivée là ?

– Est-ce que ça signifie que je réussis bien le programme ?

Elle sourit.

– Je crois que tu fais de bons progrès, n'est-ce pas ?

– Ouais, les choses semblent devenir plus... faciles, disons. Je ne sais pas si c'est logique.

– C'est très logique, en effet. Voilà pourquoi je crois que tu es prête à participer à l'excursion d'aujourd'hui, si tu le souhaites.

– Tu veux dire que je pourrai quitter le centre ?

– Oui.

Oh que oui, je le souhaite !

Je quitte le bureau de Sandra, tellement emballée que je gambade dans le corridor jusqu'à la cafétéria. Henry, Amber et Connor sont déjà assis à « notre » table, à côté de la grande fenêtre. C'est une superbe journée ensoleillée, mais à mes yeux, ce serait du pareil au même s'il neigeait.

– Ma thérapeute m'a aussi parlé de cette sortie, dit Amber après que je leur ai annoncé que je peux y participer. Il paraît que je fais preuve d'un «nouveau respect pour le programme» et que je suis prête à passer aux «techniques avancées d'adaptation».

Je saute de joie sur ma chaise.

– C'est super! Alors, tu vas y aller?

– On se calme, les filles, dit Henry d'un air taquin.

– Attends d'avoir été enfermé ici aussi longtemps que moi!

– Même si je reste ici très longtemps, je ne m'imagine pas bondir comme toi.

Je lui donne un petit coup de poing amical sur le bras.

– Ça reste à voir.

Puis, je me tourne vers Amber.

– Alors, tu viens?

– Oh, je ne sais pas...

Elle regarde Connor en train de passer à travers une énorme assiette de pâtes.

– Tu peux y aller, toi, Connor?

– Ça m'étonnerait.

– Con-nor, ne veux-tu pas y aller? insiste-t-elle.

– Am-ber, tu sais bien qu'il n'en aura pas le droit, se moque Henry.

Elle le regarde, l'air dégoûté.

– Va te faire foutre, Henry.

Je lui tire le bras.

– Allez, Amber, on va bien rigoler. Et puis, on pourra enfin sortir du centre! Ne rêves-tu pas de ça depuis des semaines?

– Bon, ouais, en voyant les choses sous cet angle...

Un sourire illumine mon visage, jusqu'à ce que je voie Henry qui rit en me regardant.

– Quoi? lancé-je.

– Rien, répond-il sur le coup.

Mais quelques minutes plus tard, lorsqu'il se lève pour rapporter son plateau, il se penche vers moi et chuchote : « Tu es mignonne quand tu t'emballes. »

Oh...

• • •

Un peu plus tard, malgré mon excitation, je renonce presque à sortir quand j'apprends la destination de l'excursion : la station de montagne où mon père travaille comme directeur adjoint.

Je regarde fixement la feuille où les participants doivent inscrire leur nom, mordillant d'indécision le bout de ma queue de cheval. Amber s'approche.

– Pourquoi hésites-tu ?

Elle porte un short de cyclisme et un haut zippé couvert de logos de marques d'eau minérale françaises.

Combien de valises a-t-elle apportées, celle-là ?

– Oh, c'est rien, mais... je ne suis plus sûre de vouloir y aller.

Elle me regarde d'un air incrédule.

– Tu te moques de moi ? Je suis venue ici uniquement parce que tu m'as convaincue de le faire.

– Je sais... c'est juste que... tu te souviens quand nous avons croisé mon ex, Zack ?

– Tu veux dire, quand on s'est cachées derrière les buissons ?

– Ouais, ouais. Eh bien, j'essaie d'éviter d'avoir à refaire ce coup-là à quelqu'un d'autre, mais je suis sûrement trop parano.

Après tout, les chances que je croise mon père sur cette immense montagne sont minimes, n'est-ce pas ? Je ne vais quand même pas me pointer à son bureau.

– Bon, alors, on y va ?

J'ai un mauvais pressentiment quand je griffonne mon nom sur la feuille, mais je me joins au groupe à l'extérieur et grimpe dans la camionnette. Nous nous asseyons à l'arrière, tandis que Candice grimpe devant. Carol prend place sur le siège du conducteur et démarre.

– Pourquoi avez-vous choisi le vélo de montagne ? gémit Candice de sa voix de petite fille. Je tuerais pour une bonne séance de magasinage.

Je perds mon calme.

– Reviens-en, Candice. Personne ne t'a obligée à venir.

– Et toi, personne ne t'oblige à être une telle garce.

Amber s'avance sur son siège.

– Que fais-tu encore ici, Candice ? Tu ne rentreras jamais chez toi ?

Candice se détourne vers la fenêtre.

– Je ne vous parle plus !

Amber et moi levons les yeux au ciel, puis regardons les arbres et les montagnes qui défilent. Le soleil se reflète sur l'eau foncée du lac. Je pointe du doigt le début d'un sentier où je faisais souvent de la randonnée avec ma famille.

– Tes parents vont-ils venir à ce truc de thérapie familiale ? demande alors Amber.

Eh oui, le jour 27, intitulé « Mécanismes d'adaptation avancés », coïncide aussi avec « Programme facultatif : thérapie familiale ».

– Jamais de la vie, réponds-je du tac au tac. Toi, tes parents viennent ?

– Oui.

– Je croyais que tu les détestais.

– Et alors?

– Alors, j'ai dû en manquer un bout…

Elle jette un coup d'œil à Candice, qui boude encore, la tête contre la fenêtre de la camionnette, puis elle baisse le ton.

– Je me dis que si je coopère, ils me laisseront sortir plus tôt. S'il vous plaît, faites que ce soit vrai.

– Je comprends.

La camionnette quitte l'autoroute et s'engage sur la voie qui mène à la montagne. Un raz-de-marée de souvenirs m'envahit. Je marchais du stationnement jusqu'au chalet, mes lourds skis sur mes épaules, en essayant de rattraper mon père. Je refaisais les mêmes slaloms encore et encore, essayant d'améliorer mon chrono. Chrissie et moi faisions sécher nos chaussettes près du feu…

Oh, mon Dieu. Je pense que mes parents me manquent. Ahh! Je déteste cette foutue désintox.

Carol gare la camionnette, nous guide jusqu'à la boutique de location d'équipement et nous ordonne de l'y retrouver trois heures plus tard. Après ses dernières recommandations («Soyez sages» ou quelque chose du genre), nous sommes libres d'aller faire de la randonnée, du vélo ou de nous installer au bar qui se trouve à l'étage supérieur du chalet. Nous pourrions même faire du pouce et partir d'ici à tout jamais.

C'est bien, d'avoir le choix, dans la vie.

Ça fait des années que je ne suis pas venue ici. Heureusement, je ne reconnais personne à la boutique de location. Amber et moi y louons des vélos de montagne, prenons une carte des environs et décidons d'emprunter une télécabine jusqu'à un sentier qui nous offrira une belle descente, plutôt que de commencer par grimper.

Nos vélos sont attachés à l'extérieur sur une télécabine, dans laquelle nous prenons place à côté d'un groupe d'ados couverts de boue. Ils se donnent des coups de coude et regardent Amber, les yeux écarquillés. Alors que nous nous dirigeons vers le haut de la montagne, je me demande s'ils auront le courage de lui demander si elle est réellement Amber Sheppard. De son côté, elle ne semble pas les avoir remarqués. Elle pose son menton sur ses bras et contemple la vue spectaculaire qui s'offre à nous.

La télécabine parvient bientôt au sommet. Les coups de coude et les chuchotements augmentent en intensité parmi les garçons.

– Vas-y, mon gars! siffle l'un d'entre eux à voix haute.

Alors que nous nous levons pour sortir, le garçon assis face à Amber lui adresse la parole en bégayant.

– Euh, excuse-moi, mememais es-tetetetu.....

Amber lui adresse un sourire éclatant.

– L'actrice? Mon Dieu, non!

Nous sommes tous surpris de sa réponse, et elle profite de notre étonnement pour me prendre la main et m'attirer hors de la télécabine. Un préposé nous tend nos vélos, et nous suivons les indications de la carte vers la piste que nous avons sélectionnée à la boutique.

– Pourquoi ne leur as-tu pas dit qui tu étais? demandé-je.

– Tu me prends pour qui? Candice?

Je rigole.

– J'imagine que c'est agaçant, de toujours se faire reconnaître.

– Parfois, j'aime bien ça. Mais aujourd'hui, je n'avais pas envie qu'une bande de garçons idiots nous suivent tout l'après-midi.

– Tu as bien raison.

– Merci d'avoir joué le jeu, me dit-elle en me faisant un clin d'œil.

Elle enfile son casque et attache la courroie sous son menton.

– Prête à mourir?

– Ça, oui!

Nous enfourchons nos vélos et pédalons en direction de la piste. L'inclinaison de la pente est d'abord assez douce, mais après quelques minutes, ça devient plus raide et j'appuie sur les freins pour ralentir.

Mais pas Amber. Elle lâche un cri de folle et se penche au-dessus de son guidon. La boue qui jaillit sur les côtés de ses roues éclabousse mes lunettes de protection. Je freine plus fort encore quand une portion boueuse du sentier débute et que mon vélo se met à déraper.

Ah, merde!

J'accroche soudain quelque chose, sûrement une racine, et mon vélo s'envole. Je lâche prise instinctivement, espérant atterrir sur la terre molle.

Je tombe lourdement sur le sol, et mon vélo dégringole quelques mètres plus loin. Je suis couchée sur le dos, les bras et les jambes en étoile, respirant péniblement. J'ai mal partout. Qui sait, je suis peut-être en train de mourir. J'entends néanmoins les oiseaux pépier, et un hurlement de joie me parvient de très loin.

Seigneur. Si seulement je croyais en Dieu, je pourrais le (ou la, qui sait) prier de venir me chercher et de faire en sorte que ma douleur s'arrête. Mais je n'y crois pas. Alors, tout ce que je peux espérer, c'est que mon cerveau me rende service et se mette en panne pendant quelques minutes, du moins jusqu'à ce que les ambulanciers arrivent avec leurs médicaments antidouleur.

Les médicaments. Bordel. Aucune chance qu'on m'en prescrive.

– Madame, vous m'entendez? demande une voix qui m'est beaucoup trop familière.

Je fais sûrement une hallucination. Peut-être cela arrive-t-il avant de s'évanouir?

Je lève la main et essuie la boue sur mes lunettes. Je reconnais la silhouette floue qui se penche sur moi, et maintenant, j'en suis certaine, malgré une blessure au cerveau possible, je n'hallucine pas.

– Papa?

– Katie?

Il s'agenouille à côté de moi et retire doucement mes lunettes. Et voilà mon père, dont les yeux bleus, de la même teinte que les miens, me regardent avec inquiétude et étonnement.

– Salut, papa...

Zut. Même parler fait mal.

– Tu vas bien?

– Je ne sais pas.

Il retire son casque et le pose sur le sol, à côté du mien. Ses cheveux sont presque tous gris. Il a l'air plus vieux qu'il y a quatre ans.

– Peux-tu t'asseoir? demande-t-il.

– Je ne crois pas que ce soit une bonne idée, dit ma sœur en arrivant.

En la regardant, je vois une image à l'envers de moi-même. Les mêmes cheveux noisette ondulés, la même silhouette fine, le même nez mince. Et pourtant, une vie complètement différente.

Parce que je suis partie. Et qu'elle, elle est restée. Je suis allée à l'université en ville et ai accumulé des dettes faramineuses. Elle est allée au collège local et a placé de l'argent dans un compte d'épargne. J'ai rêvé de voir ma signature dans un grand magazine. Elle est devenue prof comme ma mère et enseigne à l'école primaire du village.

En cours de route, elle a aussi accumulé une énorme dose d'amertume, selon moi à cause de son amoureux du secondaire, Michael, qui l'a quittée le jour de leur mariage. Ce n'est pas une farce. Elle était debout à l'entrée de l'église en robe blanche et tout le bataclan, attendant que la marche nuptiale commence. Et c'est moi qui ai dû lui dire qu'il ne viendrait pas, qu'il avait pris la fuite avec une fille qu'il avait rencontrée à son enterrement de vie de garçon. Sur le coup, Chrissie l'avait assez bien pris, du moins c'est ce que nous croyions à l'époque. Mais depuis ce drame, elle n'est plus la même.

– Salut, Chrissie.

Elle détourne le regard.

– Ne la bouge pas, papa. Son cou est peut-être cassé.

Doit-elle sembler si réjouie à cette idée?

Elle sort un téléphone cellulaire de la poche de son sac à dos.

– Ne bouge pas, Katie.

Elle pianote quelques chiffres, puis parle d'une voix ferme et autoritaire à la personne qui répond, expliquant l'urgence de la situation.

Couchée sur le sol, avec mon père au-dessus de moi qui me murmure des mots de réconfort, je sens la douleur commencer à s'estomper. Je respire lentement et j'emplis mes poumons d'air. J'ai mal, mais je n'ai plus envie de m'évanouir. Comme Chrissie a parlé de cou cassé, je tourne la tête doucement de gauche à droite. Mon cou craque, mais semble être en un seul morceau.

Je pose mes mains sur le sol et me redresse. Chrissie ferme son téléphone d'un coup sec.

– Je t'ai dit de ne pas bouger !

– Arrête de me donner des ordres, Chrissie.

Mon père a cet air vaguement déçu qu'il arbore toujours quand nous nous disputons.

– Les filles...

Je regarde mes jambes. Elles sont noires de boue, mais semblent toutes les deux pointer dans la bonne direction. Je les bouge doucement.

– Bon, si tu t'en fous, toi, d'être paralysée..., dit Chrissie, vexée.

– C'est gentil de te soucier de moi, Chris. Papa, tu peux m'aider à me relever, s'il te plaît ?

– Bien sûr, ma chérie.

Il m'aide à me redresser sur mes jambes tremblantes. Je repousse les cheveux qui sont tombés sur mes yeux et je tiens un rapide inventaire. C'est dur à croire, mais en dehors de quelques coupures, de beaucoup de boue et de la bosse que je sens se former derrière ma tête, je ne semble pas avoir de blessures. Ma sœur me regarde comme si elle inspectait un étudiant soupçonné de faire de la contrebande.

– Alors, que fais-tu ici ?

– Du vélo de montagne.

– Tu sais très bien ce que je veux dire.

Je réfléchis à toute vitesse. Que puis-je dire, si ce n'est une demi-version de la vérité ?

Je déteste ma foutue vie...

– Elle est avec moi, répond Amber à ma place, en poussant son vélo vers nous. Elle est incroyable, cette fille. Son corps est couvert de boue, mais elle a quand même l'air prête à poser pour la page couverture du magazine *Outdoor*. Elle me regarde de la tête aux pieds.

– Merde, Katie, tu ne t'es pas ratée.

– Merci.

– Ça va ?

– En grande forme, comme tu le vois.

– Mais c'est Amber Sheppard..., dit ma sœur à un interlocuteur fantôme.

– Mon Dieu, Chrissie, tu ne pourrais pas avoir un peu de tact ! interviens-je.

– Qui est Amber Sheppard ? demande mon père.

Amber décoche un sourire charmeur à ma sœur.

– Tu dois être la sœur de Katie.

– C'est ce qu'on me dit. Comment la connais-tu ?

Amber se tourne vers mon père.

– Et vous devez être le père de Katie. Je suis désolée. C'est de ma faute si elle est tombée. J'allais trop vite.

Il me sourit affectueusement.

– Katie a toujours aimé aller vite.

Deux jeunes hommes sportifs dans la vingtaine, portant des shorts moulants et des chandails blanc et rouge, arrivent en vélo et s'arrêtent près de nous. L'un d'eux a une civière de secours attachée à son dos.

– Quelqu'un a appelé à l'aide ?

– C'est elle, disons-nous en chœur, Amber et moi, en pointant ma sœur du doigt.

• • •

Une heure plus tard, on m'a examinée de la tête aux pieds, ramenée au pied de la montagne en télécabine (une expérience que je ne recommande pas si on a le vertige) et nettoyé le visage pour en chasser toute trace de boue. En cours de route, mon père finit par comprendre qui est Amber, et ma sœur lui pose assez de questions personnelles pour faire sérieusement compétition à Sandra. La seule à laquelle Amber n'ait pas répondu, en fait, c'est celle concernant notre rencontre, mais je sais que ce n'est qu'une question de temps avant qu'on ne l'apprenne. En effet, quelques minutes plus tard, Carol entre dans la salle d'examen des secouristes.

J'observe le regard de mon père, qui se pose sur le logo de l'Oasis ornant la poche du chandail de Carol et qui se retourne vers moi. Je prends une profonde inspiration, me préparant à l'inévitable.

– Katie... Est-ce que tu... travailles à l'Oasis Cloudspin ?

Oh, papa. Merci d'avoir tout d'abord posé cette question.

– Non, papa.

– Tu es... une patiente ?

– QUOI ? postillonne Chrissie. Tu es quoi ?

– Oui, papa.

– TOI, t'es en désintox ? articule ma sœur.

Je l'ignore et je concentre mon attention sur mon père. Il semble extrêmement triste, mais moins étonné que je ne l'aurais cru.

– Oui, réponds-je en le regardant dans les yeux.

– C'est pas croyable...

Je jette un regard noir à Chrissie.

– Lâche le morceau, tu veux ?

– Désolée, dit-elle, l'air contrit, mais son visage s'illumine comme s'il s'agissait du matin de Noël.

– C'est l'alcool ? demande mon père.

– C'est l'alcool, dis-je.

CHAPITRE 18

EN FAMILLE

– Pourquoi n'as-tu pas dit à ta famille que tu allais dans un centre de désintoxication ? me demande Sandra le lendemain.

– Je ne voulais pas les attrister.

– Pourquoi croyais-tu qu'ils en seraient tristes ?

Parce que je ne voulais pas qu'ils pensent que... Ah, bordel.

– Ça ne te rendrait pas triste, toi, si ta fille allait en désintox ?

Sandra m'adresse un de ses sourires rassurants qui ne me rassurent jamais vraiment.

– Je serais fière d'elle, fière qu'elle reconnaisse qu'elle a un problème. Et je serais aussi soulagée.

– Soulagée ?

– Ça peut être très stressant d'avoir une alcoolique ou une toxicomane dans la famille.

– Ouais, peut-être.

Sandra me dévisage.

– Katie, tu es une jeune femme indépendante, et je sais que tu crois que tu peux tout régler toi-même, mais c'est impossible.

– Je sais.

– Alors, pourquoi essaies-tu toujours de le faire ?

– Je ne crois pas que c'est ce que je fais. Je suis bien venue ici, n'est-ce pas ?

– Oui, c'est vrai. Et c'est la première étape de ta guérison.

– Je pensais pourtant que j'en étais à la cinquième.

Les coins de la bouche de la thérapeute s'étirent. La voilà qui sourit. Peut-être que je fais réellement des progrès, finalement.

– Oui, Katie. Mais tu dois aussi régler tes problèmes avec ta famille.

Je croise mes bras sur ma poitrine.

– Tout va bien avec ma famille.

– Je ne suis pas d'accord, Katie. Et heureusement, tes parents non plus.

Je n'aime pas du tout ce que j'entends.

– Que veux-tu dire ?

– Ils se sont inscrits au programme de thérapie familiale. Ils arriveront demain.

Ouais, c'est bien ce que je craignais.

J'ai envie de taper du pied quand je réponds, sur la défensive :

– Mais je ne veux pas participer à la thérapie familiale.

– Je crois pourtant que tu en profiterais beaucoup.

– Non. Je ne veux pas que mes parents soient au courant de tout ça.

En disant cela, je fais un geste qui englobe les murs de son bureau, comme si les photos et les calendriers de chiens qui m'entourent pouvaient répéter mes secrets, à l'image des photos parlantes dans *Harry Potter*.

– Je sais que ce sera peut-être difficile...

Une rage noire m'envahit. Je dis froidement :

– Ce ne sera pas difficile. Ce sera extrêmement douloureux et humiliant.

– Katie, pour grandir et changer, il faut accepter d'être vulnérable devant les gens qui t'aiment.

Si c'est le cas, je resterai comme je suis, merci bien.

– Quel ramassis de conneries…

Sandra a l'air inquet.

– Pourquoi es-tu en colère?

– Je te l'ai dit. Je ne veux pas que mes parents viennent.

– Je crois que ce serait une erreur.

– N'est-ce pas à moi de choisir de la faire ou pas?

– Oui. Mais tu devras la faire du début à la fin, alors.

– Que veux-tu dire?

– Si tu ne veux pas qu'ils viennent, tu devras les appeler et le leur dire toi-même.

Elle indique du geste le vieux téléphone noir posé sur son bureau.

Merde de merde.

– Pourquoi?

– Parce que dans le cadre du programme, tu dois apprendre à être responsable de tes actes.

– Mais ce n'est pas juste. Je ne leur ai jamais demandé de venir.

Ah, Seigneur. On croirait entendre Candice.

Sandra tapote sur son bloc-notes avec son crayon.

– Alors, Katie, que décides-tu? C'est à toi de choisir.

Je m'affaisse sur ma chaise et fixe le téléphone. Tout ce qui me vient en tête, c'est l'expression sur le visage de mon père hier, quand il a compris de quoi il retournait.

– OK, marmonné-je, le menton plongé dans l'encolure de mon chandail.

– Qu'as-tu dit?

– J'ai dit OK…

– Tu acceptes qu'ils viennent?

Je hoche la tête. Elle sourit.

– Je suis contente, Katie. Je crois que tu as pris la bonne décision.

Elle est bien la seule.

• • •

Il est presque minuit et je suis couchée dans mon lit, contemplant le plafond. Après avoir passé deux heures à compter les rayons de lune, les fissures au plafond, les moutons, les moutons à l'envers, et un million de pensées négatives, je sais que c'est une cause perdue.

Je songe à me glisser dans la bibliothèque pour lire un des bouquins de croissance personnelle (somnifère garanti), mais la dernière chose dont j'ai envie, c'est de passer davantage de temps à réfléchir aux drogues, à l'alcool, à la conscience de soi ou à n'importe-quoi-de-soi.

J'écoute le silence qui m'entoure. Il est vide et assourdissant à la fois. Même Muriel dort sans faire de bruit. Je me demande si je suis la seule pensionnaire éveillée. Les autres sont-ils tous bien blottis dans leur lit, perdus dans leurs rêves (ou leurs rêves de brandy) ?

Mais où sont donc Amber, Connor et Henry quand j'ai besoin d'eux ? J'aurais bien envie d'une petite séance à la *Girl Interrupted*, en ce moment.

Henry, Henry, Henry... Que vais-je donc faire avec lui ? Est-ce que je lui plais ? Comme une fille plaît à un garçon ? Comme une fille plaît à un garçon quand ils ont des atomes crochus, même s'ils se sont rencontrés en désintox ? Je crois que oui. Je crois que oui, mais je n'en suis pas sûre. Pas sûre,

sûre... Pas assez sûre pour déterminer si je devrais m'éloigner de lui.

Si tu lui plais, pourquoi t'éloigner?

C'est évident, non, étant donné la nature de ma mission secrète ici?

Ne peux-tu pas t'amuser un peu pendant que tu travailles?

Ne peux-tu pas me laisser dormir?

Fais-en ce que tu veux, hein...

Je veux dormir, c'est tout.

Pour rêver à Henry?

Va te faire foutre.

Peut-être ne dort-il pas, lui non plus?

Ah, là, tu parles!

En silence, afin de ne pas réveiller Muriel, je place mes oreillers sous ma couverture, me brosse rapidement les cheveux et sors de ma chambre. J'atteins le bout du corridor avant d'avoir compris quelque chose d'important. Une faille intrinsèque dans mon plan, en fait...

Je ne sais pas où se trouve la chambre de Henry.

Merde.

Bravo, Katie.

Toi, tu fermes ta gueule.

Fais-en ce que tu veux, hein.

Tu me dis toujours d'en faire ce que je veux. Eh bien, ce que je veux, c'est que tu me laisses tranquille!

OK, réfléchissons. Je sais que les chambres des hommes sont à l'étage supérieur, et il doit y avoir deux couloirs qui les longent, comme à l'étage des femmes. Je me concentre, repensant à nos conversations, cherchant à trouver des indices... Ça y est! Connor n'a-t-il pas dit qu'il pourrait envoyer un message à Amber à travers le plancher, l'autre jour, quand nous parlions de refaire une autre soirée *Risk* ? Alors, ça veut certainement dire que...

J'ouvre la porte de la cage d'escalier. L'écriteau lumineux rouge qui indique la sortie y jette une lueur terrifiante. Quand j'arrive en haut, j'appuie mon visage contre le panneau vitré de la porte, que j'entrouvre doucement. Le corridor semble désert. Je longe le couloir et compte les poignées de porte, jusqu'à ce que je me trouve devant celle de la chambre devant logiquement se situer juste au-dessus de celle d'Amber.

Voilà, je suis devant ce qui devrait être la tanière de Connor et Henry. Ce qui veut dire, bien entendu, que Henry ET Connor s'y trouvent. Zut, j'aurais vraiment dû y penser avant. Mais après tout, est-ce que cela me gêne que Connor sache que j'ai rendu visite à Henry en pleine nuit ? Et que veut dire, au juste, « rendre visite », hein ? OK. Quand le vin est tiré, il faut le boire.

Si seulement.

Je tourne doucement la poignée de la porte.

– Henry ?

J'entends un son qui semble me répondre. J'ouvre davantage, laissant la lumière du corridor se poser sur un des lits simples de la pièce.

Bordel. Quand vais-je donc apprendre ma leçon ? Ne pas ouvrir de portes inconnues en pleine nuit.

Deux hommes sont en train de, comment dire... fraterniser sur le lit devant moi. À la lueur du corridor, tout ce que je vois, c'est que l'un d'eux a les cheveux foncés, et que l'autre...

– Fous le camp d'ici ! hurle le cinéaste, qui est donc certainement gay.

– Désolée, désolée !

Je referme la porte derrière moi et j'enfonce mon poing dans ma bouche pour me retenir de rire. Le cinéaste et le banquier. Qui l'aurait cru ?

Et maintenant, que vas-tu faire ?

Excellente question.

Deux options se présentent à moi. Retourner à ma chambre et recommencer à contempler le plafond, ou trouver la chambre de Henry sans me faire prendre, ce qui serait un miracle.

Si d'ailleurs, on me surprenait ici, je me ferais sûrement mettre à la porte. Et s'ils me mettaient à la porte, ça voudrait dire que j'aurais fait tout ça pour rien. Que mes parents seraient blessés, que ma sœur se sentirait définitivement supérieure à moi, que mes amis seraient faussement fiers de moi. Tout ça pour rien. Et, surtout, ça voudrait dire que mon futur avec *The Line* serait du passé.

Alors, je sais quelle est la bonne décision à prendre. Malgré tout, j'hésite.

Ça n'a jamais été mon point fort, de prendre de bonnes décisions. Rentrer à la maison à une heure raisonnable ou boire un verre de plus ? Donner mon numéro de téléphone à un gars ou l'inviter tout de suite à mon appartement ? Mentir à mes amis et à ma famille ou être honnête ? J'ai toujours choisi l'alcool, l'invitation et le mensonge.

Et ce soir ? Que vais-je faire ce soir ?

Va te coucher.

Tu sais, c'est le premier conseil sensé que tu m'aies donné depuis… depuis toujours.

Je marche à pas de loup jusqu'à ma chambre et me glisse dans mon lit. Muriel est couchée sur le dos et ronfle comme un marin soûl. Je serre mon oreiller contre ma poitrine et j'attends le sommeil.

• • •

– Partages-tu la chambre de Connor ? demandé-je à Henry le lendemain matin, après notre séance de jogging (dix-huit minutes !), tentant d'adopter un ton désinvolte. La journée est fraîche et nuageuse, ce qui sied à merveille à mon état d'esprit je-manque-de-sommeil-et-je-ne-peux-pas-croire-que-mes-parents-seront-ici-dans-une-heure.

Henry essuie son front de sa main.

– Nan.

Zut. J'aurais dû lui demander cela pendant notre course. Il m'aurait probablement déjà dessiné une carte géographique indiquant l'emplacement de sa chambre. Puis-je me permettre encore une question ?

– Tu dors où, alors ?

– Pourquoi es-tu si curieuse ?

Il faut croire que non.

– Oh, je parle pour parler.

Ses yeux brillent de malice.

– Je vois.

Changeons de sujet.

– Mes parents viennent aujourd'hui.

Bordel, pourquoi lui ai-je dit ça ?

– Pour cette histoire de thérapie familiale ?

– Ouais.

Il me dévisage.

– Ça ne semble pas t'emballer.

– Ça t'emballerait, toi?

– Je ne sais pas si je suis vraiment qualifié pour en parler, dit-il doucement. Si doucement que je crois que je vais me mettre à pleurer.

Encore ces sacrés pleurs! Eh bien non, rien à faire, je ne me mettrai pas à pleurer devant Henry. Je parle rapidement pour freiner la boule qui s'est formée dans ma gorge.

– Je ferais mieux d'aller sous la douche.

– Ça va?

– Ouais. À plus tard, hein?

– Courage.

– Merci.

Nos regards se croisent un instant. Il place ses deux mains sur mes épaules et m'attire contre lui. Ses bras sont chauds et fermes autour de moi. Il sent le sel et le savon.

– Tu vas t'en sortir, Kate, Katie, comme tu voudras, murmure-t-il à mon oreille.

Zut. Je vais tellement pleurer, à présent.

– Je dois y aller.

Je pose les mains sur sa poitrine et le repousse doucement, en gardant la tête baissée.

Et avant qu'il ait le temps de dire quelque chose de gentil ou d'essuyer une larme sur mon visage, je me retourne et je pars en courant.

• • •

Mes parents arrivent vers 10 h, dans leur vieille Volkswagen familiale bleue. Perchée sur le mur de pierre qui entoure le stationnement, je les attends, dans les vêtements les plus habillés que j'ai apportés en désintox, à savoir une jupe en jean et une chemise vert pâle qui a besoin d'être repassée.

Mes parents sortent de la voiture en même temps. Ma mère porte une jupe beige évasée et une chemise blanche, et ses longs cheveux gris sont ramassés en un chignon serré. Mon père (qui porte des shorts du 1er avril au 1er novembre, quelle que soit la température ou l'occasion) est vêtu d'un short de golf à carreaux et d'un tee-shirt à encolure rouge foncé.

Ils me serrent brièvement dans leurs bras, puis la situation s'envenime.

– Et alors, pas de câlin pour moi? demande Chrissie d'un air satisfait, en s'adossant au capot de la voiture. Elle a l'air chic et fâché dans sa robe chemise gris pâle, et elle porte plus de maquillage que d'habitude.

Vraiment, quelle famille. Nous semblons tous suivre le même code vestimentaire pour la journée de thérapie familiale. La collection désintox printemps-été, version Sandford. Disponible dans un magasin *Target* près de chez vous.

– Que fait-elle ici? demandé-je à mon père.

– C'est une thérapie familiale, Katie, me répond-il sur un ton de reproche.

– Ah! lance Chrissie. Depuis quand se soucie-t-elle de notre famille?

J'observe son visage buté avec regret. Quand j'ai quitté mon village sans me retourner, mes parents étaient fiers de moi et de l'université prestigieuse où je me rendais. Mais Chrissie a toujours été en colère. Parce que je l'ai abandonnée? Parce qu'elle n'avait pas les notes requises pour me suivre, deux ans plus tard? Je ne l'ai jamais su et, pour être honnête, je ne lui ai jamais posé la question. Après, il y a eu le truc avec Michael, et ç'a été la chute libre.

– C'est quoi, ton foutu problème, Chrissie? lui demandé-je assez fort pour attirer l'attention de monsieur Fortune 500 et de quelques autres patients à proximité.

Ma mère semble avoir envie de rentrer sous terre.

– Je t'en prie, Katie.

– Désolée, maman, mais cette situation est assez difficile comme ça, sans qu'on ait besoin d'y ajouter miss Pauvre-de-moi qui me blâme pour tout ce qui va mal dans sa vie.

– Ce n'est pas vrai! s'offusque-t-elle.

– Si, c'est vrai. Tu sais, ce n'est pas à cause de moi que Michael t'a trompée.

Elle tressaille à l'énoncé de ce prénom.

– Il passait pourtant quelques jours chez toi quand c'est arrivé.

Je me tourne vers mon père.

– Tu vois ce que je veux dire, papa?

Je lui adresse mon regard de petite-fille-perdue-qui-a-besoin-de-son-papa, et je le vois fondre. Il n'a jamais été capable de me réprimander.

– Chrissie, peut-être serait-il préférable que ta mère et moi y allions sans toi...

Ma sœur devient rouge de colère.

– C'est tout simplement impossible, ça.

Ma mère secoue la tête.

– Elle a raison, Topher. Ne laisse pas ta fille te manipuler.

Ma mère, grande pacifiste devant l'Éternel, qui voit non seulement clair dans mon jeu, mais qui ne me laisse pas non plus m'en tirer facilement. Ça va mal, très mal.

– Maman…

– Non, Katie, dit-elle sans me regarder, nous sommes tous ici et nous resterons ensemble.

Le ton de sa voix indique qu'elle ne cédera pas, et j'en ai marre de me donner en spectacle devant les autres patients.

– OK, comme vous voulez, conclus-je. Allez, nous allons être en retard.

Ma sœur lève le menton, un air de défi sur le visage. Est-il possible de détester à ce point quelqu'un qui est votre portrait craché?

Je guide ma famille parfaite jusqu'à la première séance de la journée : une thérapie de groupe avec parents, frères et sœurs dans la salle commune. Youpi.

Nous sommes quatre qui participons au programme de thérapie familiale : Amber, Candice, monsieur Fortune 500 et moi-même. Nous sommes assis en rond autour de Sandra, sur les mêmes chaises pliantes en métal que nous utilisons habituellement.

Les parents d'Amber sont des bourgeois bon chic bon genre issus d'une grande famille, à l'habillement et à l'accent impeccables. Elle est assise entre eux, l'air maussade, et ils lui tiennent chacun une main. Ils semblent tristes mais stoïques. La mère de Candice est une version de cette dernière à soixante ans. Elle a un lifting raté et semble attendre impatiemment la chance de prendre toute la place. L'épouse de monsieur Fortune 500 est petite et assez jolie, mais d'une beauté fatiguée et quelque peu fanée. Elle semble malheureuse, mais ce n'est pas étonnant quand on sait à qui elle est mariée.

Sandra nous souhaite la bienvenue et demande à chacun de se présenter («Je m'appelle Topher, et ma fille est alcoolique », dit mon père d'un ton nerveux), puis elle se lance dans une explication de la dépendance et du rôle qu'une famille peut jouer pour en faciliter la guérison. Bref, des façons dont nos familles peuvent nous aider à rompre avec nos anciennes habitudes et comment ils peuvent constituer des alliés importants dans notre bataille pour demeurer sobres.

Tandis que madame Fortune 500 et les parents d'Amber posent des questions à intervalles réguliers, mes parents ne disent pas un mot. Ils se contentent d'écouter Sandra. De temps à autre, ma mère note quelque chose sur le petit calepin qu'elle traîne toujours dans son sac à main. *Faciliter*, écrit-elle à un moment. Puis, *système de soutien*, un peu plus tard.

Chrissie passe une bonne partie du temps à regarder par la fenêtre, comme si elle avait envie de foutre le camp d'ici. Je ne peux m'empêcher de sourire. Je ne suis peut-être pas mademoiselle Parlons-de-nos-sentiments, mais à côté de ma sœur, même les parents bourgeois et coincés d'Amber ont l'air de participants à l'émission *The Bachelor*. Je ne comprends vraiment pas pourquoi elle tenait tant à être là.

Et je n'aurai sans doute pas la chance de l'apprendre. Quand nous prenons une pause, ma sœur annonce qu'elle s'en va.

– Mais tu en as fait tout un plat, ce matin, dit mon père, le regard troublé. Pourquoi ne restes-tu pas toute la journée ?

– Et demeurer plantée là à me faire dire en quoi il faut nous blâmer pour le bordel de Katie ? Non, merci !

Amber m'adresse un sourire compatissant, alors qu'elle se dirige vers l'entrée de la pièce avec ses parents.

– Pars, alors, dis-je. Je ne t'ai pas demandé de venir.

Chrissie me jette un regard noir.

– Non, ça ne serait pas trop ton genre, ça, hein?

Soupir. Plus jeunes, nous étions si inséparables que nous appréciions que les gens nous prennent pour des jumelles. Et aujourd'hui, je ne saurais même pas quoi dire pour la convaincre de rester ici, même si je le voulais. Je réponds donc simplement :

– Non, pas trop.

Ma mère inspire fort, les yeux au ciel, et mon père claque la langue de manière désapprobatrice. Chrissie ramasse son sac à main et sort par la porte-fenêtre. Je la regarde partir, les épaules raides de colère. Je sais que je devrais courir pour la rattraper, mais je n'en ai pas l'énergie et je ne sais pas non plus ce que je pourrais dire pour guérir cette blessure entre nous.

Je me retourne vers mes parents. Mon père a placé son bras autour des épaules de ma mère et la tient, serrée contre lui.

– Voulez-vous partir, vous aussi?

J'essaie de masquer la note d'espoir qui pointe dans ma voix.

– Nous restons, répond ma mère d'un ton ferme en me regardant enfin dans les yeux.

Bon, d'accord.

C'est l'heure du dîner. Mes parents et moi nous rendons à la cafétéria et chipotons dans nos assiettes de salade César. J'aperçois Henry assis avec le JJB, quelques tables plus loin. Il m'envoie un salut amical de la main, et je lui réponds.

Ma mère surprend mon geste.

– Qui est-ce?

– Connor Parks, réponds-je, même si je sais que ce n'est pas de lui qu'elle parlait.

– Non, chérie, pas lui. Celui que tu as salué. Avec les cheveux roux.

Ce genre de question illustre tellement bien la raison pour laquelle je ne voulais pas que mes parents viennent ici.

– Est-ce un patient ? insiste-t-elle.

– Non.

– Travaille-t-il ici ?

– Non.

Mon père lui tapote le bras.

– Marion, chérie, je ne crois pas qu'elle veuille te dire de qui il s'agit.

– Pourquoi ? C'est une question très simple, à ce que je sache.

– Peut-être est-ce privé.

– Je ne crois pas qu'en cure de désintoxication on se soucie beaucoup de la vie privée des gens.

– Marion, nous en avons déjà discuté... Nous sommes ici pour soutenir Katie, pas pour la pousser.

Elle secoue la tête.

– Non, je ne suis pas d'accord.

J'entonne la prière de la sérénité dans ma tête. Puis, je me lève.

– Nous sommes attendus dans le bureau de Sandra.

Ma mère semble vouloir ajouter quelque chose, mais elle se retient.

– D'accord, ma chérie.

La thérapeute accueille mes parents dans son bureau et nous guide vers une petite salle de réunion que je n'avais jamais vue auparavant. On y trouve une table ronde en chêne, quatre chaises assorties et une longue fenêtre haut placée qui laisse pénétrer la lumière du jour. Il y a (bien entendu) des affiches de chiens sur les murs.

– Quelle pièce agréable, dit ma mère en s'arrêtant devant la photo d'un chien plutôt ordinaire. Avez-vous pris ces photos vous-même ?

– Oui, répond Sandra en souriant de fierté. J'ai une passion pour les chiens, surtout les teckels.

– Ce sont ceux qui ressemblent à de petits hot dogs, c'est ça ?

Sandra tressaille légèrement en entendant les mots « hot dog ».

– Oui, c'est exact.

– Comme c'est intéressant. En faites-vous aussi l'élevage ?

– Oui. Et je les emmène en compétition.

– Oh, comme dans ce film...

Ma mère se tourne vers mon père.

– Comment s'appelait-il, Topher ? Tu sais, ce film avec cette actrice, celle qui est rigolote.

Best in Show. Catherine O'Hara.

– Je ne sais pas, chérie.

– Mais si. Nous l'avons regardé il y a quelques semaines. Tu sais, celui où il y a cette compétition de chiens, et les deux hommes rigolos qui commentent ?

– *Best in Show*, dis-je.

Le visage de ma mère s'éclaire.

– Ah, oui, voilà ! Tu ne te souviens pas, Topher ? *Best in Show*. C'était très rigolo.

– Tu l'as peut-être regardé avec ton autre mari, dit mon père en riant.

– C'est une petite blague entre nous, explique ma mère à Sandra. Je n'ai bien sûr pas d'autre mari.

– Bien sûr, répond Sandra, ne semblant pas trop savoir comment réagir.

– Avez-vous vu ce film ? *Best in Show* ?

– Oui, je l'ai vu. C'était très rigolo.

Oh. Mon. Dieu. Je croyais qu'on était ici pour parler de moi, et voilà qu'on jacasse de chiens et de films sans intérêt.

– Je crois d'ailleurs que la même équipe de tournage en a fait un autre, de film. Ils essayaient de gagner un Oscar... Oh zut, comment s'appelait ce film, déjà ?

For Your Consideration. S'il vous plaît, achevez-moi, maintenant.

Sandra se racle la gorge.

– Nous pourrions peut-être discuter de cela un peu plus tard, qu'en dites-vous ?

– Oui, oui, bien sûr.

Ma mère s'assoit à côté de mon père et sort son calepin et un stylo de son sac à main, puis elle lève des yeux attentifs vers la thérapeute.

– À la suite de notre discussion de ce matin, l'objectif de la séance d'aujourd'hui est de parler de l'importance de l'alcoolisme de Katie et de l'impact que cela a sur sa vie, ainsi que sur la vôtre.

– Alors, elle est réellement alcoolique ? demande mon père, soudainement sérieux.

Je regarde par terre et place mes mains sous mes cuisses pour m'empêcher de sauter sur Sandra et de l'étrangler. Je sais que ce n'est pas sa faute, mais j'ai quand même envie de la blâmer.

– Oui, répond-elle.

– S'agit-il seulement d'un problème d'alcool ? persiste-t-il.

Oui, papa. Pour la mari, le haschich et les champignons, je t'ai écouté, j'ai fait comme tu as dit.

– Peut-être que Katie pourrait elle-même répondre à vos questions, propose Sandra.

Il se tourne vers moi. Mes yeux demeurent fixés sur le tracé du tapis.

– Oui, papa. Seulement de l'alcool.

– Beaucoup d'alcool?

– Parfois.

– Ça signifie quoi, «beaucoup», chérie? demande ma mère, le stylo en suspens au-dessus de son calepin.

Pourquoi diable prend-elle des notes? Va-t-elle réellement éprouver de la difficulté à se souvenir de ce qui s'est dit aujourd'hui? Ou va-t-elle les ajouter à ma boîte à souvenirs, avec les chaussures de bébé en bronze et la dent que j'ai laissée à la fée des dents?

– Qu'est-ce que ça peut bien faire?

– Katie, tes parents essaient simplement de comprendre l'importance de ton problème. Sois indulgente envers eux.

Impossible.

Je regarde de nouveau le tapis.

– Désolée.

– Quand est-ce que ç'a commencé, Katiekins? demande mon père en utilisant un surnom que je n'ai pas entendu depuis mes treize ans, quand je lui ai interdit de l'utiliser après qu'il m'ait appelée comme ça devant un garçon qui me plaisait.

– Je ne sais pas. C'est arrivé graduellement.

Un savoureux cocktail à la fois, en fait.

J'entends le stylo de ma mère qui griffonne sur son carnet.

– Est-ce c'est dû au fait que tu sois en ville? T'y sens-tu perdue? demande ma mère.

– Non.

– Parce que tu n'as pas de copain, alors ?

– Marion, chérie, ça suffit, intervient mon père.

– Ne puis-je pas poser quelques questions à ma propre fille ?

– Pourquoi ne la laissons-nous pas nous dire ce qu'elle veut bien nous dire ?

– Mais elle semble ne rien vouloir nous dire.

Et elle a bien raison. Je veux plutôt hurler. Je veux taper du pied. Je veux que cette séance se termine. Immédiatement ! Mais je ne veux absolument rien dire à mes parents.

Peut-être y a-t-il un moyen de parvenir à mes fins. Ce ne sera pas très gentil, mais en ce moment, la gentillesse ne figure pas dans la liste de mes priorités.

– Sandra dit que c'est parce que papa me laissait boire quand j'étais petite, lancé-je en levant les yeux pour lire la réaction de la thérapeute.

Mon père inspire bruyamment, et ma mère se met à pleurer, oubliant d'un coup son calepin de notes.

Je suis une mauvaise, mauvaise personne.

Mes parents se tournent vers Sandra, cherchant à comprendre. Et même si je suis malheureuse, triste et pleine de remords, je ressens un certain plaisir en voyant les pieds de ma thérapeute s'exciter sous la table.

– Marion, Topher, Katie fait allusion à certaines conversations que nous avons eues au sujet de sa consommation initiale d'alcool, consommation qui a eu lieu, si je ne m'abuse, dans un contexte familial. Cela ne signifie toutefois pas que vous soyez responsables de son alcoolisme. Personne n'en est responsable.

Oh, oui, il y a un responsable.

Mon père se tortille sur sa chaise.

– Mais c'est vrai que nous... Je... Je l'ai laissée boire quand elle était jeune. Pas souvent, mais...

– Topher, je vous prie de me croire, nous ne pouvons d'aucune façon déterminer si c'est ce qui a fait la différence. Il est très probable que Katie ait développé toute seule un problème d'alcool, de toute façon.

Oh, non, Sandra. Tu ne t'en tireras pas si facilement.

– Mais tu as pourtant dit que la permissivité envahissante de mon enfance était une des raisons pour lesquelles je n'ai pas pu reconnaître que l'alcool m'était nuisible, une fois adulte.

Bon. À présent, mon père semble au bord des larmes.

Je suis vraiment une mauvaise, mauvaise, mauvaise personne.

– Topher, Marion, voulez-vous bien nous excuser un moment? Je voudrais parler à Katie en tête-à-tête.

Mon père prend ma mère par le coude, et ils se lèvent tous les deux.

– Bien sûr.

Ils quittent la pièce, et Sandra referme la porte. J'évite son regard. Je me sens comme un animal en cage.

– Que se passe-t-il, Katie?

– Je t'ai dit que je ne voulais pas qu'ils viennent.

Elle s'assoit à côté de moi.

– Tu essaies de les faire partir.

Euh... oui.

– Je ne sais pas. Peut-être.

– Katie, tu vas sortir d'ici dans quelques jours. Tu auras besoin de soutien, si tu veux commencer à colmater les trous que tu as faits dans ta vie.

– Ne veux-tu pas plutôt dire « les abîmes profonds » ?

Elle ébauche un sourire.

– Je ne crois pas que ce soit un abîme si profond que ça. Mais je suis curieuse. Si je me souviens bien, tu m'as dit que tes parents étaient extraordinaires, non ?

– Oui, ils le sont.

– Alors, pourquoi ressens-tu une telle colère envers eux ?

Tiens, c'est drôle, ça. Je ne savais même pas que j'étais en colère contre eux. Mais je le suis, c'est vrai. Je suis en colère parce que mon père n'a même pas eu l'air étonné quand il a appris que j'étais en désintox. Je suis en colère, car ma mère met plus d'efforts à tenter de comprendre ma « maladie » qu'elle n'en a jamais mis à comprendre ma carrière. Et je suis en colère parce que ma sœur n'a même pas été foutue de rester jusqu'à l'heure du dîner. Mais tout ça, ce sont mes problèmes à moi, non ? C'est moi qui suis venue ici, et maintenant, ils croient qu'ils ont une alcoolique dans la famille. Alors, je ne devrais pas leur en vouloir de tout faire pour essayer de comprendre.

– Appelle mes parents, et je m'expliquerai, d'accord ?

Sandra ouvre la porte et leur fait signe de venir. Je contemple le carré de ciel gris que j'aperçois à travers la fenêtre, évitant de regarder mes parents alors qu'ils se rassoient.

– Katie a quelque chose à vous dire.

Quand il le faut, il le faut.

Je m'oblige à regarder leurs visages tristes.

– Maman, papa, je suis désolée d'avoir dit ces choses, tout à l'heure.

– Ça va, ma chérie, nous comprenons.

– Non... Ce n'est pas votre faute, c'est la mienne...

Je cherche les mots justes. Je voudrais leur dire quelque chose qui comporte une miette de vérité, afin de les rassurer.

– C'est ma faute. Je suis ici parce que j'ai pris de mauvaises décisions. Et j'ai dit ce que j'ai dit parce que je ne voulais pas que vous veniez ici, alors je suppose que je voulais vous punir. Mais ce n'est pas juste, et ce que j'ai dit n'était pas vrai.

Mon père place sa main sur la mienne.

– Pourquoi ne voulais-tu pas que nous venions, Katiekins?

– Parce que je ne voulais pas vous mêler à ce...

À ce mensonge, cette imposture.

– Mais nous sommes tes parents, ma chérie. Si tu as besoin d'aide, nous voulons t'aider.

– Je sais, maman.

– Nous t'aimons, Katie.

– Je sais, papa. Merci d'être venus. Merci d'avoir voulu m'aider. Ça me touche beaucoup.

Ma mère essuie une larme du bout de son pouce.

– Merci de nous dire cela, ma chérie.

Sandra est rayonnante.

– Je crois que nous progressons à merveille, n'est-ce pas?

– Oui, répond mon père avec un éclat dans le regard qui n'a rien à voir avec ses larmes. Mais il y a autre chose que je voudrais savoir.

– Quoi?

– Qui était cet homme, à la cafétéria?

CHAPITRE 19

LA DERNIÈRE CHOSE
QUE JE DOIS FAIRE

En séance de groupe, le lendemain, Candice lève la main et annonce qu'elle veut nous expliquer pourquoi elle a essayé de se suicider. Il n'est pas étonnant que chacun se redresse immédiatement sur son siège, le visage faisant une grimace du style « dis-moi-dis-moi-dis-moi ». Il faut dire que c'est vraiment la disette, en ce moment, côté nouveaux récits croustillants. Même les histoires de Connor sniffant de la cocaïne sur les fesses de starlettes, deviennent lassantes à entendre.

Il nous restait cependant à apprendre ce que tout le monde avait essayé de savoir quand Candice était revenue de l'aile médicale du centre avec des bandages autour des poignets.

– Candice, si tu ne te sens pas prête..., dit Sandra, l'air inquiet.

– Non, je me sens prête.

Oh, Dieu merci. J'avais peur pendant un instant que Sandra la convainque de ne rien dire.

– Souviens-toi, Candice, nous sommes dans un lieu de confiance, ajoute Sandra en regardant tous les participants et en fixant durement le cinéaste et le banquier.

Candice croise les jambes. Elle porte des chaussettes blanches ornées de dentelle qui disparaissent dans ses courtes bottes noires. À bien y penser, son look du jour fait très Molly Ringwald, du temps de *Pretty in Pink*.

– Je ne suis pas idiote, vous savez. Je sais que vous ne m'aimez pas et que vous riez de moi dans mon dos. Vous m'appelez l'enfant-vedette, pas vrai?

Je frissonne. A-t-elle lu mon calepin?

Elle lève le menton.

– Mais ce n'est pas à cause de ça que j'ai fait ce que j'ai fait, d'accord? Ce n'était pas à cause de vous. C'était à cause de moi. Savez-vous que c'est la cinquième fois que je viens en désintox? J'ai dépensé plus de deux cent mille dollars pour prendre les choses un jour à la fois et pour chanter *Kumbaya*. Ça. Ne. Fonctionne. Pas. À l'intérieur, je me sens toujours la même. Je continue à vouloir consommer tout ce que je peux trouver, et je sais qu'en partant d'ici, c'est exactement ce que je vais faire. Alors, c'est pour ça que je l'ai fait. Pour me débarrasser de ce que je ressens à l'intérieur.

Elle se frappe la poitrine. Fort.

– Mais je n'ai même pas réussi à faire ça correctement. Je suis toujours ici, et rien n'a changé. Et je ne sais plus quoi faire.

Elle penche la tête de manière dramatique.

La salle est si silencieuse qu'on y entendrait tomber une aiguille. Puis, le cinéaste se met à applaudir lentement.

– Oh, bravo! lance-t-il. Bien joué!

Monsieur Fortune 500 commence à applaudir lui aussi. Bientôt, la moitié de l'assistance siffle et applaudit. J'entends même quelqu'un, Connor, je crois, crier: «Encore!»

Sandra cogne sur sa chaise. Elle a l'air fâché.

– Je vous en prie ! C'est un comportement complètement inacceptable ! Comment osez-vous violer ainsi la confiance de Candice après tout ce que nous avons...

Sa voix s'éteint lorsqu'elle regarde l'actrice.

Car Candice n'est ni en larmes, ni fâchée, ni honteuse.

Elle salue plutôt l'assistance en délire.

Je retombe sur ma chaise, éberluée. Je me suis habituée au cinéma d'Amber au cours des quatre dernières semaines, mais celle-là, je ne l'avais vraiment pas vue venir. Il faut rendre à César ce qui est à César, alors j'applaudis avec le reste de la salle, malgré le regard noir que m'adresse Amber.

Quelques instants plus tard, Evan et John apparaissent pour tenter de calmer les choses. Candice les suit tranquillement. À la porte, elle se retourne et nous envoie un baiser, en criant : « Vous m'aimez, maintenant, bande de garces ? »

• • •

Vers la fin de notre séance du jour 29 : « Apprendre à lâcher prise », Sandra me dit :

– Nous avons presque complété ton programme. Te sens-tu prête à rentrer chez toi ?

Merde. J'avais peur qu'on me dise de partir avant d'avoir terminé mon travail.

– Mais je n'en suis qu'à la septième étape...

– Tu n'as pas à terminer toutes les étapes ici. Tu progresseras lors de tes rencontres des AA.

– Ouais, ouais...

Sandra me regarde comme si elle espérait que je blague.

– Katie, il est très important que tu ailles à ces rencontres quand tu seras chez toi. Trente en trente jours, c'est le minimum que nous recommandons.

– Ouais, je sais. Alors, tu crois vraiment que je suis prête à partir ?

Elle hoche la tête.

– Nous avons réussi à identifier les causes de ton comportement dépendant. Nous avons effectué une percée importante avec ta famille, et nous avons commencé à élaborer ton plan de sobriété. Donc, je crois que tu es prête. Mais il est important que tu te sentes prête toi aussi.

– Et si je le suis ?

– Alors, il te reste seulement une chose à faire.

– Quoi ?

– Te confesser.

• • •

Je me joins à Amber vers la fin du dîner. Je dépose mon bol de crème de palourdes sur la table. LFDAC mange un sandwich au fromage grillé par petites bouchées. Elle me fait penser à Rory.

– Où sont les garçons ?

– Ils disent au revoir à Ted.

– Zut. J'ai manqué la chanson ?

Elle sourit.

– Tu pourras chanter pour moi demain.

– Que veux-tu dire ?

– J'ai complété mon programme, et comme j'ai été une patiente modèle récemment, ma thérapeute a dit que je pouvais partir demain si je le voulais.

– Hum…, dis-je en avalant une gorgée de soupe, moi aussi, je pars demain.

– Super, dit-elle sans enthousiasme.

– Donc, nous partons toutes les deux d'ici demain ?

– On dirait bien.

Je pose ma cuillère sur la table.

– Alors, peux-tu bien me dire pourquoi nous ne sautons pas au plafond, toutes le deux ?

Elle m'adresse un sourire radieux.

– Parce que nous sommes des imbéciles ?

– Je pense que nous sommes plutôt en état de choc, dis-je en me secouant. Plus de thérapie, plus de séances de groupe, plus de Sandra. Ça mérite un toast.

Je lève mon verre vers elle. Elle sourit et fait de même.

– À quoi portons-nous un toast ?

– À la détermination.

– La détermination ?

– Oui. La force et l'endurance dans une situation difficile.

– Pas mal.

Nos verres s'entrechoquent, et j'avale mon jus de raisin d'un coup. Ce n'est pas le premier choix de liquide avec lequel je porterais idéalement un toast, mais on ne peut pas être trop difficile quand on célèbre sa dernière journée dans un centre de désintox.

Je repose le verre à l'envers sur la table, comme s'il s'agissait d'un *shooter*.

– Alors, que veux-tu faire pour ton dernier après-midi ici ? demandé-je.

Elle essuie sa moustache de lait.

– L'école buissonnière ? Manquer la séance de groupe ? propose-t-elle.

– Excellente idée. J'ai juste un petit truc à régler d'abord.

• • •

Près de la porte d'entrée, j'attends Henry avec nervosité. Connor et lui finissent de dire au revoir au banquier. En gars typiques, aucun d'entre eux n'essuie une larme.

En observant Henry qui éclate de rire, je ressens un certain doute par rapport à ce que je m'apprête à lui demander. Mais depuis qu'Amy est partie, il est la seule personne ici avec laquelle je me sente assez à l'aise. Et si j'envoie un autre message en même temps, ce sera tant mieux, n'est-ce pas?

Quand ils ont fini de faire leurs «tope-là», Henry et Connor se dirigent vers moi. Henry porte un chandail de rugby et un short cargo. Il a l'air d'avoir à peu près vingt-deux ans. Il m'adresse un sourire rayonnant.

– Salut.

– Salut. Bonjour, Connor.

L'acteur me salue d'un air distrait.

– Tu as vu Amber?

– Je l'ai quittée à la cafétéria.

– D'ac. On se voit plus tard, Henry?

– Oui, à plus. Alors, Katie, quoi de neuf?

Je mâchouille le bout de mon pouce.

– Euh… eh bien… je pars demain.

– Mais c'est super, ça!

– Ouais. Amber part aussi.

– Vraiment? Je ne pensais pas qu'elle partirait avant Connor.

– Ouais, j'étais aussi surprise que toi. Mais il lui reste quoi, huit ou neuf jours à tirer?

– Huit jours et quatre heures, pour être plus précis.

– Mais tu ne comptes plus, n'est-ce pas? Dis-moi, Henry... on peut s'asseoir?

– Bien sûr.

Nous nous rendons à la bibliothèque et nous asseyons dans les fauteuils où nous avons eu notre première vraie conversation. Cette coïncidence me plaît, puisqu'à part ce soir, ce sera probablement notre dernier tête-à-tête.

Henry me regarde, curieux. Je ne sais pas à quoi il s'attend, mais je suis certaine que ce n'est pas à ce que je m'apprête à lui dire.

– Euh... je voulais te demander de me rendre service.

– D'accord.

– Mais tu ne sais pas encore de quoi il s'agit.

– Est-ce un truc si terrible que ça?

– Eh bien, tu pourrais penser que je m'impose, et s'il te plaît, sois bien à l'aise de dire non...

– Crache le morceau, Katie.

– OK. Bon, tu connais les douze étapes?

Il indique du doigt les livres qui nous entourent.

– Ici, il serait assez difficile de les ignorer.

– OK. Alors, l'une des étapes, c'est qu'il faut avouer, disons, la nature de nos péchés à une autre personne, un prêtre ou quelqu'un comme ça. Mais je ne crois pas à tout ça, alors...

Oh. Mon. Dieu. Je parle comme une ado retardée.

Henry fronce les sourcils.

– Tu veux te confesser à moi?

– Si ça ne te gêne pas.

– N'est-ce pas plutôt intime?

– Eh bien, c'est pour ça que je voudrais que ce soit toi.

Je m'interromps un moment. Le plus dur reste à venir.

– Parce que, euh, je trouve ça important de tout avouer à quelqu'un en qui j'ai confiance, mais qui ne fait pas vraiment partie de ma vie... Comme ça, je peux faire ma confession et passer à autre chose.

Les mots « sans toi » ne sont pas prononcés, mais ils flottent dans l'air.

– Je vois.

– Et j'ai confiance en toi...

Son visage demeure neutre.

– Et je ne fais pas vraiment partie de ta vie...

Ses mots me frappent à la poitrine comme autant de coups distincts. Boum, boum, boum, boum. Mais bon, je l'aurai voulu.

– Acceptes-tu de le faire? me forcé-je à lui demander.

Il détourne le regard.

– Ouais, OK...

– Merci. Es-tu libre après le film, ce soir?

– Et ton couvre-feu?

– Ce n'est plus très important.

Il se retourne vers moi, et son regard est celui qu'il adresserait à un inconnu.

– OK. C'est toi qui mènes.

Je suppose qu'il a raison. Mais si tel est le cas, pourquoi suis-je aussi désorientée?

• • •

Une fois Henry parti, je passe le reste de l'après-midi à la bibliothèque. Je rédige une liste de choses que je vais confesser.

Je ne sais pas vraiment pourquoi je me soucie tant de cette étape, mais j'ai l'impression qu'à un moment donné toute cette histoire a cessé d'être une grosse farce et est devenue quelque chose d'important pour moi. Peut-être est-ce à cause de la séance avec mes parents, ou encore, de tout ce dont me parle Sandra depuis mon arrivée. Au fond de moi, je ne crois toujours pas avoir un problème d'alcool, mais je comprends que les gens puissent le penser. Et d'une manière ou d'une autre, il faut que j'apporte des changements importants à ma vie. C'est évident.

Et puis, il est plus facile de me questionner sur les profondeurs de mon âme que de repenser au visage froid de Henry quand je lui ai expliqué pourquoi je l'avais choisi pour entendre ma confession.

Il est bien mieux sans moi. Il comprendra ça une fois qu'il aura entendu la liste de mes pires défauts. Et comme il ne s'est jamais rien passé entre nous... tout le monde s'en sort intact, pas vrai?

Alors, je lui avouerai mes péchés, il me fuira, et je serai simplement la fille avec qui il s'est amusé pendant qu'il tenait la main de Connor en désintox. Lui, il ne sera qu'un nom de plus sur la liste des gars que j'ai éloignés de moi avant que les choses ne deviennent compliquées.

À l'heure du souper, je ramasse mes notes et je m'assois à ma place habituelle à côté d'Amber, à la cafétéria. Connor et Henry sont assis en face de nous. Tout le monde semble un peu à l'envers, comme si personne ne souhaitait souligner le fait qu'il s'agit de notre dernière soirée ensemble.

Vers la fin du repas, Amber me dit:

– Il y a une voiture qui vient me chercher demain, si tu veux que je te ramène en ville.

– Tu ne rentres pas en avion ?

– J'évite de prendre l'avion, si possible.

– OK, ouais, ce serait gentil. À quelle heure pars-tu ?

– Tout de suite après le repas.

Henry se lève brusquement et ramasse son plateau.

– Bon, on va voir le film ?

Connor observe Amber.

– On vous rattrapera plus tard.

– Ouais, plus tard, dit-elle, le regard plongé dans celui du JJB.

Henry et moi nous rendons à la salle commune. Candice et Muriel sont assises près de l'écran, chuchotant comme deux conspiratrices. Je salue Muriel du geste. Elle semble insultée et chuchote de plus belle avec Candice. Le couple rêvé.

On tamise bientôt les lumières. Toujours dans la lignée des comédies romantiques qu'on nous montre depuis mon arrivée au centre, le film de ce soir est une adaptation qu'a faite la BBC du roman *Persuasion*, de Jane Austen. L'histoire en est la suivante : Anne est la deuxième fille d'un baronnet un peu imbécile. Elle est amoureuse d'un officier de marine pauvre et beau, prénommé Frédérick. Sa famille s'oppose à leur union, et ils se quittent. Huit ans plus tard, Frédérick est devenu riche et revient s'établir dans les environs, toujours fâché qu'Anne l'ait abandonné.

Pendant le film, je suis hyper consciente de la présence de Henry à côté de moi, ainsi que de ce que nous nous apprêtons à faire plus tard. Peut-être est-ce à cause du mélodrame que nous sommes en train de regarder, mais j'ai soudain l'impression qu'une partie de ma vie prend fin.

J'essaie de me débarrasser de ces pensées pour me concentrer sur le film, qui est assez bien fait et fidèle au roman, jusqu'à ce que...

– Non, non, non, marmonné-je.

Sur l'écran, on voit Anne qui court dans les rues de Bath, tentant de trouver Frédérick une fois que ce dernier lui a avoué son amour éternel dans une lettre.

J'émets un grognement de dégoût.

– Ce n'était tellement pas comme ça dans le livre...

– Pourquoi? Les femmes ne couraient pas après les hommes, à l'ère victorienne?

– Bien sûr que non.

Anne rattrape enfin Frédérick et lui dit que cette fois-ci rien ne l'empêchera de l'épouser. Ils s'embrassent (un gros baiser gluant et passionné en pleine rue!), et le film se termine. Quand les lumières s'allument, je me plains à Henry du besoin qu'ont certains cinéastes de moderniser une histoire parfaitement convenable dans sa version originale.

Henry m'adresse un sourire taquin.

– Pourquoi cela te fait-il tant d'effet?

– Parce que la version originale était parfaite.

– Vraiment?

– Tu n'as pas lu ce bouquin?

– Tu me prends pour une fille?

– Non, je te prends pour un ancien étudiant en littérature anglaise.

– Touché.

Le silence s'installe, tandis que nous songeons à ce qui nous attend.

– Tu es prêt? lui demandé-je.

Henry enfonce les mains dans les poches avant de son jean. Son visage est soudain aussi neutre que cet après-midi.

– D'accord. Allons-nous à la bibliothèque?

– Non. Suis-moi.

• • •

Nous longeons le sentier sur lequel nous avons joggé tant de fois, en nous orientant à la lueur de la lune. L'air est encore assez chaud et la nuit est claire. Des milliers de galaxies sont à moitié visibles à travers le feuillage au-dessus de nos têtes.

Je cherche un endroit en particulier, à savoir l'ombre d'un immense érable qui éclipse le ciel, un arbre qui me stupéfie chaque fois que je le vois. Je l'aperçois au loin. La brise berce doucement ses feuilles. Quand nous y arrivons, je m'assois par terre, les jambes croisées. Henry s'assoit devant moi.

– Alors, qu'est-ce que je dois faire?

S'il te plaît, ne me déteste pas...

– Rien. Tu as juste à m'écouter.

Je sors la feuille de papier sur laquelle j'ai dressé ma liste. Elle ne contient pas l'entière vérité, bien sûr, c'est impossible, mais l'essentiel y est. Enfin, le pire de moi y est.

Je sors mon iTouch et je l'allume, afin de pouvoir lire les mots si durs inscrits sur la page. Une lumière vive émane de l'appareil, créant un cocon de lumière autour de moi. Je pourrais presque imaginer que je suis seule.

Je me racle la gorge.

– Ceci est ma confession. J'ai menti. Je tiens les gens à distance. J'utilise l'alcool comme bouclier. J'ai trahi mes amis. J'ai trahi des gens qui ne sont pas mes amis...

Je lis lentement jusqu'au bas de la feuille, donnant à chaque phrase l'espace qui lui est dû. Puis, je retourne la feuille et je lis tout ce que j'ai aussi écrit à l'endos.

Henry m'écoute. J'entends le bruit de sa respiration, mais il ne dit rien.

J'arrive à la fin de ma liste. Je répète «J'ai menti», la dernière chose que j'ai écrite. La dernière et la première chose à mon sujet sont les mêmes.

Tu comprends, Henry? Tu comprends?

De la main gauche, je nettoie le sol entre nous, poussant les feuilles sur le côté. J'éteins le iTouch et je fouille dans ma poche pour en sortir le briquet que j'ai pris la peine d'apporter. J'approche la feuille de papier de la flamme, attendant qu'elle prenne feu.

– Tu es sûre que ce soit une bonne idée? demande Henry.

– Chut.

La feuille prend feu. Je la laisse tomber par terre, regardant les flammes dévorer ce que j'ai écrit. Des petits bouts de papier carbonisé s'échappent et flottent vers les arbres.

Je regarde jusqu'à ce que tout soit brûlé. Jusqu'à ce qu'il ne reste plus rien.

– Et maintenant? demande Henry.

J'essaie de croiser son regard, mais il fait trop noir.

– Maintenant, nous oublions tout.

CHAPITRE 20

RÉFLEXE PAVLOVIEN
ET CONNERIES

Le matin suivant, après la chanson d'adieu à la cafétéria, je vais rendre visite à Sandra à son bureau. Elle lève la tête au-dessus des papiers étalés devant elle quand je cogne à la porte.

– Je suis juste venue te dire au revoir.

Elle sourit et pose son stylo sur le bureau.

– Ça me fait plaisir.

– Et je voulais aussi te remercier... tu sais, de m'avoir supportée et tout.

– Pas de souci. Bonne chance, Katie.

– Merci, dis-je, puis j'hésite. Puis-je te poser une dernière question ?

– Bien sûr.

– Je sais que ça te semblera idiot, mais je me le demande depuis un moment...

– Vas-y.

– Il est pour qui, ce collier de chien ?

Le rire profond de Sandra me suit le long du corridor jusqu'au hall d'entrée, où Amber et Carol m'attendent.

En signant les formulaires confirmant mon congé, je me demande si Henry va passer. Et le voilà finalement, en train de parler à Amber. Il lui dit d'une voix basse un truc que je ne comprends pas, et elle secoue la tête. Il se détourne d'elle, l'air agacé, mais il m'adresse un léger sourire quand il me surprend en train de les observer.

– Prête ? me demande-t-il en s'avançant vers moi.

– Je crois...

– On se croisera peut-être dans le parc un de ces quatre...

– Oui.

Il me regarde intensément. Nous attendons tous les deux que l'autre dise quelque chose (Appelle-moi ? Reste ? Tu vas me manquer ? Merci ?), mais nous ne voulons ni l'un ni l'autre parler en premier.

– Prends soin de toi, Katie, Kate, comme tu voudras, dit-il enfin.

– Merci, Henry.

– Y a pas de quoi.

Il me serre une dernière fois l'épaule et s'éloigne. Je le regarde partir, mais comme cela a été le cas avec ma sœur, je ne saurais pas quoi dire pour le ramener vers moi, ni même si c'est ce que je souhaite.

J'essuie rapidement mes larmes et me dirige dehors avec Amber. Nous grimpons à bord d'un énorme VUS noir, tandis que le chauffeur place nos valises dans le coffre.

Durant le long trajet, nous parlons peu, chacune de nous perdue dans ses pensées. Quand nous arrivons en ville, tout semble très différent de ce que j'ai quitté il y a un mois. C'est comme dans les films, quand on nous montre les saisons en accéléré. Quand je suis partie, les bourgeons commençaient à peine à poindre. À présent, les arbres sont entièrement recouverts de feuilles. Les gens portent moins de vêtements. L'hiver n'est plus qu'un vague souvenir.

– Katie! m'appelle Amber par le toit ouvrant, alors que je grimpe les escaliers menant chez moi.

Je me retourne. On ne voit que sa tête qui sort du toit. Ses longs cheveux noirs tournoient autour de son visage dans le vent. Quelques piétons s'arrêtent pour la regarder, tentant de se souvenir de qui il s'agit.

– Ouais?

– Merci.

– Pourquoi?

– Tu sais... pour tout.

Un des piétons de l'autre côté de la rue la reconnaît. Il sort son téléphone de sa poche et commence à prendre des photos.

– Ne t'en fais pas, dis-je en souriant à Amber. En plus, t'es sur *Caméra cachée*, ajouté-je en pointant du menton le bonhomme qui continue à faire cliquer son téléphone.

Elle se retourne et lui adresse son célèbre sourire.

– T'as réussi ton portrait, chéri?

Le piéton rougit.

– Désolé.

– T'en fais pas, va. Mais obtiens un bon prix pour ça, hein? La Fille D'À Côté qui sort de désintox, ça doit bien valoir quelque chose!

Il n'a pas trop l'air de savoir quoi dire.

– OK.

Elle se retourne vers moi en riant.

– Je t'appelle plus tard.

Sa tête disparaît. Le VUS s'engage dans la rue, puis se fond dans la circulation.

C'est ça qui est ça.

Je hisse ma valise jusqu'en haut des escaliers de mon immeuble, puis jusqu'à mon appartement. Je lance :

– Joanne ?

Ma voix résonne dans l'appartement. Je devine qu'il n'y a personne. Je tire ma valise jusqu'à ma chambre, puis me dirige vers la cuisine pour voir ce qu'il y a dans le frigo. Il est à moitié vide, et ce qui s'y trouve porte clairement la mention « À Joanne », inscrite au marqueur noir indélébile. C'est incroyable, quand même, qu'elle ait conservé cette manie pendant mon absence.

Je découvre, dans un contenant en carton blanc, un restant de bœuf à la sauce thaïe au basilic, que je mange froid. Dieu que c'est bon ! Trente jours sans manger thaï, comment ai-je fait pour survivre ?

Je termine le tout, appuyée contre l'évier de notre minuscule cuisine, contemplant par la fenêtre le mur de brique qui nous bloque la vue. Peut-être que quand j'aurai décroché un boulot à *The Line*, je pourrai enfin me permettre un meilleur appartement. Et sans coloc, qui sait ?

Bon, je devrais probablement appeler Bob pour lui dire que je suis revenue. Ou peut-être devrais-je simplement lui envoyer un courriel. Il doit sans doute avoir quelque chose de plus important en tête que moi. Ouais, je vais lui envoyer un courriel, ça suffira.

Pourquoi ne veux-tu pas l'appeler ?

Tiens, t'es encore là, toi ?

Où veux-tu que j'aille ?

J'espérais t'avoir abandonnée dans mon sillage.

Aucune chance, ma vieille.

Zut.

Alors, pourquoi ne veux-tu pas l'appeler?

Parce que je suis fatiguée et que je n'ai pas envie de faire face à tout ça maintenant.

Faire face à quoi?

Tu le sais très bien.

Quoi donc?

Tu le sais. La raison pour laquelle je suis vraiment allée en désintox. L'article.

Tu ne veux pas écrire l'article?

Pas en ce moment, non.

Pourquoi?

Oh, veux-tu bien me laisser tranquille!

Je jette le contenant vide à la poubelle, m'assurant de bien le cacher pour que Joanne ne le remarque pas. Je vais dans le salon, m'assois dans le fauteuil élimé et allume la télé. Je tiens amoureusement la télécommande contre moi. Ah, la télé! Comme tu m'as manqué, chère amie.

Je zappe jusqu'à ce que je trouve une reprise de *Lost*. C'est le premier épisode de la série. Jack se réveille sur la plage, le bruit d'un moteur d'avion assourdissant les cris des autres passagers. Je prends la couverture posée sur le dossier du fauteuil et la pose sur mes genoux, m'installant confortablement pour une escapade vers une île déserte. Ce serait bien, d'y aller. Mais sans le monstre de fumée, les sangliers sauvages et ces agaçants «Autres», bien sûr.

En regardant Jack qui court partout sur la plage pour sauver des vies, je sens mes paupières devenir de plus en plus lourdes. Au lieu de combattre le sommeil, j'y cède, me sentant flotter au loin, même si j'entends encore des bribes de dialogue. Kate fait un point de suture à Jack et elle a peur.

« Donne-toi cinq secondes pour avoir peur, lui dit-il. Et après, tu dois arrêter. »

Juste cinq secondes.

• • •

Mon rêve est un mélange de *Lost* et de l'univers que je viens de quitter.

– Tu es capable, Kate ! dit Jack, se transformant en docteur Houston. Compte jusqu'à cinq, et tu pourras t'endormir.

– Mais je dors déjà, réponds-je.

– Réveille-toi, auquel cas.

– Mais je ne le veux pas !

– Alors, tant pis pour toi.

On tire d'un coup sec la couverture qui était sur mes genoux, et j'ai froid. Pourquoi est-ce que Jack/docteur Houston est si méchant avec moi ?

– Pourquoi as-tu mangé ma nourriture ?

J'ouvre les yeux. Joanne est penchée sur moi, tenant à la main le contenant de nourriture thaïe que j'ai jeté à la poubelle. Il est couvert de grains de café et de quelques morceaux de coquille d'œuf.

– C'est ta manière de me dire que je t'ai manqué ?

Joanne croise ses bras sur son chandail marron.

– Eh bien ? insiste-t-elle.

Il faut croire que non.

– Relaxe, Joanne.

– Mais j'allais manger ça pour le souper !

– On en commandera d'autre. Je t'invite.

Elle hausse les sourcils.

– C'est toi qui paies ? D'accord. Alors, je veux un pad thaï au poulet, extra piquant.

– C'est ce que tu auras.

Je me lève et m'étire. J'ai un sacré torticolis.

– Il est quelle heure ?

– Il est 18 h 30. Tu es rentrée à quelle heure ?

– Vers 13 h.

– Tu dors depuis ce temps-là ?

– Pas mal, oui.

– Dure journée ?

– Lâche-moi, Joanne.

Elle a soudain l'air contrit.

– Désolée. Pourquoi ne m'as-tu pas dit que tu rentrais ?

– Ne sois pas vexée. Je ne l'ai dit à personne.

– Je ne suis pas vexée.

– Si tu le dis. Je vais prendre une douche.

Elle prend son téléphone cellulaire.

– Tu veux que je commande pour toi ? demande-t-elle.

– Nan, ça va. Je vais seulement manger un peu du tien.

Elle fronce les sourcils.

– T'as pas changé une miette en désintox, toi, hein ?

– Oh, ne t'inquiète pas, pour changer, j'ai changé.

• • •

Le repas arrive alors que j'achève de sécher mes cheveux. Je donne quarante dollars au gars de la livraison, lui disant de garder la monnaie. Je me sens généreuse et enfin d'humeur à célébrer.

Nous disposons le pad thaï et le mee grob que Joanne a commandé pour moi sur des assiettes, puis nous mangeons en silence, assises autour de la minuscule table ronde située dans un coin du salon. J'observe notre appartement, sentant que quelque chose a changé, mais je ne parviens pas à identifier ce que c'est.

– As-tu changé les meubles de place? demandé-je.

– Non, répond-elle en plongeant une grosse fourchette de nouilles dans sa bouche.

J'éloigne ma chaise de la table et place les mains sur mon ventre distendu, appréciant la sensation agréable d'avoir presque assez mangé pour être malade.

– Tu as perdu du poids, dit Joanne, l'air jaloux.

Six kilos, pour être exacte. Je pèse le même poids que lorsque j'ai commencé l'université, et ça fait vraiment du bien.

– C'est vrai.

– Ça te va bien.

– Merci, Joanne.

La sonnerie de notre appartement retentit. Le *zzzttt* nous fait sursauter toutes les deux.

– Tu veux répondre? me demande-t-elle.

– Ce doit encore être les Mormons. Ils vont s'en aller.

Zzzttt!

– Je crois que tu devrais répondre, me dit Joanne, l'air furtif.

– Joanne, qu'as-tu fait?

– Rien.

– Arrête de déconner, Joanne.

– J'ai peut-être fait quelques appels.

Zzzttt!

Merde...

– T'aurais pu me le demander, avant d'inviter des gens, non?

Elle ramasse nos assiettes et se rend à la cuisine.

– Eh bien, déééééésolée d'avoir voulu faire quelque chose de gentil pour toi. Ça ne se reproduira plus.

Je me rends à la porte et j'appuie sur le bouton de l'interphone.

– Qui est-ce?

– C'EST NOUS!

J'appuie sur le bouton et ouvre la porte. Greer, Scott et Rory grimpent les escaliers, me souriant à pleines dents comme si je venais d'accoucher. Rory porte une robe pêche qui s'agence à merveille avec son super teint basané. Elle semble avoir encore pris un kilo ou deux depuis qu'elle est venue me voir en désintox.

– Es-tu surprise? me demande Rory alors que je referme la porte derrière eux.

– Très.

– C'est quoi, ce retour furtif? demande Scott. Ses cheveux blonds sont plus longs que d'habitude et tombent sur son front, lui donnant un air séduisant, mais aussi un peu sauve-toi-je-ne-te-ferai-que-du-mal.

Greer pose son bras sur mon épaule.

– Ouais, *lassie*, nous voulions organiser une grosse fête pour célébrer ton retour.

Rory est scandalisée.

– Greer! Je suis sûre que Katie ne veut pas d'une F-Ê-T-E.

– Je n'ai pas trois ans, Ror, interviens-je.

– Désolée.

– Ça va. Mais tu as raison. Je n'ai pas trop envie d'une grosse fête en ce moment, mais j'adorerais qu'on se fasse une soirée ensemble, à la maison.

Greer se laisse tomber sur le fauteuil et met ses vieilles bottes de cow-boy sur la table. Des tresses encadrent son visage.

– Excellent.

– Oh, pas de pieds sur la table, dit Joanne en sortant de la cuisine.

– Ah, Joanne. Qu'il est agréable de te revoir.

Je m'assois à côté de Greer, Scott s'assoit à côté de moi, et nous mettons tous les deux nos pieds sur la table en ricanant.

– J'ai dit...

– Oh, Joanne, relaxe ! Tu as trouvé cette table sur un coin de trottoir !

– C'est une antiquité.

– Quelqu'un l'avait mise aux poubelles.

– Je pensais qu'on allait se faire une soirée, dit Scott. Où sont vos bouteilles ?

Mes yeux se dirigent vers le coin du salon. Je réalise enfin ce qui a changé. L'armoire où nous rangions nos bouteilles d'alcool a disparu, ainsi que le petit cellier qui se trouvait à côté.

– Joanne, t'es-tu débarrassée de tout notre alcool ?

– Oui, dit-elle en haussant le menton et en me défiant du regard.

Je sens une bouffée de colère monter en moi, une impulsion tout de suite remplacée par quelque chose ressemblant davantage à un sentiment de reconnaissance, je crois.

– Wow ! Euh... c'est très sympa de ta part, en fait.

Greer a l'air de ne pas y croire.

– Mais c'est criminel, ton truc !

– Bah, on n'a pas besoin d'alcool pour s'amuser, pas vrai ? demande Rory en me regardant avec appréhension.

– Bien sûr, réponds-je.

Scott a l'air déçu, mais Greer fait bonne figure.

– Que voulez-vous faire, alors ? demande Scott.

– Qui a envie de jouer à *Risk* ?

• • •

Le lendemain matin, je me réveille de bonne heure, un peu désorientée. Je tends la main, m'attendant à toucher de l'air. Je palpe plutôt le matelas, et je m'aperçois que je suis dans mon propre lit, dans mon propre appartement, et que je suis libre.

Je regarde l'heure. Il est 7 h 02. En dehors du centre de désintox, je ne me suis pas réveillée aussi tôt le matin (de manière agréable, du moins) depuis si longtemps que je ne me souviens pas de la dernière fois que ça m'est arrivé. J'ai par contre déjà été debout à 7 h 02 de plein de façons déplaisantes, bien sûr. En rentrant vers la maison après avoir dansé toute la nuit ; en marchant sur le chemin de la honte ; en me réveillant pour vomir, etc.

Mais il n'est pas nécessaire d'y repenser. Ça fait partie du passé, et j'ai un futur à préparer. Alors, mon plan d'action sera le suivant : je me lève. Je fais mon jogging. J'appelle Bob. J'écris l'article. Je décroche la job de mes rêves.

Trop facile.

Je sors du placard le short et la camisole de sport tendance que j'avais achetés quand Rory m'avait offert un abonnement au gym. Ils sont trop grands, malgré le repas énorme que j'ai avalé hier. Ô, cher régime de désintox, fais en sorte que tes effets soient permanents !

Je sors de l'appartement en silence et marche sur le trottoir. Je décide de courir dix minutes dans une direction, puis de revenir.

Je laisse le iTouch choisir des morceaux au hasard, et la première chanson qui emplit mes oreilles est *How To Save a Life*, de The Fray. Je n'en avais jamais écouté les paroles auparavant, mais cette pièce parle clairement d'une intervention.

Je décide de passer à la chanson suivante. Il s'agit de *Fix You*, de Coldplay.

C'est une blague ou quoi? Mon iTouch aurait-il des intentions malveillantes?

Je passe à la chanson suivante. OK, il s'agit d'*All We Are*, de Matt Nathanson. Beaucoup mieux. Une chouette petite chanson d'amour. Hum... peut-être pas, en fait. En vérité, c'est la pire chanson que j'aurais pu choisir dans mon répertoire, alors que j'essaie d'oublier à quel point il était plus facile de courir quand j'avais le bavardage incessant de Henry pour me tenir compagnie.

Peut-être vaut-il mieux ne pas écouter de musique du tout, en ce moment, après tout.

J'éteins le iTouch et me concentre sur les lignes du trottoir et les bruits de la ville qui s'éveille. C'est étrange de courir ici. L'air est différent. Et puis, il y a du bruit. À l'Oasis, j'étais, bien sûr, dans un havre de paix. Les seuls bruits que j'entendais étaient le chant des oiseaux, le coassement des grenouilles et le son d'une des rares voitures qui longeaient le mur extérieur. Mais ici, il y a des camions de livraison qui reculent, des voitures qui klaxonnent et le jacassement de gens très importants sur leurs téléphones cellulaires. Tout cela m'agresse. Ainsi que l'odeur. Une odeur de vieux déchets, de fumée de voitures, de millions de corps humains. Je ne me souvenais pas que la ville puait autant. Peut-être suis-je trop habituée à l'odeur agréable de l'herbe couverte de rosée matinale et des fleurs sauvages. Je me sens à vif, comme un nouveau-né qu'on a ramené de l'hôpital, sa petite tuque rose sur la tête.

C'est probablement pour cela que les gens courent dans les parcs urbains, non ? N'est-ce pas ce que Henry a dit ? « On se croisera peut-être dans le parc un de ces quatre ? » C'était un indice. Mais Henry est toujours en désintox, donc peut-être parlait-il de manière générale ? Ou peut-être voulait-il m'avertir ? Me prévenir qu'il courait souvent dans le parc, pour que je puisse l'éviter si je ne souhaitais pas le croiser ? Et je ne souhaite pas le croiser, n'est-ce pas ? C'est pour ça qu'on s'est tapés « Les confessions d'une diva de trente ans », non ?

Ah ! C'est sympa de constater que ma cervelle en cavale est revenue intacte à la maison.

Je fais le tour du bloc et me dirige de nouveau vers mon appartement, réussissant enfin à trouver un rythme de croisière et à faire le vide. Je sprinte sur les derniers cent mètres, euphorique. Je jette un coup d'œil à ma montre. Dix-neuf minutes, trente secondes. J'ai donc été plus rapide de trente secondes au retour. Championne !

Je gravis les escaliers en courant. Dans ma chambre, je trouve un bout de papier gribouillé de l'écriture de Joanne. Il y est écrit :

Bob te fait dire de te pointer à son bureau immédiatement, sinon...

C'est le moment de prendre le taureau par les cornes.

• • •

– C'est quoi, cette putain de photo ? demande Bob en me fourrant sous le nez le cliché d'un VUS noir, une heure plus tard.

– La photo d'un VUS noir ?

– Ne fais pas l'idiote. Qui est dans ce putain de VUS ?

Je prends la photo dans mes mains. C'est le VUS à bord duquel Amber et moi avons quitté le centre, hier. Et à travers les vitres teintées, on peut tout juste apercevoir Amber et... moi.

– Amber est dans le VUS.

Bob, vêtu d'une chemise bleue dispendieuse, croise ses bras sur sa poitrine.

– Bravo. Et qu'est-ce qui cloche, sur cette photo ?

Je remarque le logo blanc dans le coin de l'image.

– Elle provient du site Internet de TMZ ?

– Bingo. Maintenant, je voudrais savoir pourquoi cette photo ne se trouve pas sur MON site Internet.

Je souffle bruyamment. J'ai bien craint qu'un truc pareil se produise, quand nous avons été attaquées hier par le paparazzi qui attendait Amber depuis trente-cinq jours.

– Je ne voulais pas me dévoiler.

Il me regarde d'un air quasi menaçant.

– Je vois... Tu ne voulais pas te dévoiler...

Oups. J'essaie de m'expliquer.

– Il y a très peu de gens qui étaient au courant du départ d'Amber, et ce n'est pas leur style d'appeler les paparazzis. Tout le monde aurait su que c'était moi.

– Et alors ?

– Et alors, je croyais qu'il fallait que je demeure incognito le plus longtemps possible.

– Non. Tu devais demeurer incognito tant que tu étais en désintox. Maintenant que tu en es sortie, on s'en fout royalement.

– Mais je fais toujours des recherches pour mon article...

Bob plisse les yeux de colère.

– Katie, je te préviens. J'ai un réflexe pavlovien très aiguisé quand il s'agit de détecter les conneries. Et laisse-moi te dire qu'en ce moment j'ai les glandes salivaires qui s'activent.

– Que veux-tu que je te dise ?

– Je veux que tu me dises que tout est sous contrôle et que ton article sera sur mon bureau vendredi prochain au plus tard.

– Sinon ?

Re-oups.

Le visage de Bob devient rouge.

– Sinon, j'invoque la clause sept de ton contrat et te demanderai de nous rembourser trente mille dollars. Je te poursuivrai peut-être même en dommages et intérêts si j'ai la force de communiquer avec mes avocats plus souvent que je ne le fais déjà.

La clause sept ? Trente mille dollars ? Merde. J'aurais vraiment dû lire ce document plus attentivement. Ou peut-être n'aurai-je pas dû prendre une décision aussi majeure en moins de temps qu'il n'en faut pour échanger quelques paroles.

– Tu n'auras pas à aller jusque-là.

– Tu vas me le faire, cet article ?

– Oui.

– La totale ?

– Oui.

– Bien.

Il retourne derrière son bureau, pensant de toute évidence déjà à autre chose. Je me lève, le dos voûté, la tête basse.

Merde et merde. C'est de loin le truc le plus con que j'aie jamais fait de ma vie. Pourquoi diable ai-je accepté ce contrat ? Ah, oui... un instant...

– Euh... Bob ?

Il lève à peine la tête de ses papiers.

– Ouais ?

– Et la job à *The Line ?*

– Toujours disponible.

– Pour moi ?

– Peut-être. Si tu me fais cet article.

Son regard croise le mien, mais je n'arrive pas à lire son expression. J'aimerais bien que mes glandes salivaires puissent me dire s'il est sincère ou s'il dit cela simplement pour obtenir de moi ce dont il a besoin.

– Je te le ferai.

Il m'adresse ce même sourire un peu pervers qu'il y a un mois, ici même dans son bureau.

– Je te le conseille.

CHAPITRE 21

DÉTRITUS

Jour un : Opération J'écris-un-article-choc-sur-LFDAC.

Assise devant l'ordinateur, je cherche comment entamer cette histoire que je dois écrire en neuf jours. Ça me laisse pas mal de temps, non ? Ça me laisse exactement... Deux cent seize heures. Mais je dois dormir, alors on parle plutôt de... cent quarante-quatre heures, si je dors bien. Mais il est peu probable que cela m'arrive, alors on parle plutôt de cent soixante et onze heures. Je devrai cependant manger au moins trois fois par jour (vingt heures), prendre ma douche (quatre heures et demie) et prendre quelques temps d'arrêt (dix heures), ce qui me laisse cent trente-six heures et demie. Merde, j'ai oublié le jogging. Ça ne prend pas tant de temps que ça, mais tout de même un peu. OK, alors enlevons cinq heures pour la course (en étant optimiste), il nous reste donc cent trente et une heures et demie.

Moins les dix minutes que je viens de passer à calculer tout ça. Bien joué.

OK, concentrons-nous. Que vais-je écrire ? Qu'ai-je appris ? Quel est mon message ?

Je n'ai pas l'ombre d'une idée en tête.

Je n'arrive même pas à choisir un titre pour mon texte.

Je ne trouve que des choses idiotes, en jouant avec des titres qui existent déjà, comme «Amber interrompue» ou «Amber n'est plus ici». Aucune originalité et ennuyeux par-dessus le marché.

Peut-être suis-je moi aussi une personne sans originalité et ennuyeuse, et réussirai-je seulement à écrire un article sans originalité et ennuyeux...? Peut-être l'article sera-t-il si nul qu'ils ne le publieront pas et que je m'en sortirai sans dommages collatéraux? Ouais, ça pourrait marcher. Mais dans ce cas-là, pas de job à *The Line* non plus. Et puis, sincèrement, vont-ils vraiment se soucier du niveau d'écriture? Après tout, l'article qui a rendu *Gossip Central* célèbre était-il bien écrit? L'a-t-on lu en se disant: «Wow, quelle phrase bien tournée, ou encore quelle jolie petite allitération»? Bien sûr que non. La seule chose qui compte, c'est l'information, et si je réussis à coucher sur papier ce qu'il y a dans mon cerveau, tout le monde s'en foutra, que la grammaire soit archinulle. Tout le monde, sauf moi.

Alors, que vais-je écrire? Qu'est-ce qui doit sortir de mon cerveau et qu'est-ce qui doit y rester caché?

J'ai reçu un texto d'Amber en revenant à pied du bureau de Bob (conseil de procrastination professionnelle numéro un : se rendre partout à pied), ce qui ne m'aide pas du tout. Nous avions échangé nos numéros de téléphone sur le chemin du retour, mais je ne m'attendais pas vraiment à ce qu'elle reste en contact avec moi.

Mais mon téléphone a fait bip! bip! et il s'agissait bel et bien d'un texto de LFDAC.

T où?

Je marche. Toi?

Décompression totale.

Ouh, les grands mots!

Grand lit confo.

Seule?

Bien sûr!

Tu fais quoi?

Me cache des paps. Toi?

Essaie de décrocher une job.

Bonne chance.

Merci.

Ai-je réellement poussé Amber à me souhaiter bonne chance pour obtenir une job à ses dépens? C'est quoi, mon foutu problème?

C'est trop déprimant. On pourrait croire qu'après avoir passé un mois à ne rien faire, je serais pleine d'énergie et d'entrain. Pleine de vigueur et de vitalité. Pleine de... ah, zut, je suis en panne d'aphorismes. Un instant. Est-ce le bon mot? Non, je ne le crois pas. Aaah! OK, OK, ça va me venir, ce sont des... maximes? Oui, c'est ça, des maximes! Bon, quoi qu'il en soit, je suis en panne de phrases stupides pour dire que je devrais être pleine d'énergie.

Mon estomac gargouille à l'instant où mon téléphone fait bip! bip! J'étire mes bras vers le plafond. Je suis raquée et je craque de partout après être restée immobile si longtemps. OK, il ne s'agissait que de deux heures, mais ça m'a paru beaucoup plus long. Je fouille dans mon sac à main pour en extraire mon téléphone cellulaire et je lis le texto de Greer.

Fête ce soir?

Fête?

Oups.

T'en fais pas.

Une bouffe au pub?

? heure.

Quand tu veux.

À +

:)

Parfait. C'est exactement ce dont j'avais besoin (conseil de procrastination professionnelle numéro deux : prendre de longs repas avec ses amis). Je vais me divertir pendant quelques heures en mangeant avec Greer, j'irai me coucher tôt, et demain, je bûcherai pendant au moins huit heures. Je gaspillerai un peu de temps ce soir, mais il me restera au moins cent heures pour avancer si je commence de bon matin.

Bref, des tonnes de temps.

• • •

En seulement une trentaine de secondes, une fois arrivée au pub, je me rends compte que c'était peut-être une mauvaise idée de retrouver Greer ici. Trente secondes qui suffisent pour se souvenir de l'odeur de vieille bière et apercevoir la rangée de bouteilles derrière la tête de Steve.

Le problème, c'est que je n'ai pas encore décidé si j'arrête de boire pour de bon, ou seulement jusqu'à ce que je termine l'article et assure mon avenir. D'une manière ou d'une autre, je ne boirai pas ce soir. Mais ici, cela m'apparaît plus difficile que je ne le croyais.

Je me glisse sur la banquette en cuir rouge face à Greer. Elle porte une chemise paysanne blanche, et ses longs cheveux bouclés tombent en cascade sur ses épaules. Elle est superbe, comme toujours, mais je remarque que ses yeux sont injectés de sang.

– Dure nuit ?

Elle prend une gorgée de Bloody Mary.

– Crois-moi, tu ne veux même pas entendre cette histoire.

Elle a probablement raison, mais je ne peux m'empêcher de ressentir un pincement de jalousie.

– Quelqu'un que je connais ?

Elle balaie la question du revers de la main. Une odeur d'alcool flotte jusqu'à moi.

– Bah, un parasite comme les autres. Et toi, dis-moi, est-il finalement arrivé quelque chose avec le gars ?

– Quel gars ?

– Celui qui lançait le ballon de football à Connor Parks.

– Ah, lui. Henry.

Henry. Le gars à qui je n'ai pas pensé une seconde depuis que je suis sortie de désintox.

– Ouais, lui. Raconte, dit Greer.

– Il n'y a rien à raconter.

– Arrête de te moquer de moi.

– Je te le jure, il n'y a rien à raconter.

Et il n'y aura jamais rien non plus, grâce à moi.

Une serveuse passe devant notre table. Greer tape sur son verre et lève deux doigts. Après avoir hésité un instant, je commande un Coke diète et j'essaie de me sentir vertueuse.

Greer sourit.

– Tu ne bois toujours pas, à ce que je vois ?

– Je sors tout juste de désintox, tu sais.

– Quand je suis sortie de désintox, j'ai fait la fête pendant trois jours, raconte-t-elle, les yeux dans le vague. Et à bien y penser, je crois que c'est comme ça que je me suis ramassée ici.

– Eh bien, je ne suis pas comme toi, dis-je un peu froidement.

– Eh, oh, *lass*, tu joues à la Joanne ou quoi ?

Je ris.

– Toi, tu t'y prends bien pour jeter une fille à terre.

– Je voulais simplement vérifier que mon amie était encore cachée là-dessous.

Oh, elle y est. Et je suis sûre qu'elle va en sortir bien assez vite.

– Sérieusement, *lass*, si ça te dérange que je boive, tu n'as qu'à le dire, hein ?

– Merci. Pour le moment, ça va.

La serveuse nous apporte nos verres. Greer enlève la branche de céleri, porte son verre à ses lèvres et prend une grande gorgée. Elle s'accote contre la banquette et me dévisage.

– Alors, dis-moi, c'était quoi, cette histoire d'espionnage industriel ?

Je m'étouffe presque dans mon Coke diète. Avec tout ce qui s'est passé depuis mon message sur son répondeur, j'avais oublié que Greer m'avait aidée à récupérer le foutu mot de passe du réseau Internet du centre.

– Ah, oui, ça. Merci, en passant.

– Y a pas de quoi. Alors, tu veux bien m'en parler ?

Tout à coup, oui. J'ai envie de raconter à quelqu'un tout ce que j'ai fait et tout ce qui m'arrive. Pas l'histoire que Bob veut que je raconte. Pas celle que Sandra voudrait entendre non plus. Je ne veux pas aller dans une séance de AA. Je ne veux pas me confesser. Je veux simplement que quelqu'un hurle «Oh, mon Dieu!» et me prenne dans ses bras si j'ai besoin de pleurer (ce qui serait assez probable, étant donné mes performances récentes), et me pardonne tout quand j'aurai terminé.

Alors, je préviens Greer que j'ai une histoire monstre à lui raconter, et je lui dis tout.

• • •

Jour deux: Opération Je-dois-réellement-écrire-quelque-chose-aujourd'hui.

Je débute la journée en courant au bord de l'eau (vingt-deux minutes), puis en mangeant le petit-déjeuner le plus santé de ma vie (yogourt et fruits frais), et en recevant un texto d'Amber qui veut savoir si j'ai envie de faire les magasins avec elle aujourd'hui.

Mer-de. Elle n'a pas d'autres amis ou quoi? On croirait qu'elle possède un sixième sens qui la prévient qu'il vaut mieux qu'elle m'embête.

Non, Katie, c'est uniquement ta mauvaise conscience qui t'embête.

Je voudrais bien qu'elle me laisse tranquille, ma conscience.

Vraiment?

En attendant de savoir ce que je pourrais répondre à Amber, je déchire les pages de mon calepin de notes et les étale sur le plancher. Les premières semaines, je notais tout avec assiduité, mais après un moment, j'ai plutôt griffonné des idées et des mots clés au hasard, que j'ai maintenant de la difficulté à déchiffrer.

En voici un : *Fight Club et lucioles*. Qu'est-ce que ça peut bien vouloir dire ?

Je me souviens des lucioles... Nous étions allées marcher un soir après le film (*27 robes* – à éviter), et nous étions tombées sur un essaim de lucioles qui clignotaient dans la nuit. C'était exactement comme dans la chanson *Lay You Down*, d'Andrew Ryan, à ceci près que, bien sûr, Amber et moi ne sommes pas en couple. Elle s'était extasiée, car c'était la première fois qu'elle voyait des lucioles.

Mais qu'en est-il de *Fight Club* ? Je repense au film. Tyler Durden ? Brad Pitt ? Edward Norton ? Nan, nan, nan. Faire du savon à partir de graisse humaine ? Non. Se donner des coups de poing au visage ? Pas ça non plus... ah, un instant... C'est ça ! Elle m'a dit qu'elle aimerait bien qu'on voit de bons films en désintox, et l'une de nous a mentionné *Fight Club*, et le fait qu'Edward Norton avait rencontré sa copine dans un groupe de soutien. Elle m'avait aussi dit ce qu'elle faisait parfois, quand elle s'ennuyait. Elle se déguisait et allait assister à des réunions basées sur le programme des douze étapes. Outremangeurs Anonymes (mais on lui a demandé de quitter la séance, et pas très poliment). Colériques Anonymes. Ceux qui sont obsédés à l'idée d'être obsédés. Et cetera.

Est-ce que j'ai écrit ces mots pour me rappeler de parler de ça, de manière à faire une analogie entre sa présence dans ces réunions et notre culture obsédée par la célébrité ? Ma réflexion avait-elle tant de profondeur ? Ça m'étonnerait.

Je jette ce bout de papier et en prends un autre, puis un autre, mais rien à faire. Vers 17 h, j'abandonne, dégoûtée, et m'installe dans le fauteuil avec une couverture. J'insère la saison un de *The Wire* dans le lecteur DVD (conseil de procrastination professionnelle numéro trois : se passionner pour une série télé, de préférence dont les multiples saisons sont disponibles en DVD). Je regarde la moitié de la saison et je n'écris pas un mot. Meilleure chance la prochaine fois.

• • •

Jours trois et quatre : Opération Écrire-quelque-chose-n'importe-quoi-sinon-j'aurai-besoin-de-consulter-un-médecin-pour-traiter-la-pression-que-je-sens-dans-ma-poitrine.

Encore du jogging (vingt et dix-neuf minutes – je perds du terrain, je sais, mais je suis distraite et je dors à peine), encore de la nourriture santé. Encore des textos d'Amber auxquels je ne réponds pas. Beaucoup d'heures passées à réfléchir à mon dilemme, ainsi qu'aux conseils que m'a donnés Greer l'autre soir.

– N'écris pas cet article, m'a-t-elle dit sans hésiter, quand je lui ai demandé ce que je devrais faire.

– Mais je n'obtiendrai pas la job à *The Line*.

– Et alors ? Il y en aura d'autres, des jobs.

– Mais j'ai déjà trente ans. Les jobs de critique de musique sont données à des jeunes.

– Tu as trente ans ?

Ah, merde...

– Oui... c'est un autre truc que j'ai oublié de te dire. Je n'ai pas vingt-cinq ans. Et, euh... je n'étudie pas à l'université non plus. Enfin, je n'y étudie plus.

Elle m'a regardée comme si j'étais une étrangère, tandis que la musique du pub tonnait autour de nous.

– Alors, tu n'es pas en maîtrise ?

– Non.

– Mais pourquoi m'as-tu raconté ça ?

– C'est en prétendant être étudiante que je me procure, euh... me procurais de l'alcool et de la bouffe gratuitement... En fréquentant les soirées vins et fromages de l'université.

– OK. Mais une fois qu'on est devenues amies, pourquoi as-tu continué à me mentir ?

Excellente question.

– Je ne sais pas. C'était plus simple ainsi, j'imagine.

Elle a mis un glaçon au goût de tomate dans sa bouche, pensive.

– Intéressant...

– Tu m'en veux ?

– Je n'en suis pas sûre.

– Tu m'en voudrais si tu étais Amber ?

– Oh que oui.

– Alors, que dois-je faire ?

– Je te l'ai déjà dit. N'écris pas ce foutu article.

– Mais si je ne le fais pas, Bob va exiger que je lui rembourse les frais de désintox et me poursuivra probablement en justice. Je n'ai pas cet argent-là, moi. Je suis cassée.

– Tu es dans un sacré pétrin, alors.

– Merci pour cette évidence.

– Désolée, *lass*.

– T'as pas un petit trente mille en réserve, toi ?

Elle rit.

– Quoi ? Pour une fieffée menteuse comme toi ?

– Rien à faire, hein ?

– Ça, tu peux le dire.

Donc, je dois en bout de ligne trouver trente mille dollars ou écrire l'article. Ces deux options m'obsèdent jusqu'à ce qu'aucune des deux ne semble souhaitable ni même réalisable. Un vrai pétrin.

Il ne reste plus que quatre-vingts heures au chrono...

• • •

Jour cinq: Opération Cela-m'étonne-mais-je-découvre-que-je-ne-suis-pas-plus-performance-sous-pression.

Après une nouvelle nuit presque sans sommeil (huit heures de travail potentiel complètement non productives), et une autre matinée passée à contempler la page blanche, je craque et contacte Rory, pour tout lui raconter (conseil de procrastination professionnelle numéro quatre, nouvellement découvert : avouer ses torts à ses amis prend beaucoup de temps).

Je ne sais pas pourquoi j'ai choisi ce moment-là pour me confier à ma plus vieille amie. Parce que je veux qu'elle m'absolve? Qu'elle me fasse un chèque de trente mille dollars? Suis-je un monstre si j'avoue que les deux raisons sont aussi recevables l'une que l'autre?

Oui.

OK, OK, je sais...

Donc, j'apporte à manger à Rory à son bureau et je lui raconte toute l'histoire pendant que notre repas refroidit.

Après quelques minutes de silence, elle parle enfin, d'une voix fermement contrôlée.

– Me dis-tu tout ça simplement parce que tu sais que je serai au courant une fois l'article publié?

Non. La réponse à cette question est non.

– Je ne sais pas, Rory. J'ai plusieurs raisons de tout te dire.

– Lesquelles?

– Eh bien, tout d'abord parce que ça m'a beaucoup déplu de devoir te mentir. Et puis, j'ai besoin de ton aide.

Son grognement de sarcasme envahit la pièce.

– Mon aide ? Pour faire quoi ?

– Pour trouver une façon de m'en tirer.

Elle referme son contenant de nourriture et le lance dans la poubelle. Elle n'a pas pris une bouchée.

– C'est simple. N'écris pas l'article.

– Mais Bob va me poursuivre en justice !

– Ça m'étonnerait.

– Tu ne le connais pas, ce type. Il le fera.

– Alors, tant pis pour toi, n'est-ce pas ?

– Mais je risque de tout perdre !

– N'as-tu pas déjà tout perdu ?

– Je ne crois pas, dis-je, espérant adoucir la dure expression qui s'est formée sur son visage.

Rien à faire. Je pars avant qu'elle dise quelque chose d'irrémédiable et d'irréparable.

Il me reste soixante-sept heures.

● ● ●

Jour six : Opération Ça-passe-ou-ça-casse.

Je me réveille de bon matin, complètement épuisée. J'ai pourtant enfin dormi la nuit dernière, mais c'était d'un sommeil rempli de cauchemars. Amber, Henry, Connor, Rory, Greer, Scott, mes parents et Chrissie m'accusaient chacun à leur tour de choses dont je n'étais pas coupable, dans une ronde infernale de «Katie, tu es nulle, tu es une personne pourrie». Et quand j'essayais de leur dire qu'ils se trompaient, pas un son ne sortait de ma bouche. Je me suis réveillée plusieurs fois, mais je ne parvenais pas à me débarrasser de ce maudit rêve, je retombais dedans dès que je me rendormais. «Ah, te voilà, Katie, nous t'attendions. Ne crois pas pouvoir nous fuir si facilement.»

Je m'essuie les yeux et m'attache les cheveux. Toujours en pyjama, je m'assois devant l'ordinateur. La lumière du jour pénètre dans la pièce à travers la fenêtre sale, réchauffant le clavier. Tout est prêt. Je peux écrire.

Il suffit de trouver la bonne façon de m'y prendre.

J'aimerais pouvoir adresser une prière à une puissance supérieure, croire en quelque chose, n'importe quoi, qui serait plus grand que moi. En l'arbre que je vois par la fenêtre, ou encore le carré d'herbe entre le trottoir et la rue, la parcelle de ciel que j'aperçois au-dessus des immeubles. En moi...

J'aimerais que le choix que j'ai à faire ne soit pas aussi élémentaire, comme si j'étais figée au bord d'un précipice. Écrire l'article. Ne pas écrire l'article. Obtiens ce que tu as toujours voulu, mais perds ce que tu as déjà. Perds ce que tu as toujours voulu, et il ne te reste... rien. J'ai tout de même l'impression qu'il ne me resterait rien.

Je ne suis rien, je ne suis rien. Je. Ne. Suis. Rien.

Si je le répète assez souvent, ça deviendra réel.

Fais-le, alors.

Faire quoi?

Écris. N'importe quoi. Tout. Essaie. Comme l'a dit Rory, tu n'as rien à perdre.

Je n'ai rien à perdre.

Enfin, tu comprends.

Mais il y a...?

Oublie ça. Table rase.

Je recommence à zéro, alors?

Non. Tu commences au commencement.

Ça, j'en suis capable.

When the Stars go Blue[11]
par Kate Sandford

La première fois que j'ai vu Amber Sheppard en chair et en os, elle jouait à la grenouille.

Elle était en désintox depuis six jours, essayant d'apprendre à vivre sans le mélange de cocaïne, d'alcool et de nicotine qui la faisait vibrer depuis six mois. Elle était très mince et portait un ensemble de sport en velours vert. Ses cheveux noirs étaient tirés en chignon. Elle était accroupie sur une chaise, entourée d'autres patients.

Elle coassait. Elle avait toute notre attention.

• • •

Je rédige toute la journée. Ça sort de moi tout seul, ce récit, jour après jour, pensée après pensée, conversation après conversation. Les petits détails qu'Amber m'a confiés. Son comportement étrange. Connor. Tout ce que je sais, et d'autres choses que j'ai devinées. Un compte-rendu des jours de sa vie que j'ai partagés.

Je ne sais pas si c'est ce que Bob a en tête. Je ne sais pas ce que ça révèle au sujet d'Amber ou de moi (même si j'essaie de ne pas parler de moi). Tout ce que je sais, c'est que les souvenirs passent de ma tête à l'écran, et que ça fait du bien.

---

11. Titre d'une chanson de Ryan Adams. (NDT)

Pas parce que je fais quelque chose de moralement valable, mais simplement parce que je me débarrasse d'un poids. Le poids des six derniers jours à me prendre la tête pour savoir si j'allais écrire cette histoire et comment j'allais l'écrire. Tout ça, c'est fini, maintenant. Je l'ai fait, ce texte. Peut-être que je l'enverrai à Bob. Ou peut-être pas. Mais j'ai une décision de moins à prendre et j'en suis soulagée.

J'active la vérification automatique de l'orthographe alors que le soleil disparaît derrière les immeubles, puis j'envoie mon document en impression et écoute les cliquetis de la machine qui crache les pages. Je vais devoir tout relire demain, mais je voulais une copie papier de tout ça au cas où mon ordinateur antique rendrait l'âme au cours de la nuit.

J'ai encore deux jours pour retravailler le texte, et le jour suivant, quand arrivera l'échéance, je déciderai de l'envoyer ou non à Bob.

Parfait.

J'empile les pages sur mon bureau et je dépose dessus une petite roche qui vient du jardin de mes parents. Je sauvegarde le document une dernière fois, puis j'éteins mon ordinateur. J'inspire et expire, lentement et profondément.

Puis je sors et me soûle de façon absolument spectaculaire.

CHAPITRE 22

THE BOYS ARE BACK IN TOWN[12]

Le problème débute lorsque j'accepte de me joindre à Amber et à ses amis pour le souper.

Pourquoi, ô pourquoi y aller, avec ce que j'ai fait aujourd'hui?

Suis-je une masochiste finie? Une fille affamée d'auto-flagellation? Ou complètement folle? Peut-être ai-je développé une capacité surnaturelle à supporter la culpabilité?

Non.

En fait, j'aime bien Amber, et dans le petit coin de ma tête qui n'est pas influencé ou contrôlé par des pensées ration-nelles, je conserve une parcelle infime d'espoir que tout puisse se régler. Qu'Amber n'ait jamais à apprendre l'existence de la pile de feuilles sur mon bureau. Et si ça ne se règle pas (OK, ça ne se réglera pas, je le sais), j'aurai au moins une dernière bonne soirée en souvenir de notre amitié naissante.

Alors, quand je reçois un texto de sa part (Sois @ Stolen @ 8:30, ton nom sur la liste, amène une amie si tu veux), je ne me casse pas la tête à me demander si je devrais y aller ou pour-quoi j'en ai tant envie. Je saute tout de suite sous la douche et je fais l'inventaire de ma garde-robe. Quand il devient clair que je n'ai rien qui s'approche, ne serait-ce qu'un peu, d'un

---

12. Titre d'une chanson de Thin Lizzy, que l'on peut traduire par «Les gars sont de retour en ville». (NDT)

ensemble approprié pour sortir au Stolen, je suis prise de panique, j'appelle Greer et la convaincs de me prêter quelque chose en échange d'une invitation à m'accompagner.

Greer arrive quarante-cinq minutes plus tard, splendide dans une jupe en suède brun foncé et un top vert attaché dans le cou, ses cheveux parfaitement mêlés. Si elle n'avait pas en main un sac contenant l'ensemble parfait pour la soirée, je la désinviterais sur-le-champ.

Quand le taxi nous dépose à 20 h 30 précises au Stolen, je porte une robe noire en lin nouée à la taille qui met en valeur mon régime de désintox, tout en cachant ce qui ne disparaîtra jamais. Mes cheveux sont soigneusement peignés, et je dois l'avouer, ça me fait le plus grand bien d'être bien habillée et de me sentir jolie.

Le Stolen est situé dans un immeuble de l'ancien quartier des finances, et la faune branchée de la ville fait la file à l'extérieur, espérant y entrer avant la fermeture. Greer et moi nous rendons au début de la ligne, devant plusieurs groupes de beautés squelettiques. Je suis aussi énervée que si j'avais déjà bu quelques coupes de champagne.

Nous sommes sur la liste! C'est super, non?

Je dis mon nom à la maigrichonne en robe noire ouverte dans le dos qui garde la porte. Elle glisse son ongle rouge le long de la liste d'un air un peu méprisant, comme si elle me criait en silence «Tu n'entreras jamais ici, toi». Jusqu'à ce qu'elle trouve mon nom, avec la mention +1, sous celui d'Amber. Elle hausse les épaules, défaite, puis nous adresse un sourire accueillant.

Une serveuse nous guide ensuite dans un immense escalier qui descend vers le restaurant, situé sur un ancien plancher de transactions boursières. Le plafond se trouve à dix mètres au-dessus de nos têtes, et la hauteur de la pièce est soulignée par des lumières brillantes qui illuminent des rideaux de velours. Tout est jeune, vivant, enivrant.

Amber est assise avec trois fausses blondes identiques, toutes vêtues de robes courtes et flamboyantes que je reconnais pour les avoir vues à l'émission *Fashion Television*. Elle me hèle énergiquement quand nous approchons et bondit pour m'accueillir. Elle est vêtue d'un ensemble une pièce blanc, et elle a l'air bronzée et en santé.

– Katie ! Ça fait des siècles ! Tu es superbe !

– Merci. Toi aussi. Voici mon amie Greer...

– Salut, Greer ! Moi, c'est Amber.

– Ça me fait plaisir de te rencontrer.

– Tu es écossaise ? J'a-do-re l'Écosse !

Qu'est-ce qu'elle a pris, cette fille ?

Je l'observe de près, tentant d'évaluer si cet enthousiasme nouveau a une base chimique, mais Amber semble simplement excitée et heureuse, pas défoncée.

– Tu y es allée ? demande Greer.

– Des tonnes de fois. Je suis allée à Glasgow pour le festival, mais j'aime surtout Édimbourg.

Je souris intérieurement lorsque Amber prononce ce mot « Edinborough ». Greer sera forcée de l'aimer.

Comme prévu, Greer lui sourit chaleureusement.

Amber nous présente ses trois amies : Olivia (son attachée de presse), Eva (sa maquilleuse) et Steph (son assistante personnelle). Elles ont toutes la mi-vingtaine, et je les reconnais tout de suite : ce sont les fêtardes avec lesquelles Amber a passé beaucoup de temps au cours des deux dernières années.

La serveuse vient prendre notre commande. Greer et les fêtardes commandent des cocktails, et Amber demande une bouteille de San Pellegrino pour elle et moi. Nous jetons un coup d'œil au menu. Ce sont des plats asiatiques servis à la manière de tapas espagnols. Si je me fie aux assiettes qui passent sur des plateaux à côté de moi, chaque plat est juste assez gros pour que quatre personnes en aient chacune une bouchée. Les prix sont pourtant astronomiques. J'espère que c'est Amber qui invite à l'occasion de cette dernière cène.

– Devrions-nous partager? demande Olivia.

– Bien sûr, répond Amber avec enthousiasme. Me faites-vous confiance pour commander?

Nous hochons toutes la tête, et Amber commande quelques plats en apparence délicieux, mais qui me semblent à peine suffisants pour deux personnes. La serveuse tente de dire la même chose, mais Amber la chasse du geste.

Soupir. Je devrai me bourrer de pain. Sauf qu'il ne semble pas y avoir de pain, ici. Et qu'un verre de San Pellegrino ne remplit pas l'estomac comme, disons, un cosmo.

Nous passons une heure à écouter les fêtardes raconter une douzaine d'anecdotes liées à des fiestas qu'Amber a manquées pendant qu'elle était «partie», comme elles le disent. Leurs histoires sont très drôles, méchantes, d'un humour c'est-drôle-parce-qu'on-ne-parle-pas-de-toi. Leur conversation me distrait au moins du fait que, comme je l'avais deviné, la nourriture est servie en portions de taille Rory.

– T'aurais dû la voir, Amb, dit Eva en avalant la dernière crevette salée sans même demander si quelqu'un la voulait, même s'il était clair que je la convoitais. Elle copiait totalement ton look des *Teen Choice Awards* l'an dernier.

– Et elle avait l'air d'une vache, ajoute Steph.

– Tu veux dire d'une vache folle, complète Olivia. Elle ne devrait vraiment pas montrer ses jambes, avec son poids actuel.

– De qui s'agit-il, au juste? chuchote Greer à mon oreille, son haleine sentant les tartinis qu'elle a bus.

– Aucune idée.

Quelques anecdotes plus tard, je conclus que la fille en question, c'est Kimberley Austen, la rivale d'Amber pour le titre de *It Girl* du moment et pour les démonstrations d'affection de Connor. Elle joue le rôle de la sexy Moneypenny dans les films *Le Jeune James Bond*, et Connor et elle se sont fait photographier ensemble à Cabo lors d'une des énièmes mini-ruptures qui ponctuent depuis toujours sa relation avec Amber.

– Tu envoies des textos comme une cinglée, Amb. Mais à qui? demande Olivia.

Amber fourre son téléphone cellulaire dans son sac à main et répond:

– Quoi? À personne. On demande l'addition?

Steph avale le reste de son verre d'une traite.

– Tellement. On sort où?

– Round the Corner? suggère Olivia.

– Parfait.

Amber tend sa carte noire à la serveuse et chasse du revers de la main ma faible tentative de payer. Les fêtardes, elles, n'essaient même pas de contribuer. Je me demande comment elles ont pu survivre pendant qu'Amber était «partie».

En sortant, Amber agrippe mon bras.

– Ils sont de retour.

Oh oh...

– Qui est de retour ? demandé-je innocemment en me croisant les doigts.

– Connor et Henry, bien sûr !

C'est bien ce que je craignais.

– Ah.

– Tu n'es pas plus énervée que ça ?

Je m'oblige à sourire.

– Si, c'est super. Je suis contente pour toi.

– Mais toi ? Ne veux-tu pas revoir Henry ?

Mon cœur me hurle « Non, non, non » !

– Ouais...

– Ils viendront nous rejoindre plus tard.

Bien sûr qu'ils viendront nous rejoindre. J'aurais dû le deviner, avec cette tonne de textos. Et l'enthousiasme frénétique dont elle fait preuve depuis le début de la soirée. Elle ne se comporte ainsi que quand Connor est là.

– Super.

– Vous êtes bizarres, tous les deux, dit Amber en me fixant.

– Pourquoi ?

– Connor m'a dit que Henry n'avait pas l'air très chaud à l'idée de te revoir, lui non plus.

J'ai la nausée.

– Eh bien... pourquoi devrait-il l'être ?

– Il est inutile de faire mousser la tension sexuelle jusqu'à la dernière saison, tu sais.

– De quoi parles-tu ?

– Il te plaît. Tu lui plais. Alors, arrêtez d'hésiter et allez-y !

Olivia nous hèle de la porte.

– Hé, les filles ! Vous arrivez ?

– Oui! Katie, tu es prête? me demande Amber.

– Je dois faire un tour aux toilettes. Je vous rejoins dehors.

Elle sort et je me dirige vers la salle de bain, les paroles d'Amber tournant en boucle dans ma tête. Merde, merde, merde. Pourquoi ai-je accepté de sortir avec elle ce soir? Je devrais simplement couper les ponts et passer à autre chose!

Je me regarde dans le miroir. Je suis pâle sous mon hâle de joggeuse. J'aimerais bien m'asperger le visage d'eau, mais ça ruinerait le super maquillage que Greer m'a appliqué.

Ressaisis-toi, je t'en prie! D'accord, tu reverras Henry. Et puis après?

Je me lave les mains et les essuie sur une serviette en papier. Et puis, le voilà. Un verre d'alcool, un gin tonic, je crois, presque plein et abandonné sur le comptoir en marbre, la glace commençant à peine à fondre.

Je cherche du regard la propriétaire de ce verre, mais il n'y a personne autour de moi. En fait, je suis complètement seule.

J'hésite un instant, puis je prends le verre et l'observe. Il est froid et invitant. Je sens déjà la quinine sur ma langue.

Que fais-tu?

Je me sens coupable, coupable, coupable ne serait-ce que de toucher le verre qui contient cet alcool. Voilà ce que je fais.

C'est bien mérité.

Ouais, mais tu veux savoir un truc, j'en ai ras le bol de la culpabilité, d'accord?

Je porte le verre à ma bouche et en avale le contenu en trois grandes gorgées.

Culpabilité, je te présente ton assassin.

• • •

Oh que j'adore cette sensation du premier verre! Je la décrirais comme à moitié je-suis-invincible, et à moitié et-si-on-faisait-une-connerie. Tout à coup, je suis plus drôle, le monde est plus beau, et tous mes problèmes semblent disparaître.

Je me joins à Amber, Greer et aux fêtardes à l'extérieur du restaurant alors que le gin commence à faire son effet. Nous attendons les taxis qui nous mèneront au bar Round the Corner. J'éclate de rire quand Olivia fait un autre commentaire mesquin, alors que Greer me jette un regard pénétrant.

Oups. Je suis devenue une de ces personnes dont la personnalité change après une visite aux toilettes.

– Ça va? me demande Greer dans le taxi.

Eva parle fort au cellulaire, en tentant de convaincre quelqu'un de venir nous rejoindre au bar.

– Super, réponds-je.

Je sors un paquet de gommes de mon sac à main et j'en prends une. La saveur de menthe jure avec le goût du gin tonic, comme si c'était de l'Antabuse.

– Tu parlais de quoi avec Amber? dit encore Greer.

– De rien.

Elle s'approche.

– Tu ne lui as rien dit?

– Non.

– Et vas-tu lui dire?

– Je n'en sais rien...

– Elle est sympa, pourtant.

Tu gâches mon ivresse, toi!

– Je sais...

– Peut-être devrais-tu lui dire, tu sais.

– Hum... alors, tu crois qu'il y aura des gars mignons, ce soir ? demandé-je.

– On l'espère, dit Eva en raccrochant.

Eva indique au chauffeur de nous déposer devant l'entrée VIP, située à l'arrière du bar, où Amber et les autres nous attendent. Un homme baraqué aux cheveux blonds coupés court nous mène à un petit ascenseur, qui nous conduit en crissant jusqu'au dernier étage. Nous sortons ensuite sur le toit, où se trouve un bar, une terrasse avec une vue panoramique des environs et une piste de danse. Le portier nous guide vers une alcôve créée de toutes pièces par trois fauteuils en vinyle blanc et une balustrade en verre.

C'est une soirée superbe, et les lumières de la ville remplacent les étoiles. J'ai en tête les paroles de *Ft. Worth Blues*, de Steve Earle, qui parle de jolies lumières colorées.

Une petite armée de serveurs apparaît, munis de deux bouteilles de Grey Goose dans des seaux à glace, de verres, de boissons gazéifiées et de glace. Les fêtardes se servent à boire (beaucoup de Grey Goose, pas trop de tonic), et Amber tend sa carte noire d'un air distrait tout en scannant la foule du regard. Je me prépare de mon côté un mélange de jus d'orange et de canneberges avec un peu d'eau gazeuse. Et Greer, étonnamment, se sert la même chose, marmonnant qu'elle veut ralentir un peu sa consommation.

Olivia boit une gorgée de son cocktail et pose ses longues jambes sur la petite table en verre. En regardant autour d'elle, elle décrit les figurants.

– Vous voyez, cette table, là-bas ? Ce sont les acteurs de la série sur les ambulanciers. On vient de leur confirmer une deuxième saison. Le gars qui tient le rôle principal est mignon, mais c'est un connard de première.

Elle regarde à gauche.

– Et ceux-là, ce sont les acteurs du dernier film de Will Smith. Ils ont terminé le tournage ce matin.

– Will n'est pas là ? dit Greer.

– Nan, il ne fait jamais la fête sans sa bonne femme. Un peu bizarre.

– J'ai entendu dire qu'il avait un mariage ouvert, ajoute Steph. Apparemment, il n'a qu'à prévenir Jada, et ça ne la gêne pas.

– Impossible, dit Eva.

Greer considère la foule.

– Qui est, selon vous, notre meilleur espoir masculin ?

– Tu cherches une relation sérieuse ou une histoire d'un soir ?

– Si je cherchais une relation sérieuse, je ne serais pas en train de faire la fête sur le toit d'un immeuble.

– Bien dit, répond Olivia en scannant la foule. D'après moi, tu es assez mignonne pour la bande de gars de *Gossip Boy*.

– C'est quoi, ça ?

– C'est une nouvelle adaptation de la série bien connue et pleine de beaux gars de vingt-trois ans.

– Parfait.

– Tu veux que je te les présente ?

– Allons-y !

Je les suis des yeux lorsqu'elles s'éloignent et croise le regard d'un gars un peu ringard, vêtu d'un complet qui ressemble un peu trop à un survêtement de sport. Il hausse le menton à la Joey dans *Friends* lorsqu'il dit son célèbre « How you doin'? », et je m'empresse de détourner le regard.

Peut-être aurais-je dû partir à la chasse avec Greer et Olivia…

J'essaie de discuter avec Amber, mais elle est trop occupée à chercher des yeux Connor pour aligner deux idées cohérentes. Eva et Steph parlent quant à elles à deux gars que je reconnais, puisqu'ils jouaient dans une série télé basée dans une pizzeria de centre commercial et qui a été annulée après cinq épisodes.

Je m'ennuie et commence à dégriser. J'ai presque envie de m'en aller, ou du moins de boire un autre verre.

Mais comment en obtenir un sans me faire prendre?

Qu'est-ce que ça peut bien te faire, si tu te fais prendre, idiote? C'est le cadet de tes soucis, maintenant.

Toi, tu te la fermes, hein? Je ne veux plus t'entendre ce soir. Bon, le monsieur en survêt, il est passé où?

Dix minutes plus tard, je trône au bar comme s'il m'appartenait. J'ai englouti deux doubles vodkas, donné mon numéro de téléphone à deux types quelconques (OK, le numéro de cellulaire de Joanne, mais au moins, c'est une fille qui répondra), et je me sens bien.

Je reprends de la gomme et je retourne à notre table. Il n'y a que Greer qui s'y trouve, et nous avons été envahies par deux abrutis qui portent le premier complet-veston de leur vie. Ils sont grassouillets et plus petits que moi. Celui de gauche a les cheveux teints blond-blanc, dressés sur sa tête sous l'effet de la mousse coiffante, et son compère a des cheveux noirs bouclés qui représentent tout ce qu'il y a de mignon chez lui.

Le regard de Greer me hurle «À l'aide!»

– *Lassie*! Assieds-toi et dis bonjour à nos nouveaux amis, Karl et Arty.

Je prends place à côté d'elle.

– Ça me fait plaisir de vous rencontrer.

– Comment t'appelles-tu, chérie ? demande Arty d'un accent traînant mi-britannique, qui n'est pas sans rappeler celui de Connor.

Il se moque de ma gueule, celui-là ?

– Je m'appelle Candie.

– Ça me fait plaisir de te rencontrer, bébé.

– Pas Bébé. Candie.

Karl ricane.

– T'as vu ça, Arty ? On a une proie fougueuse, ici.

– Oh, elles me plaisent quand elles sont fougueuses, répond Arty en attirant l'attention de la serveuse. On se prend une bouteille ? J'invite.

Greer me jette un regard désespéré. Je ne lui en veux pas. Si je n'étais pas déjà à moitié partie, ces gars me donneraient envie de boire moi aussi.

– Ouais, pourquoi pas ? réponds-je.

Karl lance une carte dorée flambant neuve sur le plateau de la serveuse.

– Je croyais qu'Arty nous invitait ?

– Nan, Arty est le Roi. Et le Roi ne paie rien.

– Pourquoi est-il le Roi ?

– Il l'est tout simplement, ma chérie. Ça ne s'explique pas.

Arty sort son paquet de cigarettes de la poche de son complet.

– Vous en voulez-une, mesdames ?

– Je ne vais pas me gêner, dit Greer, laissant Arty lui allumer une cigarette.

Je l'imite et inspire profondément la fumée. Je dois être soûle, parce que cette cigarette a un goût fantastique. La serveuse nous apporte la bouteille et des accompagnements, et nous nous préparons des cocktails.

– Alors, que faites-vous dans la vie, les gars? demande Greer.

– Nous sommes des prédateurs corporatifs, répond Karl.

– Qu'est-ce que cela veut dire, au juste?

Il essaie de faire un rond de fumée, mais n'arrive à former qu'une espèce de forme floue.

– En gros, nous achetons des compagnies qui vont mal et nous les violons.

Je manque de m'étouffer avec mon jus d'orange.

– Pardon, as-tu utilisé le mot « viol »?

– Ouais, chérie. Ça te dérange?

– Un conseil pour toi, Karl. « Viol » n'est pas un mot à utiliser à la légère.

Karl met sa main sur ma cuisse.

– Un conseil pour toi, bébé. J'ai payé cette bouteille, alors je peux dire ce que je veux.

Je le regarde droit dans ses yeux flous.

– Karl, je pense que tu vas préférer retirer cette main.

– Ah oui? Sinon quoi?

– Sinon, je vais te démolir, connard.

Je lève les yeux. Henry est debout derrière Karl, très en colère. Il porte un complet gris perle qui semble plutôt dispendieux et une chemise blanche sans cravate. Mon Dieu qu'il est craquant.

– Henry chéri, dis-je en grimpant sur la banquette et en tendant les bras vers lui. Tu es venu à ma rescousse?

Après une seconde d'hésitation, il s'avance vers moi et place ses mains chaudes sur mes hanches.

– Veux-tu que je défonce ces imbéciles?

Je penche la tête, comme si je réfléchissais sérieusement à sa question.

– Nan. Je ne voudrais pas que tu te fasses mal aux mains. Encore une fois.

– Tu décides.

– Et tu es le meilleur.

J'attire son visage vers le mien et je l'embrasse. Je sens de l'électricité quand nos lèvres se touchent. Je suis sûre qu'il l'a aussi senti parce qu'il s'éloigne un peu, puis serre ses mains sur mes hanches. Nous restons ainsi plus longtemps qu'il n'en faut pour que notre numéro soit convaincant, et mes mains commencent à trembler.

Quand nous nous séparons, mon cœur bat la chamade. L'expression dans les yeux de Henry me fait rougir.

– Es-tu certaine que tu ne veux pas que je démolisse ces salauds ? murmure-t-il contre mes lèvres.

– Ce ne serait pas un combat d'égal à égal.

– Au moins, laisse-moi leur dire de partir.

– Non, je m'en charge.

Je me tourne vers Arty et Karl, qui sont tout à coup moins arrogants.

– Il me semble que vous avez autre chose à faire, pas vrai, les gars ?

Ils se lèvent en vitesse.

– Bien sûr que oui, dit Karl, tentant de conserver sa dignité. Le Roi a d'autres affaires pressantes qui l'appellent.

Arty ramasse la bouteille et la cale sous son bras.

Greer les salue de la main quand ils partent.

– À plus tard, alors !

Je m'assois à côté de Greer, et Henry prend place face à moi dans le fauteuil libéré par Arty et Karl.

Nous nous regardons, comme d'habitude plongés dans un de nos silences inconfortables.

Mon amie le rompt pour nous.

– Salut, je m'appelle Greer.

Henry lui sourit, content de la diversion.

– Je m'en souviens, oui.

– Tu es ici avec Connor ? lui demandé-je.

– Ouais, il est ici quelque part.

– Amber aussi.

Son sourire s'estompe.

– C'est ce que j'ai cru comprendre.

– Quand êtes-vous sortis ?

– Aujourd'hui.

Il me regarde d'un air appréciatif.

– Tu sais, je ne t'ai presque pas reconnue, quand je suis arrivé.

– Tu t'attendais à ce que je porte un tee-shirt et un pantalon de sport ?

– Je veux simplement dire que tu as l'air super.

– Merci. Toi aussi...

Le silence s'installe de nouveau. Je sens que Greer nous observe.

Henry se penche vers moi.

– On peut parler une minute ?

– Euh... OK. Ici ?

– À l'intérieur, ça te va ?

– Oui. Ça ne te gêne pas, Greer ?

– Pas du tout, *lass*.

Je me lève au moment où les fêtardes reviennent, débordant d'anecdotes au sujet de ce qui se passe à l'intérieur du bar. Elles me font retomber sur mon siège en se précipitant pour s'asseoir. Henry les observe d'un air discret. Leur bavardage remplit l'air autour de nous, et Greer me chuchote qu'elle va rentrer.

– Tu veux venir avec moi?

– Non, dis-je en regardant Henry. Je vais rester un moment.

– D'accord, *lass*. Fais attention à toi.

– Merci d'être venue.

– Ça me fait plaisir.

Elle me serre brièvement dans ses bras.

– En passant, il est fou de toi, dit-elle à mon oreille.

Avant que je puisse lui demander pourquoi elle a dit ça, elle se faufile à l'extérieur de notre alcôve et disparaît dans la foule.

– Je n'arrive pas à croire qu'elle ait osé se présenter ici, dit Olivia en secouant la bouteille de Grey Goose. Merde, il nous faut une autre bouteille.

– Salut, Livia, dit Henry.

Olivia se retourne d'un coup, et l'expression de son visage devient ironique.

– Eh bien, si ce n'est pas Henry Slattery, en chair et en os.

Elle regarde autour d'elle.

– Pas de Connor?

Henry n'a pas l'air ravi.

– Il est ici quelque part.

– Bien sûr qu'il est ici. On ne peut avoir l'un sans l'autre.

– C'est ce que tu as toujours prétendu.

Ah, je comprends. Henry et Olivia sont sortis ensemble. Super, vraiment super.

Je me lève et j'enjambe Olivia.

– Où vas-tu? demande Henry.

– Je pense que je vais rentrer.

Il prend mon poignet dans sa main.

– Attends.

Je croise son regard. Si seulement je pouvais le déchiffrer.

– S'il te plaît, Kate...

– Je serai à l'intérieur. Viens me voir si tu veux.

Je m'éloigne et je fais mon chemin dans la foule, les mains tremblantes. À cause du choc d'avoir revu Henry. À cause du baiser. À cause de l'expression de son visage quand il parlait à Olivia. À cause de l'air qu'il avait quand il m'a dit «s'il te plaît, Kate». À cause de l'alcool, l'alcool, l'alcool.

En parlant de ça...

Je fais signe au barman et commande un double scotch. Je mets de l'argent sur le comptoir et lui en demande un autre avant que le premier n'ait atteint mon estomac. Une fois que j'ai avalé le deuxième, mes mains et mon cœur se calment enfin, et je commence à planer.

Je m'appuie sur le bar et j'observe la foule. Quelle était déjà cette citation dans *Star Wars* au sujet d'un lieu de débauche? Enfin... Il est 2 h du matin et ça commence à sentir le désespoir, ici.

J'aperçois Connor assis à une table dans un coin en compagnie d'une grande blonde. Elle porte une petite robe presque transparente, et quand elle rit et tourne la tête, je me rends compte que c'est «elle» (alias Kimberley Austen). Je cherche aussitôt Amber du regard, mais ne la trouve pas.

Connor est un sacré salaud.

Je commence à élaborer un plan pour briser le tête-à-tête de Connor et de Kimberley quand Henry apparaît.

– Tu es là, dit-il, l'air soulagé et content.

Je mets mes mains autour de son cou sans réfléchir. Ah, l'alcool... Si efficace pour éliminer toute tentative de réflexion.

– Je ne me cachais pas.

Il sourit.

– Je suis content.

– Moi aussi.

Nous nous approchons l'un de l'autre comme des aimants. Nos lèvres se touchent. Puis nos dents, nos langues. Sa bouche goûte la gomme à la cannelle, ses mains sont chaudes dans le creux de mon dos. Les miennes jouent avec ses cheveux, là où ils se rejoignent à la ligne de son cou. Les bruits du bar disparaissent, et le boum, boum, boum de la musique suit le même rythme que mon cœur.

C'est un baiser merveilleux. Un baiser fabuleux. Et nous y sommes encore plongés quand Henry recule sa tête. Il encadre mon visage de ses mains et demande :

– Kate... As-tu bu ?

Je ne peux pas lui mentir. Je hoche la tête doucement, et ses mains retombent mollement.

– Mon Dieu, Kate... Tu es sortie de désintox il y a à peine une semaine.

– Connor est là-bas avec Kimberley, dis-je sans logique apparente, tentant de le distraire.

– Kate.

– C'est vrai, regarde par toi-même.

À regret, Henry suit mon doigt du regard, et aperçoit Kimberley assise sur les genoux de Connor.

– C'est pas vrai ! Merde, qu'il est con !

Henry cherche ensuite partout dans la salle.

– Qu'essaies-tu de trouver ? le questionné-je.

– Des espions. Kate, reste ici. Et ne bois rien, s'il te plaît.

Il se fraie un chemin parmi la foule jusqu'à la table où Connor et Kimberley s'embrassent de manière ostentatoire.

Henry dit quelque chose à Connor, gesticulant de manière colérique. Connor a l'air fâché, mais il chasse Kimberley de ses genoux sans cérémonie. Puis, il se lève et engueule Henry. Henry l'écoute un moment, puis bientôt, ils crient et gesticulent tous les deux. Je n'entends rien jusqu'à ce que Henry hurle « Ah, et puis va te faire foutre ! » juste au moment où la musique baisse de volume, avant de revenir vers moi.

– Que s'est-il passé ?

– Rien. On y va.

– Où allons-nous ?

– Je te raccompagne chez toi.

J'aime bien cette idée.

– OK.

Je saute du tabouret, et mes jambes cèdent. Henry m'attrape juste avant que je ne m'effondre sur le plancher.

– Mes jambes ne fonctionnent pas très bien, dis-je.

Il a l'air grave.

– Je vois.

– Pourquoi mes jambes ne fonctionnent-elles pas ?

– J'imagine que ç'a quelque chose à voir avec l'alcool.

– J'aime l'alcool.

Oups.

– Je sais.

Henry me guide vers l'ascenseur, une main sur ma taille et l'autre autour de mon épaule pour me soutenir.

– Comment sais-tu autant de choses à mon sujet ?

– J'ai entendu ta confession, tu t'en souviens ?

Je penche la tête et je le regarde. Il surveille les numéros sur le panneau au-dessus de l'ascenseur.

– Pourquoi ai-je fait un truc aussi idiot ?

– Je n'en sais rien.

CHAPITRE 23

ET LA NOIRCEUR FUT

Quand je me réveille, j'émerge d'une amnésie éthylique totale. Je ne sais pas où je suis. Je ne sais pas comment je suis arrivée là. Je ne suis même pas tout à fait certaine de me souvenir de mon prénom.

OK. Commençons par le commencement.

Ma tête me fait horriblement mal. Mon estomac hurle comme si j'avais bu de l'acide. Ma langue empeste le brûlé comme quand j'ai fumé. La chambre tourne autour de moi.

Parfait. J'ai la gueule de bois et je suis soûle en même temps. Ça m'est déjà arrivé. Je survivrai.

Quoi d'autre, encore?

Je suis couchée dans ce qui semble être un grand lit très confortable. J'étire la main, palpant les draps qui me recouvrent. Ils sont doux comme ceux d'un grand hôtel. Je prends une longue inspiration. L'air sent le propre, voire l'antiseptique. Oh, merde... je ne suis pas...

J'ouvre les yeux. Soulagement. Impossible que ce soit une chambre d'hôpital, même dans le genre si-chic-qu'Angelina-Jolie-a-accouché-ici. Alors, il doit s'agir d'une chambre d'hôtel, n'est-ce pas?

Je regarde autour de moi. Mes yeux se frottent contre mes paupières, comme si quelqu'un m'avait lancé du sable au visage. La chambre est sombre, mais je distingue un rayon de lumière sous une porte, peut-être celle de la salle de bain, ce qui me permet de voir ce qui m'entoure. Un papier peint recouvre le mur au-dessus de lattes en bois, un bureau lui aussi en bois se trouve dans un coin, de même qu'une belle commode. C'est certainement une chambre d'hôtel.

OK, mais la chambre d'hôtel de qui?

L'ouïe semble être le dernier de mes sens à revenir. Après quelques secondes, j'entends un bruit d'eau qui coule. Beaucoup d'eau. Quelqu'un est sous la douche.

Alors je ne suis pas seule. Je n'ai pas pris une chambre d'hôtel dispendieuse en étalant une fortune que je ne possède pas. Tant mieux. Mais alors, cela veut dire que...

Ai-je...?

Je me palpe rapidement. Je porte un tee-shirt, un soutien-gorge et une culotte. Je me sens assez propre, vous savez, là... Je suis sûre que nous n'avons pas fait l'amour hier soir, ou bien ce matin, ou encore à l'heure inconnue à laquelle nous, l'inconnu sous la douche et moi-même, sommes arrivés ici.

Mais avec qui est-ce que je forme ce «nous», bordel?

Euh, moi et... moi et... Nan, aucune idée.

OK, recommençons au tout début. Qu'ai-je fait hier soir?

Je fouille dans ma mémoire. OK. Amber et les fêtardes. Nous avons mangé. Pas beaucoup, mais un peu. Puis nous sommes allées à ce bar. Et j'ai bu ces verres. Et ces autres verres. OK. Je commence à comprendre. Le gin tonic à la salle de bain, et tous ces verres doubles, ça fait... deux, quatre, neuf consommations d'alcool. Alors, neuf lichées d'alcool + presque rien mangé + abstinence pendant trente-six jours = amnésie alcoolique totale. Je le saurai, à l'avenir.

Tout cela n'explique cependant toujours pas comment j'ai abouti ici, ni qui se trouve sous la douche. Ce n'est quand même pas Amber ni l'une des fêtardes. Même neuf verres + estomac presque vide + abstinence pendant trente-six jours ≠ changement d'orientation sexuelle. Il n'y avait certes pas d'hommes avec nous au restaurant. Ni au bar, il me semble... Je repasse à travers les images de la soirée comme si j'accélérais un film sur DVD. Ah, Greer était là. Merde. J'espère qu'elle est bien rentrée. OK. Non, un instant, je me souviens qu'elle m'a dit qu'elle s'en allait. Juste quand...

Oh, oh...

Je n'entends plus le jet de la douche et je retiens ma respiration. Je pense que je devine quelle est la personne qui fait ses ablutions là-dedans, mais si je me trompais? Et encore pire, si j'avais raison?

Mais qu'est-ce qu'il fait là-dedans? Il s'essuie? S'habille? Applique de l'autobronzant?

Allez, montre-toi!

La poignée de porte tourne sur elle-même et, paniquée, je ferme les yeux. J'inspire et j'expire lentement, feignant de dormir et j'attends de ressentir l'impression étrange que quelqu'un est debout à côté de moi et m'observe, mais ça ne vient pas.

Peut-être devrais-je ouvrir les yeux? Dire quelque chose? Mais qu'y a-t-il à dire, au juste?

On marche de nouveau sur le tapis, mais les pas semblent plus lourds. Mon inconnu a donc mis des chaussures. Puis, le frottement s'estompe. J'entends un loquet qui s'ouvre. Merde. Non!

– Attends...

Mais il est trop tard. Ma voix est à peine audible, et quand je réussis à me relever sur mes coudes et que mes yeux parviennent à se fixer sur la porte, elle est fermée et je suis seule.

Je m'assois. Seigneur. Ce n'était pas une bonne idée, ce mouvement brusque. La chambre bouge, tourne et sautille autour de moi. J'espère que mes jambes pourront me porter, parce que j'ai besoin de me rendre à la salle de bain immédiatement.

Je repousse les couvertures et m'élance vers la salle de bain. Je prends position au-dessus de la cuvette, attendant l'inévitable. Cela se produit rapidement, et quand j'ai terminé, je me sens un peu mieux, mais toujours étourdie. Je m'assois donc sur le plancher en céramique froid, en me demandant comme j'ai pu revenir à mon point de départ.

Je ne suis pas sûre du temps que va persister la sensation de je-vais-encore-vomir, mais elle s'arrête enfin et je me relève, hésitante. J'arrache alors mes vêtements et je me rue dans l'énorme douche en céramique, refermant la lourde porte vitrée derrière moi. J'ouvre le robinet et je laisse l'eau froide couler sur moi. Tout ce que je veux faire, c'est fuir, mais je m'oblige à rester et à encaisser le choc des températures. Je ne sais pas trop pourquoi je fais ça, mais il me semble que je mérite une punition, et celle-ci est la plus accessible.

Quand j'ai la chair de poule et que je commence à frissonner violemment, j'appuie sur le robinet, rendant l'eau aussi chaude que possible. Mes épaules deviennent alors rouges, et la porte vitrée est opaque de buée. Je prends le shampooing ultra-cher dans une petite bouteille bonne pour deux usages qui se trouve à côté de moi et je l'applique. Ça sent l'eucalyptus, et mes cheveux sont étincelants de propreté. Je les rince, ferme le robinet et enfile une grande robe de chambre blanche que je trouve sur un crochet, derrière la porte.

Mon Dieu que j'aimerais deux aspirines et un bon brossage de dents. Il y a justement une brosse à dents sur le comptoir, à côté du lavabo. Elle a l'air neuve, peut-être n'a-t-elle été utilisée qu'une ou deux fois, voire seulement ce matin. Oh, et puis tant pis. J'ai dormi dans le même lit que son propriétaire, après tout, non ?

Quand j'ai fini de m'oxygéner la bouche, je fouille dans mon sac à main et y trouve ce que j'espérais : un petit sachet en aluminium contenant deux Tylenols extra-forts. Je laisse couler l'eau dans le lavabo jusqu'à ce qu'elle soit froide, puis j'avale les pilules ainsi que deux verres d'eau. Comme je ne veux pas enfiler les vêtements dans lesquels j'ai dormi, je fouille dans les tiroirs, jusqu'à ce que je trouve un tee-shirt propre et des boxers blancs. Ils portent l'odeur de Henry, ou du moins, c'est ce que j'espère.

Me sentant légèrement plus humaine, je m'installe dans le lit et j'allume la télé. Je zappe lentement, comme d'habitude. Je tombe bientôt sur une reprise de *Men in Trees*. Parfait. Je me blottis dans le lit et je regarde Jack qui flirte avec Marin en chandail de pêcheur.

C'est vraiment le lit le plus confortable que j'aie jamais essayé. Je me demande si son propriétaire, ou locataire (comment diable appelle-t-on le client d'un hôtel lorsqu'on parle de sa chambre ?), va revenir bientôt. Ou peut-être ne reviendra-t-il pas ? Et si ce n'était pas lui ? Mais si ça l'était ? Beurk. Ces questions m'étourdissent. Peut-être ferais-je mieux de fermer les yeux. Voilà. C'est mieux. Plus besoin de m'inquiéter. Je le découvrirai bien assez vite. Ce qui doit arriver arrivera.

Ce qui doit arriver arrivera...

• • •

– Kate, dit Henry fermement, une main sur mon épaule. Réveille-toi.

J'ouvre les yeux. Henry est debout à côté de moi. Il porte un chandail bleu marine et un jean délavé. Il a une barbe naissante et ressemble davantage au Henry du centre de désintox qu'à celui d'hier soir.

– Quelle heure est-il?

– Presque midi. Il est temps de se lever.

– Je me suis levée un peu plus tôt, réponds-je sans conviction. J'ai pris ma douche...

Il détourne le regard.

– Je t'ai laissé une brosse à dents à côté du lavabo.

Bien entendu. Parce que tu es parfait et que je suis un cauchemar qui ne te mérite pas.

– Merci.

– Ce n'est rien.

Henry ouvre les rideaux, laissant pénétrer la lumière dans la pièce. Je repousse les couvertures et pose les pieds sur le tapis épais. Je suis toujours étourdie, mais je pense que cela est plus lié au regard froid que m'adresse Henry qu'à l'alcool qui traîne encore dans mon corps.

Je me lève, et Henry me regarde de haut en bas, d'un air perplexe que je ne comprends pas, jusqu'à ce que je me souvienne que je porte ses vêtements.

– Désolée, je t'ai emprunté quelques trucs…

– Ça va.

– Donne-moi une minute et je vais partir d'ici, d'accord ?

– Ouais, c'est sûrement ce qu'il y a de mieux à faire, marmonne-t-il.

La partie rationnelle de mon cerveau comprend pourquoi il agit ainsi, mais celle émotive est en rogne. Doit-il vraiment être aussi froid et distant que ça ?

– Que se passe-t-il, Henry ?

– Rien.

– Là, tu mens.

Ses yeux brillent.

– Ouais, peut-être, mais ce sont mes affaires…

– Écoute, je comprends que tu sois déçu, mais je ne suis pas parfaite, OK ? Si tu savais la semaine que j'ai eue…

Il lève la main.

– Je ne veux pas le savoir. Quelle que soit ton excuse. Je les ai toutes entendues, et j'ai de vrais problèmes en ce moment.

– Mon Dieu, Henry, je ne suis pas Connor, tu sais… Que veux-tu dire, au juste, quand tu parles de vrais problèmes ?

Il hésite.

– Amber a disparu.

– Quoi ?

– Personne ne l'a vue depuis hier soir. Elle est partie en furie quand Kimberley est arrivée, et elle ne répond pas à son téléphone.

– Connor la cherche-t-il ?

Il a l'air fâché.

– Non.

– Comment l'as-tu su, alors ?

– Olivia m'a appelé.

Un détail surgit dans mon amnésie. Je crois que Henry et Olivia se sont déjà fréquentés. Pourquoi, mais pourquoi est-ce la première chose dont je me souviens?

J'attends que d'autres souvenirs surgissent, mais je ne vois rien venir.

– Amber a-t-elle déjà fait ça? demandé-je plutôt.

– À quelques reprises... La dernière fois, elle s'est retrouvée sur YouTube...

– Zut.

– Ouais. Zut.

– Nous devons partir à sa recherche.

– Je sais.

– Eh bien, allons-y, alors!

Il se mord la lèvre, concentré, comme s'il combattait quelque chose. Après un moment, il soupire.

– OK, tu peux venir.

Il se dirige vers la porte et ramasse un sac.

– Je t'ai acheté ça.

Je prends le sac et jette un coup d'œil à son contenu. Il contient un tee-shirt, un jean, un soutien-gorge, des culottes et une paire de chaussures sport. Une vérification rapide me confirme qu'il s'agit de la bonne taille.

– Comment as-tu fait?

Il hausse les épaules.

– J'ai l'habitude.

OK, d'accord.

Je conserve un ton léger.

– De ramener des filles soûles chez toi?

Il ne me sourit pas en retour.

– Nan. Ça fait partie de mon boulot. C'est la spécialité de Connor.

– Avoir des vêtements de rechange pour ses aventures d'un soir?

Merde. Pourquoi me suis-je qualifiée d'aventure d'un soir?

– Ouaip.

– Mais je pensais qu'Amber et lui étaient ensemble depuis toujours.

– Allez, Kate...

– Oui. Désolée. Je ne devrais pas être si naïve.

L'expression de son visage s'adoucit.

– Non, tu ne devrais vraiment pas.

J'apporte le sac dans la salle de bain et je retire les vêtements de Henry. Quand son tee-shirt passe sur mon visage, je sens son odeur à lui – moitié assouplisseur pour la lessive, moitié épices. Je porte le tissu à mon visage et inspire profondément. Si seulement tout pouvait être aussi simple avec Henry. Doux, chaud et sentant bon.

– Ça te va? demande Henry à travers la porte.

Je me dépêche de déposer son tee-shirt sur le comptoir et je sors les vêtements du sac.

– Ouais. Je n'en reviens pas, vraiment. Comment as-tu deviné ma taille?

Parce que les culottes et le soutien-gorge (simples, en coton blanc, comme ceux que je portais hier soir) me vont à merveille, et ça me fait un peu flipper.

– J'ai de l'expérience.

J'enfile les vêtements et j'ouvre la porte.

– On parle de combien de filles, exactement?

– Crois-moi, tu préfères ne pas le savoir.

– Ouais, t'as sans doute raison. Alors, qu'est-ce qu'on fait ?

– Je connais quelques endroits où elle a pu aller.

– Des endroits louches ?

– Ouaip.

– OK, je te suis.

Nous descendons, et Henry demande au chauffeur de taxi de nous emmener dans un quartier de la ville où je ne suis jamais allée, mais dont j'ai souvent entendu parler aux nouvelles. Le chauffeur, d'origine moyen-orientale, nous regarde, l'air de dire «Pourquoi voulez-vous aller là ?» et Henry doit répéter l'adresse d'un ton ferme. Le chauffeur hausse finalement les épaules et démarre le moteur.

Henry fixe son téléphone cellulaire du regard pendant tout le trajet, espérant qu'il sonne. J'observe de mon côté le ciel gris, me demandant s'il me pardonnera un jour de n'être qu'une personne de plus dans sa vie dont il facilite la dépendance.

Le taxi s'arrête bientôt en face d'un immeuble de briques rouges délabré. Henry demande au chauffeur d'attendre, lui tend de l'argent et me dit de demeurer dans le taxi. Sur le trottoir, il rentre ses épaules et rabat la capuche de son chandail sur sa tête. Il marche jusqu'à une lourde porte en bois. Il y cogne, dit quelque chose, et on lui ouvre.

Nerveuse, j'attends qu'il ressorte. J'observe la porte. Un homme dans la quarantaine qui porte des vêtements crasseux regarde autour de lui avant de cogner. Tout comme Henry, il dit quelques mots et on lui ouvre. Une fois qu'il est entré, un colosse au visage tatoué sort la tête et nous jette un regard noir. Quand il referme la porte, j'aperçois quelque chose de métallique et de dur sur sa hanche.

Seigneur. Comment ai-je abouti dans *Gangsta's Paradise* ?

Le chauffeur se retourne vers moi. Il est craintif.

– Si votre copain ne revient pas dans cinq minutes, madame, je pars.

– Non, vous ne pouvez pas le laisser ici.

– Regardez-moi bien aller.

– Nous ne sommes pas ici pour acheter de la drogue, vous savez. Nous cherchons une amie qui a des problèmes.

– Madame, vous faites ce que vous voulez. Mais dans cinq minutes, je vous préviens, moi, j'y vais.

Je regarde par la fenêtre. Dépêche-toi, Henry. Pourquoi n'ai-je pas noté son numéro de téléphone cellulaire avant qu'il ne sorte du taxi ? Stupide, stupide, stupide fille.

Il reste une minute au chronomètre quand la porte s'ouvre et que Henry ressort. Je me glisse sur le siège pour lui laisser de la place.

– Elle était là ?

– Non.

– L'ont-ils vue ?

– Non.

Henry se penche vers l'avant.

– Prenez à gauche au prochain coin de rue.

Le chauffeur secoue la tête.

– Il ne veut plus nous accompagner dans ce quartier, expliqué-je.

– Pourquoi ?

Je baisse le ton et murmure à son oreille.

– Je crois qu'il a peur.

Comme moi. J'ai peur moi aussi.

Henry fait la grimace.

– Mais on est en plein jour !

– Ce gars tatoué portait un fusil.

– Il y a toujours un gars avec un fusil dans ce genre d'endroit, dit-il en sortant son portefeuille de sa poche de jean. Écoutez, monsieur, nous cherchons une amie, une amie célèbre, qui a des problèmes. Il faut que vous nous conduisiez encore à quelques autres endroits. Vous serez bien payé.

Il lance quelques billets de cent dollars sur le siège avant de la voiture pour appuyer ses dires. Le chauffeur leur jette un coup d'œil, hésitant.

– De qui s'agit-il ?

– D'Amber Sheppard.

Le chauffeur écarquille les yeux.

– La Fille D'À Côté ?

– Oui.

– Cette fille est perturbée.

– Vous allez nous aider ?

– Ouais, d'accord.

– Merci. Maintenant, tournez à gauche à la prochaine intersection.

Henry s'appuie sur son siège. Il compose un numéro et porte le téléphone à son oreille.

– Salut, c'est moi. Non, elle n'était pas là. Je vais essayer sur Parker. Non, je ne lui ai pas parlé. Peux-tu l'appeler ? Je t'envoie son numéro par texto. Ouais. OK. Je t'appelle plus tard.

Il termine l'appel, envoie un texto et tourne la tête vers la fenêtre.

– Combien d'endroits allons-nous essayer ?

– On continue jusqu'à ce qu'il n'y ait plus d'endroits à essayer.

– Connor ne serait-il pas censé la chercher à ta place ?

– Je ne pense pas que ce soit une bonne idée pour Connor d'aller dans un *crack house* en ce moment.

Il se tourne vers moi.

– Merde, je n'y avais pas pensé. Ça va, toi ?

– Henry, je n'ai jamais fumé de crack de ma vie.

– Bien.

Il se retourne vers la fenêtre. Je fixe du regard sa tête en colère.

– Henry, que s'est-il passé entre nous, hier soir ?

– Tu ne te souviens de rien ?

– De pas grand-chose, dis-je en prenant une grande respiration. Et de rien qui explique comment je me suis ramassée dans ton lit.

Il se tourne vers moi, le visage inexpressif.

– Il ne s'est rien passé, tu sauras.

– Alors, pourquoi ne m'as-tu pas accompagnée chez moi ?

Le taxi freine d'un coup sec devant un autre immeuble délabré.

– Tu étais trop soûle pour me donner ton adresse.

Je suis submergée de honte.

– Oh...

– Tu y vas, ou quoi ? demande le chauffeur.

– Dans une minute.

– Donne-moi ton numéro de cellulaire au cas où il arriverait quelque chose, dis-je.

Je sors mon téléphone. Henry le prend et y tape ses coordonnées. Quand il me redonne mon bien, j'appuie sur « composer », juste pour être sûre qu'il n'y a pas d'erreur. Son téléphone vibre dans sa main. Il refuse l'appel.

– Je serai de retour dans quelques minutes.

– Fais attention.

Il hoche la tête et ouvre la porte. Je l'observe en train d'avancer vers la porte d'entrée.

– Vous pensez vraiment qu'Amber Sheppard est ici? demande le chauffeur.

– Je le souhaite.

• • •

Six heures et onze vendeurs de drogue plus tard, le taxi s'arrête devant mon immeuble. Henry et moi sommes épuisés et découragés, et personne n'a eu de nouvelles d'Amber. Nous avons décidé de prendre une pause pour le souper et de faire un remue-méninges. Nous payons notre nouveau meilleur ami Akhmed, et nous grimpons les escaliers qui mènent à mon appartement.

– Joanne? dis-je en entrant.

Personne ne répond.

– Elle doit être sortie. Assieds-toi, je vais aller chercher les menus des restos pour commander dans le coin.

Il s'écroule sur le fauteuil, épuisé. Il soupire, puis consulte son téléphone pour la millionième fois. Il compose un numéro. Sûrement Olivia. Encore une fois.

– Que veux-tu manger?

Il couvre le combiné de la main.

– Ça m'est égal. Commande ce que tu veux.

Je me rends à la cuisine, je ramasse la pile de menus sur le comptoir et je les feuillette, espérant que l'un d'eux se démarque par magie. Le téléphone accroché au mur à côté de moi sonne alors bruyamment.

– Allo ?

– *Lassie.*

– Salut, Greer. Ça va ?

– Ça va ? Tu n'as rien de mieux à me dire ?

– De quoi parles-tu ?

– Ne joue pas à la vierge offensée avec moi, miss. Joanne m'a dit que tu n'étais pas rentrée hier soir.

Je ferme la porte qui sépare la cuisine du salon.

– Elle t'a dit quoi ?

– Relaxe. Elle était inquiète.

– Ouais, mon œil.

– Elle pensait que tu avais fait une rechute, mais je l'ai assurée que tu assouvissais un tout autre vice.

Si tu savais.

– Alors, Joanne était réellement inquiète à mon sujet ?

– Oui.

– Alors, quoi, c'est ta nouvelle meilleure amie ?

Elle rit.

– Ne sois pas stupide. Et maintenant, déballe ton sac.

– Euh, eh bien, il ne s'est rien passé, et il est ici en ce moment, alors...

– Il ne s'est rien passé ? Même après ce baiser ?

– Quoi ? dis-je, avant de me taire.

Si j'avoue à Greer que je ne me souviens pas du baiser (le baiser ? Nous nous sommes embrassés ? Maudit alcool !), elle aura trop de questions à me poser.

– Ce n'était tout de même pas si spectaculaire que ça, non ?

– De mon point de vue à moi, oui.

Mais alors, pourquoi Henry a-t-il dit qu'il ne s'était rien passé entre nous ?

D'après toi, idiote ?

– Alors, vous avez passé la journée ensemble? poursuit Greer.

– Ouais.

– Ça me semble sérieux.

– Non, tu as mal compris...

– Il est mignon.

– Ouais. Écoute, je dois commander à manger.

– OK, *lass*. Vas-y, mais appelle-moi demain, OK? J'exige plus de détails!

Bien sûr... dès que je m'en souviendrai.

Je raccroche et je regarde les menus. En haut de la pile se trouve celui d'un restaurant indien qui n'est pas mal.

– Henry, dis-je en retournant au salon, tu aimes l'indien?

– Ouaip.

– Tu peux commander? demandé-je en lui tendant le menu. Je dois aller aux toilettes.

Il accepte, et je longe le corridor jusqu'à la salle de bain. Je ferme la porte derrière moi, m'examine dans le miroir. Je fais vraiment peur. Miss Gueule de Bois. Pas étonnant que Henry n'ait pas voulu avouer qu'il m'avait embrassée.

Et pas à moitié, selon Greer. Pourquoi, ô pourquoi ne puis-je m'en rappeler?

Je brosse mes cheveux. Le téléphone sonne.

– Laisse le répondeur prendre l'appel, crié-je.

On entend encore une sonnerie, puis plus rien, mais je n'entends pas le clic sonore de notre vieux répondeur. La personne a dû raccrocher.

Je termine dans la salle de bain, puis je retourne dans le salon. Henry est debout, le téléphone à la main. Il a l'air stupéfait.

– Henry? Que se passe-t-il?

Il repose le combiné lentement, mais ne dit toujours rien.

– Henry, tu me fais peur. Qui était-ce, au téléphone? Cela a-t-il quelque chose à voir avec Amber?

– Ouais, c'était quelque chose en rapport avec Amber.

– Elle va bien? Qui a appelé?

Son regard est inexpressif lorsqu'il croise le mien.

– C'était Bob qui appelait pour te rappeler que ton article est attendu à son bureau vendredi à 17 h précises. Il n'acceptera aucune excuse de ta part. Il a aussi entendu dire qu'Amber avait disparu et il voudrait que tu assures le suivi.

Je suis figée sur place, le souffle coupé.

– Tu as répondu à mon téléphone?

Son visage se durcit.

– C'est tout ce que tu as à me dire? Seigneur, Kate! Tu te moques de moi?

– Henry, ce n'est pas ce que tu penses...

– Vraiment? Tu n'écris pas un article sur le séjour d'Amber en désintox pour le compte d'un foutu magazine à scandale, et tu ne te sers pas de moi pour obtenir plus d'infos?

– Non. Je ne me sers pas de toi.

– Kate, tu vas arrêter de me mentir? Arrête!

Il est fâché, déçu et dégoûté. Et je me sens exactement comme lui. Je suis fâchée, déçue et dégoûtée de moi-même. Au moins nous sommes tous les deux d'accord là-dessus.

Toute la fatigue que je combattais s'abat soudain sur moi. Je n'ai plus la force de mentir.

– Je ne sais pas comment arrêter.

– Que veux-tu que je réponde à ça, Kate?

– Je ne sais pas. Que veux-tu que je dise ? Que veux-tu que je fasse ?

Il me regarde. J'attends qu'il crie, qu'il hurle, qu'il sorte en claquant la porte. Mais après un long silence, il me dit calmement :

– Commence par le commencement.

CHAPITRE 24

ACCROCHE-TOI JUSQU'AU BOUT

Alors, je lui dis tout. Sans rien embellir. En n'oubliant rien. De mon anniversaire jusqu'à aujourd'hui. Je dis toute la vérité, rien que la vérité. Je le laisse même lire l'article, espérant qu'il commence à me pardonner un peu en constatant que je parle d'Amber de façon honnête, mais jamais dure.

En lui racontant tout cela, je comprends enfin certaines choses fondamentales à mon sujet. Des choses que je savais déjà, que j'avais confessées, mais jamais pleinement acceptées. Je suis une menteuse. J'ai un problème d'alcool. J'ai perdu le contrôle de ma vie.

Et oh, oui… je crois que je suis amoureuse de Henry.

Je ne parle pas de ces choses-là, mais elles sont si réelles que je suis sûre qu'il les voit lui aussi. Comme si je les avais écrites dans le ciel. Comme de petits nuages blancs dessinant les mots « menteuse », « alcoolique » et « amour ».

Quand j'ai fini, Henry demeure assis dans le fauteuil, silencieux, les yeux fermés, rentrant et sortant les lèvres.

J'attends l'explosion. À bien y penser, pourquoi ne m'engueule-t-il pas ? Pourquoi ne pique-t-il pas une crise monumentale ? Pourquoi est-il encore ici ?

Je l'observe. J'attends, j'espère, je m'énerve.

– Henry ? Que se passe-t-il ?

– Rien. Je réfléchis.

– À quoi ?

– Chut, Kate.

Je me tais, mais dans ma tête, ça continue à tourner. Je voudrais pouvoir lire dans ses pensées, tout comme je l'ai laissé lire dans les miennes. Ou peut-être qu'il vaut mieux ne pas le faire. Peut-être qu'il additionne mensonge + alcool et que cela ≠ vouloir que je sois sa copine.

Je me lève et me dirige vers le corridor. Il ouvre les yeux.

– Où vas-tu ?

– Me changer.

– Reste.

Il veut que je reste. Mais pourquoi ? Pourquoi veut-il que je reste ?

Je m'assois à côté de lui dans le fauteuil. Il s'appuie contre le dossier et ferme les yeux. Ce silence me tue. Je veux lui poser un million de questions. Pourquoi est-ce lui qui cherche Amber ? Pourquoi n'est-ce pas Connor ? Pourquoi ne parle-t-il pas à Connor ? Que se passe-t-il avec Olivia ? Aime-t-il la cuisine indienne ?

Et comment connaissait-il les adresses de tant de vendeurs de drogues ?

– Peux-tu me dire à quoi tu penses ? le questionné-je plutôt.

– J'essaie de me souvenir de quelque chose.

– À propos de l'endroit où Amber peut se cacher ?

– Ouaip.

– Peut-être devrais-tu aller faire du jogging, ça t'aiderait.

Ses yeux s'ouvrent.

– Qu'as-tu dit ?

– J'ai dit que tu devrais peut-être aller faire du jogging. Moi, ça m'aide à réfléchir, et tu sais que tes idées coulent quand tu cours, alors…

Henry prend mon visage entre ses mains et m'embrasse fort sur la bouche, puis s'éloigne. Il a l'air confus et gêné.

– C'était quoi, ça?

Il se détourne pour que je ne puisse pas lire son regard.

– Rien. Tu as trouvé, c'est tout.

– J'ai trouvé quoi? Comment?

– Je vais te montrer.

● ● ●

– Elle vient parfois ici quand elle est triste, m'explique Henry alors que nous traversons la partie est du parc, le long d'un sentier que je ne connaissais pas.

Cet endroit est sombre et lugubre, même avec les lampes de poche d'urgence de Joanne dans nos mains. Elles éclairent le sentier, ne révélant que des feuilles et des branches.

– Comment sais-tu cela?

– Je l'ai déjà vue ici quand je joggais, surtout après ses disputes avec Connor.

Nous marchons en silence pendant quelques minutes.

– Henry, je crois que nous avons à parler.

– De quoi?

Du baiser d'hier soir dont je ne me souviens pas. Du fait que j'ai passé la nuit dans ton lit. De ta colère évidente et du fait que tu ne sois pas parti tantôt.

– De ce que je t'ai dit tout à l'heure. L'article, toute l'histoire.

– Je ne crois vraiment pas que ce soit le bon moment.

Il n'a pas tort.

– Vas-tu au moins me dire pourquoi tu ne parles pas à Connor ?

Il déplace le faisceau de sa lampe de poche vers une forme foncée, au bord du sentier. C'est un rocher.

– D'après toi ?

– À cause de Kimberley ?

– Je me fous de Kimberley.

– Pourquoi, alors ?

Il tape dans la paume de sa main avec la lampe de poche.

– Parce que j'ai trente-deux ans et que je parcours les bois en pleine nuit à la recherche de son ex-copine. Parce que je devrais être en train d'enseigner l'anglais à des élèves du secondaire.

Il laisse échapper un soupir.

– Parce que la seule personne à laquelle je peux parler de tout ça, c'est toi.

N'importe laquelle de ces raisons fera l'affaire.

Je place ma main sur son avant-bras.

– Je suis désolée, Henry.

J'arrive à peine à distinguer ses traits dans la noirceur. Ce que je vois de lui semble triste et sérieux. Je continue.

– Je voudrais que tu puisses me dire des choses, me faire confiance.

Il se détourne.

– Kate, c'est toi qui m'as dit que je ne le pouvais pas.

Je suis lasse, affamée et fatiguée. Mais ce n'est pas grave.

– Nous devrions continuer à chercher Amber.

– Oui.

Il marche devant moi. À voir la raideur de ses épaules, j'ai l'impression qu'il s'éloigne de moi pour toujours.

– Je vois quelque chose devant ! me lance-t-il.

Je le rattrape. Le sentier tourne vers la droite, pour suivre la courbe d'un lac artificiel. Le reflet d'un croissant de lune flotte sur l'eau.

– Je ne vois rien, dis-je.

Il tend alors le doigt vers quelque chose, de l'autre côté du lac.

Je plisse les yeux. Il semble y avoir une masse ronde par terre. Humaine ou pas, c'est dur à dire.

– Tu es sûr que c'est elle ?

– Non, mais j'en aurai bientôt le cœur net.

– Mais s'il s'agit d'un sans-abri dangereux ?

– Kate, tu sais où j'ai passé ma journée ?

– Ouais... d'accord.

Nous marchons le long du lac. Quand nous approchons, il devient évident qu'il y a quelqu'un à cet endroit. Quelqu'un de petit, assis sur le sol et les genoux ramenés contre sa poitrine.

– Amber, dit Henry doucement.

Elle ne lève pas les yeux et se balance mécaniquement.

– C'est Henry et Kate, Amber. N'aie pas peur.

Un sanglot s'échappe, et je reconnais sa voix. Nous l'avons trouvée.

Nous prenons nos précautions en l'approchant, avançant pas à pas pour ne pas l'effrayer. Ses cheveux sont un fouillis total, et l'ensemble qu'elle portait hier soir est sale et déchiré.

Je m'agenouille à ses côtés. L'herbe est mouillée et sent comme le fond d'une tourbière. Je place ma main sur son épaule. Sa peau est froide à travers le tissu léger.

– Amber, ça va ?

Elle continue à se balancer. Elle tient quelque chose dans le creux de sa main. On dirait que c'est de la vitre.

– Donne-moi la pipe, Amber, dit Henry.

Elle secoue vigoureusement la tête.

– Allez, Amber, donne-la-moi.

Elle tremble encore, se balance et tient la pipe encore plus fort.

Henry s'accroupit de l'autre côté. Il déplie doucement les doigts d'Amber. Dans sa paume, je distingue une pipe en verre et une boule de quelque chose de blanc qui doit être du crack.

– Amber, as-tu consommé aujourd'hui ? demande Henry d'un ton sévère.

– Non, répond-elle d'une petite voix.

Henry met un doigt sous son menton.

– Amber, sois honnête. As-tu consommé aujourd'hui ?

– Non. Pas encore.

– Depuis combien de temps es-tu ici ? demandé-je.

Elle se tourne vers moi. Ses yeux sont noirs de colère.

– Depuis que ce foutu Connor Parks a foutu sa langue dans la bouche de cette garce.

– Peux-tu me donner ça ? demande à son tour Henry.

Mais elle referme la main et la serre contre sa poitrine.

– Pourquoi ? demande-t-elle.

– Pour que je puisse le jeter.

– Non, j'en aurai peut-être besoin plus tard.

– Tu n'en auras pas besoin, dis-je.

– Tu ne le sais pas. Peut-être que oui.

– Non, Amber, tu n'as plus besoin de drogue.

– Elle a raison, dit Henry. Tu es déjà passée à travers l'étape la plus difficile. Tu es capable de t'en tirer toute seule.

Une larme coule le long de sa joue sale.

– Mais ça fait mal. Si mal.

Je cherche les mots justes. Des mots que Sandra utiliserait.

– Je sais que ça fait mal. Et ça va continuer à faire mal pendant un bon moment, tu sais. Mais ce truc-là te fera encore plus de mal. Ça pourrait même te tuer. Et je sais que tu ne veux pas mourir.

– Peut-être que oui.

– Je sais que non.

– Comment le sais-tu ?

– Parce que je t'ai observée depuis un mois. Et parfois, tu es malheureuse et sembles croire que tu dois te punir. Mais tu ne veux pas mourir, Amber. Il te reste trop de choses à faire.

– Comme quoi ? demande-t-elle en reniflant.

Je cherche quelque chose.

– Comme convaincre Rodney de te faire jouer dans un de ses films.

Je pense que je vois l'ébauche d'un sourire, mais elle ne relâche pas sa prise pour autant.

Je croise le regard de Henry et lui fais signe de dire quelque chose. Il hoche la tête.

– Amber, si tu cèdes maintenant, tu laisses Connor l'emporter.

– Et puis ?

– Tu ne veux quand même pas lui faire ce plaisir, hein ?

Elle le regarde, méfiante.

– Qu'est-ce que ça peut bien te faire, E. ? Depuis quand te soucies-tu de quelqu'un d'autre que Connor ?

– Amber, ce n'est pas juste. Henry t'a cherchée toute la journée, interviens-je.

Elle essuie ses larmes.

– Il fait les sales boulots de Connor, comme d'habitude.

La bouche de Henry se durcit.

– Non, Amber, pas cette fois-ci. Je ne travaille plus pour lui.

– C'est vrai? demandons-nous toutes les deux d'une même voix.

– Oui. J'ai démissionné hier soir.

– Vraiment? insiste Amber.

– Vraiment.

Elle fixe son regard sur lui, et il lui rend la pareille. Enfin, elle tend sa main vers la sienne et y dépose la pipe et le caillou blanc. Henry les lance par terre et les écrase du pied, jusqu'à ce qu'ils disparaissent dans le sol.

– Merci, Amber. Maintenant, nous te ramenons à la maison.

• • •

Quand nous arrivons à l'appartement d'Amber, Olivia et Steph nous y attendent. Elles guident une Amber épuisée vers sa chambre.

Elle habite dans un énorme loft ultramoderne situé au dernier étage. Tout un pan de mur est occupé par des fenêtres qui vont du plancher jusqu'au plafond et se terminent par une arche, et l'espace-cuisine est rempli d'appareils électroménagers étincelants en acier inoxydable. Les meubles sont tous blancs: des fauteuils blancs anguleux, des chaises de salle à manger en formica blanc, des tapis blancs à poil long sur le plancher. Les seules touches de couleur sont assurées par une série d'affiches de cinéma encadrées et accrochées au mur qui sépare la chambre du reste de l'appartement.

Olivia et Steph ferment la porte de la chambre derrière elles, et Henry se rend dans l'espace-cuisine. Il se lave les mains longuement dans l'évier et sort quelques plats et canettes de Coke du réfrigérateur.

– Tu veux manger quelque chose? me demande-t-il.

– Mon Dieu, oui.

Je prends place sur un des tabourets. Henry me tend une assiette, et je me sers avidement une salade de couscous et de haricots.

– Désolé. Elle ne semble avoir que ces machins macrobiotiques.

– Ne t'en fais pas. Je mangerais n'importe quoi, en ce moment.

Je commence à me remplir l'estomac. Je n'ai jamais rien mangé d'aussi bon de toute ma vie, et je n'aime pourtant ni les haricots ni le couscous. Bien sûr, mon quart de repas d'hier soir date d'il y a vingt-cinq heures. Si on ajoute à cela que c'est un lendemain de veille et que j'ai vomi, il est étonnant que je sois encore sur pied.

Je prends ensuite un plat de tartinade de tofu qui a l'air dégueulasse, mais j'ai tellement faim que je n'y fais pas attention. Henry gobe aussi tout sur son passage.

Il surprend mon regard et me sourit.

– Tu te sens mieux?

– Plus humaine, du moins.

– Bien.

– Écoute, Henry, à propos de tout à l'heure...

Les talons aiguilles d'Olivia se font soudain entendre sur le plancher de bois pâle. Elle se dirige vers nous. Elle semble impressionnante et redoutable avec son jean ultra-moulant et son haut bleu ciel. Elle arbore un hâle impeccable qui est sûrement artificiel.

– Henry, ces trous de cul de paparazzis étaient toujours en bas?

Ses yeux se tournent vers les miens.

– Ouaip.

– Comment diable savent-ils toujours qu'il se passe quelque chose ?

– Je n'en sais rien. Tu as des idées là-dessus, Kate ?

Oh, merde...

Je croise le regard de Henry. Je vous en prie, faites qu'il me croie !

– Non, Henry, je n'en ai vraiment aucune idée.

Olivia prend une assiette dans le placard et se sert du couscous.

– Je vous le jure, quelqu'un a dû mettre son téléphone sous écoute. Je lui dis constamment de le faire vérifier, mais elle ne m'écoute jamais.

– Dort-elle ? m'informé-je.

– Elle est dans le bain. Je ne peux pas croire qu'elle ait passé toute la nuit dans le parc. Ce salaud de Connor...

– Lui as-tu parlé ? demande Henry.

– À peine. Il ne semblait pas très inquiet.

Un éclair de colère traverse le visage de Henry.

– Ça ne m'étonne pas.

Je ne supporte plus ces discussions oiseuses. Il faut absolument que je parle à Henry. Pour lui dire quoi ? Je n'en suis pas sûre. Mais il s'agit peut-être de ma dernière chance.

– Henry, pouvons-nous parler un moment ?

Il hésite avant de me répondre. Il y a quelque chose dans le ton de ma voix qui attire l'attention d'Olivia. Elle me regarde comme si elle venait de remarquer ma présence. Mais aussi, que je suis arrivée avec Henry. Que j'ai passé la journée avec lui.

– Tu t'appelles bien Katie, c'est ça ?

Franchement, nous avons passé six heures ensemble hier !

– Oui.

Elle fronce les sourcils.

– Et que fais-tu ici, exactement ?

– Elle m'aidait à chercher Amber, dit Henry.

Olivia le regarde, puis me fixe de nouveau.

– Je vois. Vous vous êtes rencontrées en désintox, c'est ça ?

– Oui, c'est ça, réponds-je.

– Alors tu es une droguée ?

– Olivia !

Merci, merci, Henry chéri. Merci de m'avoir défendue. Même si tu es toujours en colère contre moi. Même si tu ne me pardonneras peut-être jamais.

– Ça va, Henry, lui dis-je en le remerciant du regard.

Je prends une bonne inspiration et je fixe la froide Olivia.

– Je suis alcoolique.

– Tu n'es pas cocaïnomane ou héroïnomane ?

Henry sort de ses gonds.

– Je suis sérieux, Livia. Arrête ton cirque.

Elle le regarde en faisant la moue, et il y a quelque chose de non dit qui se passe entre eux. Je me détourne de leur histoire commune trop évidente. J'en ai assez vu comme ça.

Je me lève et apporte mon assiette dans l'évier.

– Laisse-la là, Kate, je m'en occupe, dit Henry.

Olivia est debout à côté de lui, me donnant l'impression qu'ils sont unis.

– Oui, nous nous occuperons de tout ça.

L'utilisation du « nous » me brise un peu le cœur, mais c'est idiot et faible de ma part. Demain, je serai plus forte. Je n'ai pas le choix.

– Tu diras au revoir à Amber de ma part, d'accord ? lancé-je à Henry, mal à l'aise.

– Bien sûr. Merci beaucoup pour ton aide, aujourd'hui.

– Ça m'a fait plaisir.

Nos regards se croisent une dernière fois, et je m'oblige à me retourner et à quitter l'appartement. C'est seulement une fois arrivée sur le trottoir que je réalise que je n'ai pas dit au revoir à Henry.

CHAPITRE 25

LE DILEMME DU PRISONNIER

Je me réveille tôt le lendemain matin, me sentant à la fois soulagée et pleine d'appréhension. Je suis dans mon propre lit et me souviens de chaque seconde des dernières vingt-quatre heures (même s'il y a des parties de cette même journée que je préférerais oublier). Par contre, Bob veut mon article demain à 17 h, et je n'ai pas encore décidé si j'allais le lui remettre.

Je ne sais pas pourquoi j'hésite autant. J'ai tout avoué à Rory, à Greer et à Henry, et au moins Greer me parle encore. Et il doit bien y avoir autre chose qu'Amber pour justifier cette hésitation. Oui, je l'aime bien. Et oui, elle sera en colère et ne me parlera probablement plus jamais, mais je ne m'étais jamais attendue à être son amie.

Zzzttt! Zzzttt! Quelqu'un sonne à la porte avec insistance. Je regarde l'horloge à côté de mon lit. Il est 7 h 20. Je me dis que quelle que soit la personne qui se trouve derrière cette porte et qui fait ce tapage affreux, elle doit être à éviter.

Je tire les couvertures sur ma tête et entends les gros mots que marmonne Joanne alors qu'elle se traîne les pieds jusqu'à la porte. Il faudra peut-être que je trouve mon propre appartement plus rapidement que je le pensais.

La boule dans mon ventre se gonfle quand j'entends le gloussement de Joanne, suivi du son des trois serrures de notre porte d'entrée qui se déverrouillent. Joanne accourt et cogne à ma porte, toute énervée.

– Katie! Debout! Tu ne devineras jamais qui est ici!

Ça, j'en doute.

– J'arrive...

Je sors du lit et passe une brosse dans mes cheveux. Malgré la bonne nuit de sommeil que j'ai passée, j'ai des cernes noirs et le blanc de mes yeux est strié de rouge. Je devrais avoir meilleure allure pour faire face à mon accusateur, mais je n'ai pas le temps de faire mieux.

J'ouvre la porte de ma chambre, hésitant sur le seuil, puis je me dirige vers le salon. Amber est là, debout sous la fenêtre, regardant ce qui se passe dans la rue. Ses cheveux sont attachés en queue de cheval, et elle porte une énorme paire de lunettes de soleil. Avec son legging noir et ses ballerines, elle a l'air menu comme un oiseau.

– Salut, lancé-je.

Amber remonte ses lunettes sur sa tête et me fixe d'une façon qui me rappelle les regards qu'elle adressait à Sandra lors des séances de groupe.

– Je vais aller droit au but, annonce-t-elle.

– Amber, écoute, je suis vraiment...

Les mots se coincent dans ma gorge quand Joanne revient de la cuisine avec une tasse de café fumant dans les mains.

– Voilà ton café, Amber, dit-elle en trillant comme un rossignol.

– Joanne, sors d'ici, s'il te plaît.

Elle est déconfite.

– Mais...

– Je suis sérieuse, Joanne. Je t'en prie.

Son regard va d'Amber à moi. L'expression colérique qu'elle voit sur le visage d'Amber finit par la convaincre de m'obéir. Elle pose la tasse sur la table et se rend à sa chambre.

– Tu m'en dois une, me siffle-t-elle en passant.

Quand la porte de ma coloc se referme, Amber s'approche de moi et sort une pile de feuilles de papier de son sac à main. Je n'ai pas besoin de les regarder pour savoir de quoi il s'agit : la copie de l'article que j'ai donnée à lire à Henry. Je n'avais même pas remarqué qu'elle avait disparu, mais pour ma défense, j'étais occupée.

– Je suis tellement désolée, Amber. Me laisseras-tu t'expliquer ?

Elle lance vers moi les feuilles, qui frappent ma poitrine avant de tomber sur le sol, pour y former une sorte d'éventail.

– Laisse tomber. Je ne veux plus entendre un autre de tes mensonges, gronde-t-elle.

– Alors, pourquoi es-tu venue ici ?

– Je suis venue te dire que si tu publies ça, je détruirai ta vie.

Sa voix chancelle un peu, mais cela me convainc d'autant plus qu'elle dit la vérité, même si ses mots semblent provenir d'un scénario de cinéma.

Oh, et puis zut. Vous savez quoi ? Je commence à en avoir marre des gens qui me menacent.

– Prends un numéro, dis-je finalement.

– Pardon ?

– Écoute, je suis vraiment désolée d'avoir accepté d'aller en désintox pour écrire un article à ton sujet, d'accord, mais j'essayais seulement de décrocher un emploi. Et je croyais alors que tu étais parfaitement contente de voir ta vie étalée dans les journaux à scandale. Bon, tout ça fait peut-être de moi une mauvaise personne, mais aujourd'hui, je suis coincée. Que je publie l'article ou non, ma vie est ruinée.

– En quoi est-ce mon problème ?

– Ce n'est pas ton problème. Je te dis simplement que si ça ne se termine pas comme tu l'aurais voulu, ne sois pas surprise.

Elle plisse les yeux et fonce dans ma direction.

– Toi, dégage, me menace-t-elle.

Je m'esquive pour la laisser passer. Elle se dirige vers la porte.

– Je suis désolée, Amber, répété-je.

Elle abaisse ses lunettes de soleil d'un geste sec du poignet.

– Va te faire foutre, Katie.

• • •

Je décide de sortir courir afin de voir si en frottant mes pieds au bitume, je pourrai décider ce qu'il faut faire. Je fuis aussi les regards accusateurs de Joanne. Je ressens en fait toute une gamme d'émotions, mais surtout de la culpabilité et de la peur.

Tu te sens coupable de quoi, au juste ?

D'avoir enfin obtenu ce que je désirais grâce à une série de coups foireux.

Parce que tu auras le boulot à The Line *seulement grâce au fait que tu t'es soûlée et que tu as menti à tout le monde en désintox ?*

Ouais, c'est à peu près ça.

Bon. Alors, arrête de faire ça.

De faire quoi ?

De boire. De mentir.

Je ne suis pas sûre d'en être capable...

Bien sûr, que tu l'es. Il faut que tu décides de le faire, et après, ce sera fait.

Débordante de généralités comme toujours, à ce que je vois.

C'est un conseil en or, tu sauras, ma chérie.

Si tu es si brillante, dis-moi de quoi j'ai peur, alors.

C'est facile. Tu as peur d'obtenir ce que tu as toujours voulu.

Depuis quand es-tu aussi futée?

Nous l'avons toujours été.

Bah, récemment, je n'ai pas agi de manière très futée.

Ne me mets pas ça sur le dos. C'était toi, tout ça.

Oui, oui. Alors, ce que tu me dis, c'est... publie l'article, accepte la job, c'est ça?

Ouaip.

Arrête de boire, arrête de mentir?

Tu as tout compris.

Et après?

C'est simple. Tu vivras heureuse et auras beaucoup d'enfants.

Bon, là je sais que tu te fous de ma gueule.

Vingt-cinq minutes de ces pensées me ramènent à ma porte. J'étire mes jambes dans les escaliers, appréciant la souplesse de mon corps et de mon esprit. Si je pouvais mettre cette clarté mentale en bouteille et la vendre, je ferais fortune.

Et c'est à ce moment-là que ça me frappe. Peut-être y a-t-il une façon d'obtenir ce que j'ai toujours voulu, en plus de sauver quelques amitiés. Je réfléchis. Ouais, ça pourrait marcher! Mais d'abord, je vais devoir convaincre Amber d'accepter de me parler.

Et il me reste vingt-neuf heures pour y parvenir...

• • •

Une heure plus tard, je suis douchée et j'ai traversé la ville jusqu'à l'appartement d'Amber. Je suis debout devant les portes vitrées de son immeuble. Il y a une tonne d'hommes qui flânent de l'autre côté de la rue, munis de caméras et de voitures rapides. Je prends mon téléphone cellulaire et lui envoie un texto.

Je sais comment rendre à Connor la monnaie de sa pièce.

J'attends, nerveuse, me demandant si elle va répondre. Mais s'il y a une chose que j'ai apprise au cours du dernier mois, c'est bien comment attirer l'attention d'Amber Sheppard.
Bip ! Bip !

J'écoute.
C compliqué. Je peux monter ?
Où es-tu ?
Dehors.

Je regarde les fenêtres de son appartement. Le rideau blanc tremble et j'aperçois son visage pâlot qui regarde dans ma direction. L'un des photographes derrière moi hurle quelque chose et pointe son objectif vers le ciel. Elle referme le rideau d'un geste sec.
Bip ! Bip !

Tu fraternises avec tes potes ?
Tu sais bien que non.
Je ne te fais pas confiance.
Je sais.

Il y a une pause. Je sens qu'Amber combat ses démons intérieurs. Je compte sur le fait que ceux-ci veuillent davantage nuire à Connor que me détester. Mais les minutes s'égrenant, je commence à douter. Je m'apprête à partir quand un colosse en complet-veston et qui porte des lunettes fumées sort de l'immeuble et vient vers moi.

– Amber veut te parler, dit-il d'une voix de baryton.

Nerveuse, je le suis dans le hall d'entrée de l'immeuble. L'endroit est vaste et aéré. Amber est assise au bord du mur en céramique qui entoure une chute d'eau de style zen. Elle a ses bras croisés contre sa poitrine.

– Alors, quelle est ta grande idée? demande-t-elle assez brusquement.

– Je me suis dit qu'il existait peut-être un moyen pour que nous obtenions toutes les deux ce que nous voulons.

– Ah oui? Et ce serait quoi?

– Eh bien, je pourrais publier l'article, mais sous un angle différent.

Elle semble curieuse.

– Que veux-tu dire par là?

– J'ai pensé qu'on pourrait parler un peu plus de Connor et un peu moins d'Amber.

– Alors, au lieu de tout révéler sur moi, tu révélerais tout sur lui?

– Ouaip, c'est le concept.

– Ça peut marcher?

– Je ne vois pas pourquoi ça ne marcherait pas.

Son regard se fait soudain lointain. J'espère que l'image de Connor et de Kimberley enlacés sur le toit la hante encore.

– Par quoi commence-t-on? demande-t-elle finalement en rompant le silence.

Au moins une question dont je connais la réponse.

– Par le commencement.

• • •

– Joanne, tu pourrais nous excuser un moment? dis-je en entrant dans mon appartement après une course folle à travers la ville pour semer les paparazzis. La colère de Joanne s'apaise dès qu'elle aperçoit Amber qui entre derrière moi.

Elle bondit du fauteuil.

– Oui, bien sûr, pas de problème. Je vais juste aller chercher mes DVD pour que tu les signes, Amber, d'accord?

– Oui, bien sûr, répond-elle.

Joanne gambade vers sa chambre, et je crois qu'elle chantonne quelque chose à voix basse. Il me semble qu'il s'agit de la chanson thème de *La fille d'à côté*.

– Désolée.

– Bah, elle est gentille.

– Bon, on se lance?

Nous allons dans ma chambre, où Amber passe les heures suivantes à me raconter en détail tout ce qu'elle sait au sujet de Connor. Elle est complètement honnête et n'oublie rien. La mécanique de leur relation. Les infidélités du JJB. La consommation de drogue de ce dernier. Le rôle qu'il a joué en entraînant Amber à consommer elle aussi. Ses insécurités. La quantité d'argent qu'il dépense pour une coupe de cheveux. Tout cela sort d'elle, tandis que je tape à toute vitesse, réussissant à peine à suivre le rythme de ses «Oh, et il y a un autre truc...»

Joanne nous apporte des collations à intervalles réguliers, et nous travaillons non stop tout l'après-midi et une partie de la nuit.

Quand elle a enfin épuisé sa liste de souvenirs, j'imprime deux exemplaires du document que je viens de taper, et nous le lisons.

– Personne ne publiera ça, dit-elle, découragée, quand elle arrive à la dernière page.

Elle s'est enroulée dans une couverture et a détaché ses cheveux.

– À moins qu'ils aient envie de se faire poursuivre. Ils ne pourront effectivement pas effectuer les vérifications requises pour confirmer ces informations.

– Merde !

– Ne t'en fais pas. Tout n'est pas perdu.

– Pourquoi? À quoi penses-tu?

– Eh bien, si nous retournons à ce que j'ai écrit sur toi et y ajoutons des touches de ce nouveau texte, nous pourrons parvenir à nos fins de manière plus subtile.

Elle mâchouille le bout de son crayon.

– Connor saura tout de même que ça vient de moi?

– Oui.

– Et s'il y a des informations que je veux enlever, tu me laisseras le faire?

– Bien sûr.

– OK, alors.

Je me retourne sur ma chaise pour faire face à l'ordinateur et je trouve l'article. J'en imprime un exemplaire pour Amber.

– Dis-moi maintenant ce que tu veux enlever. Pendant ce temps, je vais intégrer les informations à propos de Connor.

Nous sommes silencieuses toutes les deux pendant que nous relisons mon article.

– J'aime la façon dont tu décris Connor, la première fois que tu le vois, dit-elle.

– Merci.

– Peut-être que tu peux parler des coupes de cheveux à ce moment-là, hein ?

– C'est exactement ce que j'avais en tête.

Plus tard, elle me demande d'enlever la scène où elle chante pour lui à la cafétéria.

– Pourquoi ? demandé-je.

– Parce que j'ai l'air complètement tarée.

– Non. Juste humaine.

– Je ne veux pas être humaine à ce point.

– C'est toi qui décides.

J'efface le passage en question.

– Tu sais, ton article est assez bon, dit-elle.

– Merci.

– Tu es quand même une pourriture d'avoir accepté de faire ça et d'avoir fait semblant d'être mon amie.

Je me retourne vers elle. Elle regarde les feuilles qui sont dans sa main, mais je sais qu'elle se retient de pleurer.

– Je ne faisais pas semblant, Amber. Je n'ai pas été une bonne amie, mais j'aurais pu t'espionner sans sympathiser avec toi.

– De toute façon, ça ne change rien.

– Je suis sérieuse. Je suis ton amie, si tu veux bien que je le sois.

Elle sourit.

– Merci.

Je retravaille ensuite le paragraphe qui décrit le jour où nous avons fait du trapèze, ajoutant le fait que Connor est incapable de faire ses propres cascades, ce qu'Amber confirme.

– Henry sait-il que tu es ici? lui demandé-je alors en essayant d'avoir un air détaché.

– Non.

– Tu vas le lui dire?

– Non. Il risque de tout répéter à Connor.

– Mais il a démissionné. Et je crois qu'ils ne se parlent plus.

– On verra si ça dure.

Je tape encore quelques mots.

– Est-ce qu'Olivia et lui sont déjà sortis ensemble?

– Que veux-tu dire par «déjà»?

Oh, mon Dieu! Je pense que je vais vomir.

Je recommence à taper, mais ce que j'écris est illisible. Il faut vraiment que j'en sache plus, même si je sens que j'étouffe.

– Sont-ils encore ensemble?

OK, cette voix aiguë et grinçante ne me donne pas un air très détaché.

– Eh bien... disons qu'ils avaient l'air assez ensemble hier soir, répond Amber.

Je me retiens de lui demander ce qu'elle veut dire par là, mais cela requiert chaque parcelle de volonté qu'il me reste. Et comme je n'en ai plus déjà assez pour les nécessités de la vie, comme respirer, je me tais lamentablement.

– Est-il arrivé quelque chose entre vous deux? me demande alors Amber à brûle-pourpoint.

Eh bien, il paraît que nous avons échangé un baiser spectaculaire, mais je ne m'en souviens pas. Oh, nous avons aussi dormi dans le même lit. Et il m'a embrassée rapidement dans le salon hier. Et je suis peut-être amoureuse de lui. Autre chose? Non, c'est à peu près tout.

– Non, réponds-je bêtement.

– Ouais, il a dit la même chose.

Respire, Katie, respire.

– Alors, ça doit être vrai. Henry ne ment jamais.

Elle rit.

– Tu as raison. Il ne ment jamais. C'est étrange, non ?

– Très.

Je me lève. Mes jambes tremblent.

– Je vais aller dehors prendre l'air. Tu veux venir ?

– Nan. J'ai peur que certains paps aient réussi à nous suivre. Je ferais peut-être mieux de rester ici.

– Je t'appellerai quand je serai dehors et seulement si je ne vois personne, d'accord ?

– Super. Puis-je jeter un coup d'œil à la nouvelle version du texte, en attendant ?

– Fais comme chez toi, dis-je en faisant un geste vers l'ordinateur.

Je sors et je m'assois dans l'escalier. Il est presque 6 h du matin, et le ciel s'éclaircit. Il a plu il y a quelques heures, l'air sent le propre, comme si la pluie avait nettoyé la pollution en tombant. Je respire profondément, essayant de faire taire la fatigue qui s'abat sur moi. Et la tristesse.

Je regarde autour de moi. Il ne semble pas y avoir de paparazzi traquant Amber. J'ouvre mon téléphone cellulaire pour lui transmettre le message. Je passe en revue ma liste d'appels récents, à la recherche de son numéro. Au sommet de la liste, il y a un numéro que je ne reconnais pas. Oh, bien sûr. C'est le numéro de Henry. Henry, qui semble si loin de moi, si inatteignable, est en fait au bout de ce bouton.

Je ne me laisse pas le temps d'hésiter, je sélectionne ce numéro et je clique sur «composer». Après une sonnerie, sa boîte vocale me répond.

– Bonjour, vous êtes bien sur le cellulaire de Henry. Laissez un message.

J'aurais dû savoir qu'il ne répondrait pas à cette heure-là.

– Salut, Henry, c'est Kate. Désolée si je t'ai réveillé. Je ne sais pas trop pourquoi je t'appelle, mais ton numéro était dans mon téléphone et je voulais entendre ta voix. Est-ce stupide? Je suis assez stupide, ces jours-ci, alors je ne sais plus très bien. Enfin, je suppose que ce que je voulais te dire, c'est que... je suis désolée. Et je voudrais te le dire en personne, si cette idée t'était tolérable. Alors, tu as mon numéro. Appelle-moi. Ou alors, je te verrai au parc...

La ligne coupe. Zut! J'ai parlé trop longtemps. Peut-être devrais-je rappeler? Non, ça ferait vraiment de moi une idiote accomplie. Et désespérée. Et pathétique. Il a mon numéro. S'il veut me parler, il m'appellera. Sinon, eh bien, ce ne sera pas étonnant, n'est-ce pas? Je m'en remettrai, une fois encore. Je vais peut-être pleurer en boule par terre pendant un moment, mais un jour, je me relèverai.

Me connaissant, ce sera sûrement plus tôt que tard.

Je rentre à l'intérieur. Joanne prépare un petit-déjeuner pour Amber dans la cuisine : des œufs et des saucisses. Ça sent bon, mais c'est plutôt inutile, puisque Amber n'en mangera que quelques bouchées. Je m'apprête à prévenir Joanne de la chose, mais je vois son visage si heureux et déterminé que je n'ai pas la force de détruire ses illusions.

Après le petit-déjeuner (dont Amber mange finalement trois petites bouchées, avant de passer le reste du repas à jouer avec sa fourchette dans l'assiette, tandis que Joanne l'observe nerveusement et lui demande si c'est bon), nous retravaillons l'article pendant quelques heures. Nous finissons à midi, cinq heures avant l'échéance.

J'imprime le document final, tandis qu'Amber s'étire sur mon lit.

– Je n'arrive pas à croire que tu es toujours réveillée, dis-je.

– Je me suis habituée aux journées de dix-huit heures sur les plateaux de tournage, tu sais, répond-elle en bâillant. Alors, que se passe-t-il, maintenant ?

– Je vais prendre une douche et aller porter ce document au bureau de ce cher Bob. Et toi ?

– Douche aussi, puis sieste. Ensuite, je crois que je vais aller à une réunion.

– Une réunion des AA ?

– Bien sûr, dit-elle. « Trente réunions en trente jours », tu ne connais pas le slogan ?

Sandra nous a constamment répété cela en séance de groupe. Trente réunions en trente jours, afin de renforcer les apprentissages faits en désintox et d'éviter les rechutes. Trente en trente. Pas mal, comme slogan.

Moi, évidemment, je ne suis allée à aucune réunion depuis ma sortie du centre. Et j'ai même réussi à atteindre l'amnésie éthylique quelques jours seulement après mon retour à la maison. Il y a une leçon à apprendre de tout cela, n'est-ce pas ?

– C'est ce qu'on dit, en effet, réponds-je à Amber sans plus d'explications.

– Veux-tu venir ? Si je me fie à ce que Henry m'a raconté, ça te ferait du bien.

Ce qui me ferait du bien, ce serait de passer quelques jours sans penser à lui.

– Peut-être. Où est-ce ?

– Au Y de la rue Pearson.

– Un endroit chic.

– Katie, ce n'est pas l'endroit où l'on est qui compte...

– Ce sont les gens avec qui on est, terminé-je. À quelle heure cette réunion a-t-elle lieu ?

– À 15 h.

– OK, j'essaierai d'y être.

– Tu devrais vraiment venir, Katie.

Je ne cache pas mon étonnement.

– Pourquoi es-tu si gentille avec moi ?

– Parce que l'ennemi de mon ennemi est mon ami, jeune disciple.

– Tu as appris ça dans un film ?

– Non, dans un épisode de *Roseanne*, en fait.

Je ris, et ça me fait tellement de bien que je me laisse aller. Amber se joint à moi, et nous rions et rions, jusqu'à ce que des larmes coulent sur nos visages.

Joanne passe la tête par l'encadrement de la porte.

– Qu'y a-t-il de si drôle ? Allez, les filles. Partagez la blague. Les filles...

CHAPITRE 26

EXCUSES

Je suis assise dans le bureau de Bob, le regardant lire l'article, un stylo rouge à la main. En lisant, il coche certaines informations et, de temps à autre, il raye quelques mots. Le reste du temps, il tape sur le bureau avec son stylo et marmonne dans sa barbe.

Après ce qui me semble être une éternité, il arrive au bout de sa lecture et m'adresse un sourire teinté d'une étincelle légèrement diabolique, comme à son habitude.

– Bien joué, Kate.

– Tu sembles surpris.

– Un peu, étant donné notre dernière conversation.

– Nous avions une entente.

Il entrelace ses mains sur le bureau.

– En effet. Bienvenue dans l'équipe.

Mon cœur se met à battre comme un fou dans ma poitrine.

– Cela veut-il dire que j'ai obtenu la job?

– Oui. Ils devront se compter chanceux de t'avoir, à *The Line*. Mais tu es sûre que tu ne préférerais pas travailler pour *Gossip Central*? Tu sembles avoir une aisance naturelle avec ce genre de trucs.

Sois calme, Katie. Si tu le saisis à la gorge, tu perdras tout ce que tu as gagné.

– Non, merci.

Il ricane.

– Tu te trouves trop bien pour travailler ici, c'est ça?

J'essaie de copier l'expression qu'arbore Amber quand elle tente de charmer quelqu'un.

– Bien sûr que non, Bob.

Je croise son regard. Je repense à tout ce que j'ai dû endurer pour obtenir ceci.

– OK, dit-il lentement. Va voir Élizabeth lundi.

Je me lève, pressée de partir avant qu'il ne change d'idée.

– Merci. Tu ne le regretteras pas.

J'attends d'avoir quitté l'immeuble avant de célébrer. Entourée d'inconnus sur le trottoir, je laisse échapper un cri de joie et lance mon poing vers le ciel.

Ça m'arrive vraiment! C'est vraiment en train de m'arriver, à moi.

Alors pourquoi ne suis-je pas totalement au septième ciel?

Je devrais courir annoncer la nouvelle à tout le monde et me sentir plus heureuse que jamais. Mais j'ai plutôt l'impression que je devrais être ailleurs, en train de faire autre chose.

Trente réunions en trente jours. Est-ce réellement la réponse à mes tourments?

Cela vaut la peine d'essayer, non?

• • •

J'arrive au Y juste avant que la réunion ne débute. Je suis les panneaux et l'odeur de mauvais café jusqu'à une salle située au sous-sol de la bâtisse. Sur la porte de celle-ci, quelqu'un a accroché une feuille où l'on peut lire : RÉUNION DES ALCOOLIQUES ANONYMES. Dans la pièce, je découvre une vingtaine d'hommes et de femmes de tous âges, assis sur des chaises pliantes face à un lutrin. Un homme dans la quarantaine dirige la rencontre. Il a l'air absent et débraillé d'un professeur, avec sa barbe désordonnée et son veston en velours côtelé aux coudes rapiécés de cuir.

Je cherche Amber dans la pièce. Elle porte un jean et un chandail noir dont le capuchon est remonté sur sa tête. Je m'assois à côté d'elle.

– Comment est-ce que ç'a été ? chuchote-t-elle.

– Le texte sera publié lundi, murmuré-je en retour.

Une adolescente assise devant nous se retourne sans cesse, étudiant Amber et tentant de déterminer qui elle est. Elle a des cheveux noirs comme du jais et trois anneaux dans le sourcil gauche.

Amber joue avec sa tasse de café.

– Super, lâche-t-elle.

– Tu as des doutes ?

– Ouais, mais c'est hors de mon contrôle, maintenant.

Le professeur termine les formalités d'usage et invite la première personne à parler. Une belle femme en tailleur cintré prend place devant le lutrin et se présente. Je suis étonnée que constater qu'il s'agit d'Amy, qui semble aussi heureuse que nerveuse.

Elle tousse.

– Bonjour, tout le monde. Je m'appelle Amy, et je suis alcoolique et toxicomane.

– Bonjour, Amy !

Je lui fais un petit salut de la main, auquel elle répond en me souriant. Ses yeux se posent alors sur Amber, et son sourire s'estompe.

Amy lève la main. Elle tient une chaîne avec un jeton de sobriété.

– Euh... je suis ici parce que je suis sobre depuis soixante jours aujourd'hui.

Quelques personnes l'applaudissent avec enthousiasme.

– Merci, mais jusqu'à ce que j'atteigne quatre-vingt-dix jours, je ne fais que compter les jours, tout comme vous. Je parlais à Jim avant la réunion... Jim, j'espère que je peux...

Elle fait un geste de la tête en direction d'un homme plus âgé qui semble vivre dans la rue. Il hoche sa tête chauve.

– Merci, Jim. Il n'a pas grand-chose, moins que la plupart d'entre nous, mais il a trouvé le courage de se présenter ici aujourd'hui au lieu de boire. Et s'il est capable de faire ça, je le suis aussi, et vous l'êtes tous. C'est tout ce que je voulais dire.

Elle s'éloigne du lutrin, et nous applaudissons. Amy rougit de plaisir en prenant place à la première rangée.

Le professeur la remercie et appelle la prochaine personne, un gars mignon dans la trentaine qui vient de faire une rechute et est sobre depuis cinq heures. Il veut le demeurer jusqu'au lendemain. La prochaine participante célèbre son cinquième anniversaire sans alcool. Elle tient le jeton représentant cet anniversaire serré dans sa main, comme si elle avait peur qu'on le lui vole.

En les écoutant, je me demande si parler à des inconnus rend réellement plus facile l'épreuve de passer une journée sans boire. Parce qu'être assise ici en sachant qu'on voudra peut-être que je partage avec des inconnus des détails personnels, cela me donne plutôt une folle envie de boire, comme en désintox.

Alors, si le fait de venir ici trente fois en trente jours me donne envie de boire, que vais-je faire? Comment vais-je m'en sortir?

Quand l'heure se termine, nous nous levons, prenons notre voisin par la main et récitons la prière de la sérénité. Et pour la première fois, je me sens rassurée par ces mots familiers, par la répétition automatique d'un espoir que nous partageons tous. «*De vivre un jour à la fois/De profiter de chaque moment présent/ D'accepter la souffrance comme étant le chemin vers la paix.*»

Quand la réunion se termine, je dis au revoir à Amber et je traverse la pièce pour saluer Amy. Elle me serre dans ses bras.

– Eh bien, je vois que tu t'en es sortie, dit-elle.

– Si on veut.

– Tu as l'air bien, Katie. En forme.

– J'ai couru vingt-cinq minutes, hier.

– Tu vois! Je t'avais dit que tu en étais capable!

Nous remontons les escaliers et sortons. Les klaxons des voitures et les fumées d'échappement sapent la paix que j'ai trouvée dans le sous-sol cet après-midi.

– Alors… comme ça, tu es venue à la réunion avec Amber?

– Ça prendra au moins deux cafés pour te raconter cette histoire.

Elle a l'air curieuse, mais hésite.

– Eh bien… je devrais retourner au travail…

– Une autre fois, alors. Je ne veux pas te causer de problèmes.

– Mais bon, tu sais quoi? Mes patrons sont tous à un tournoi de golf de compagnie, alors allons-y, décide-t-elle.

Nous allons au café le plus proche et nous installons avec deux tasses. Deux cafés plus tard, j'ai tout raconté, avec le nombre requis de sursauts et d'écarquillement d'yeux auxquels je m'attendais de la part d'Amy.

Elle mélange le reste de sa boisson avec une cuillère.

– On dirait bien que tu as vécu toute une aventure, ces derniers jours.

– Ouais.

– Pourquoi me racontes-tu tout ça?

– Je ne sais pas... Pour m'excuser, je suppose.

Elle me serre la main.

– Je n'ai rien à te pardonner, Katie.

– Ce n'est pas vrai. Tu as été une vraie amie pour moi, en désintox, et je n'ai pas été honnête envers toi.

– Ne t'en fais pas trop avec ça.

– J'essaie.

Nous nous dirigeons vers la porte du café.

– Que vas-tu faire, maintenant? demande-t-elle.

– Rentrer chez moi et dormir aussi longtemps que possible, avant de commencer ma job de rêve.

Je mets la main sur la porte d'entrée pour l'ouvrir, mais quelque chose m'arrête.

– Tout va bien aller, n'est-ce pas?

– Je l'espère, Katie.

• • •

Dans la nuit de dimanche à lundi, je me réveille toutes les heures. Les chiffres rouges de mon cadran semblent hurler: 1 h! 2 h! 3 h! Na, na, na, na, na. Essaie de dormir, si tu en es capable!

À 6 h (!), j'abandonne et je tombe du lit. Soucieuse (pour une fois) de ne pas réveiller Joanne, je me rends à la cuisine en silence et me prépare du café. Deux épreuves m'attendent, aujourd'hui, alors j'aurai certainement besoin de beaucoup de caféine.

Après un jogging, deux mégacafés, un petit-déjeuner santé, une douche et une lutte à finir avec ma garde-robe pour trouver l'ensemble parfait pour le premier jour du reste de ma vie (j'accorde vraiment trop d'importance à cette journée), je quitte l'appartement assez tôt pour avoir le temps de marcher jusqu'aux bureaux de *The Line*, évitant ainsi le stress potentiel des embouteillages sur la route ou dans le métro. Rien, je dis bien rien ne me retardera aujourd'hui.

OK, rien, à part...

À quatre coins de rue du bureau, je passe à côté d'un kiosque à journaux, et la voilà, à moitié visible à travers l'emballage en plastique : une pile de l'édition de la semaine de *Gossip Central*, qui comprend un article signé de ma main. Je déplace la pile pour mieux voir. Sur la page couverture du magazine, il y a une photo d'Amber en train de faire la fête, et le gros titre est : « EN DÉSINTOX AVEC CAMBER ! »

Moi qui me suis cassé la tête pendant cinq jours pour trouver le titre parfait.

Je regarde le kiosque à journaux. Il est fermé à clé, et le propriétaire n'est pas encore arrivé. Merde ! À quelle heure ouvre-t-il ? Je regarde le panneau. À 9 h. Bien sûr. À 9 h, je suis censée être quatre coins de rue plus loin et vingt-neuf étages plus haut. Hé, l'univers, tu m'énerves !

Peut-être pourrais-je en prendre seulement un ? Si j'utilisais ma clé, je pourrais sûrement déchirer le plastique...

Non, non, non ! Je ne vais pas commencer le premier jour du reste de ma vie en volant. Encore une fois. Mais... je pourrais laisser de l'argent, et ce ne serait pas du vol, n'est-ce pas? Mais s'il advenait que d'autres gens prennent des exemplaires sans laisser d'argent? Peut-être que je n'aurais pas volé, mais que j'aurais créé une situation encourageant les autres à voler, ce qui reviendrait au même, non?

Allo, idiote ! Il te reste vingt minutes pour te rendre au PJDRDTV. Oublie le magazine. Tu le liras plus tard. Tu as déjà vécu ce que ça raconte. Bouge!

Je m'éloigne du kiosque à journaux à regret, mais avec détermination. J'arrive dans l'entrée moderne de *The Line* avec huit minutes d'avance et me dirige en toute confiance vers la réceptionniste aux cheveux mauves et à la boucle d'oreille au nez.

– Kate Sandford, au rapport!

– Hein?

Cette phrase n'avait pas fonctionné pour John Kerry non plus. Essayons de nouveau.

– Je m'appelle Kate. C'est ma première journée.

– Ah bon?

Oh, mon Dieu! Était-ce une blague? Bob se foutait-il de ma gueule?

J'essaie une dernière fois avant de fuir l'immeuble en courant.

– Je dois rencontrer Élizabeth à 9 h.

Son visage s'éclaircit.

– Ah oui, elle m'a parlé de ça! Je l'appelle.

– Merci.

– Tu peux t'asseoir.

Je prends place dans un fauteuil, nerveuse, jetant un coup d'œil aux magazines disposés sur la table de la salle d'attente. Je vois dans le nombre un exemplaire du *Gossip Central* de la semaine dernière, mais il m'est totalement inutile.

– Kate? C'est sympa de te revoir? dit Élizabeth quelques minutes plus tard. Elle porte un jean foncé ultra-moulant qui s'élargit aux chevilles et une camisole rose.

Elle est aussi classe et interrogative que toujours.

Je me lève et lui serre la main.

– Merci, Élizabeth. Toi aussi.

– Super? Tu me suis?

Elle me guide vers un coin du bureau où se trouvent de longues rangées de cubicules qui me rappellent le centre d'appels à scandale de l'étage du bas. Elle s'arrête face à l'un d'eux, vide, devant un grand bureau vitré.

– Alors, ceci sera ton bureau?

Je regarde les séparateurs en tissu. Il y a quelques punaises perdues dans le tissu, un téléphone moderne et une chaise de bureau.

– Parfait.

– Tu es prête à commencer?

Oui, sauf que... Encore une fois, je suis ici pour un emploi, mais je ne sais pas lequel. Je suppose que c'est moi tout craché, ça, encore et toujours. Me lancer à l'aveuglette avant de savoir ce dont il s'agit.

– Euh, que vais-je faire, au juste? la questionné-je.

– Suivre de petits groupes locaux, pour commencer? Sous mes ordres? Mais nous en reparlerons à la réunion éditoriale? À 11 h, OK?

– OK, super.

– La réunion aura lieu dans la salle Nashville Skyline? Tu t'en souviens?

Aurai-je un jour le droit de l'oublier?

– Oui. Et je suis encore vraiment désolée.

Elle sourit de toutes ses dents.

– Pas de problème ? Le passé est le passé, n'est-ce pas ?

– Merci.

– Tu veux t'installer ? Oh, j'ai quelque chose pour toi ?

Elle va dans son bureau et y prend quelque chose qu'elle me rapporte.

– Je me suis dit que tu voudrais lire ceci ?

Je prends l'exemplaire du dernier *Gossip Central* cérémonieusement. Une partie si importante de ma vie semble contenue dans ces pages glacées et pleines de scandales.

Elle va dans son bureau, et je prends place devant le mien pour y lire mon article. Celui-ci s'étale finalement sur douze pages, et il est truffé de photos criardes d'Amber et de Connor. Au début de l'article, mon nom est inscrit en toutes lettres. Reportage et article de Kate Sandford. C'est moi, c'est moi !

Mon téléphone fait bip. C'est un texto d'Amber.

L'ai lu. C parfait.

Merci.

Tel sonne sans cesse.

Tu vas répondre ?

Pas sûre.

Bonne chance.

AA cet aprem ?

Pas sûre.

30 en 30.

Oui, Sandra.

#*#!!

Je reçois deux autres textos de la part de Greer et de Scott, qui me félicitent tous les deux. Je les remercie, puis le téléphone posé sur mon bureau sonne. Je le regarde, interloquée. Est-ce pour moi? Je n'ai encore donné ce numéro à personne. Je ne le connais même pas, à vrai dire.

– Allo?

C'est la réceptionniste.

– J'ai John Macintosh en ligne pour vous.

– OK.

J'entends un déclic.

– Allo?

– John Macintosh, du magazine *FYI*, dit une voix grave teintée d'un accent du sud.

– Oui?

– Connor Parks prétend que tout ce que vous avez écrit dans votre article est faux. Avez-vous des com-mentaires?

– Il dit quoi?

– Que c'est un ramassis de mensonges. Du moins, en ce qui a trait à lui. Il a, par contre, confirmé ce que vous avez écrit au sujet d'Amber, et en a ajouté pas mal plus.

Ça ne m'étonne pas. Quel salaud!

– Alors, avez-vous des commentaires?

Je baisse les yeux et vois une photo d'Amber inconsciente aux pieds de Connor.

– Je maintiens ce que j'ai dit.

– Voulez-vous répondre aux accusations de Connor?

– Non. Je n'ai absolument rien à lui dire.

– Regrettez-vous de vous être infiltrée en désintox pour écrire cet article?

Oh, j'ai des tonnes de regrets, mais je n'en parlerai certainement pas avec toi.

– Pas de commentaires.

– Avez-vous parlé à Amber depuis la parution de l'article?

– Pas de commentaires.

– Avez-vous des informations concernant sa disparition de la semaine dernière?

– Pas de commentaires.

Il émet un grognement de déception.

– D'accord. Merci, madame Sandford.

Je raccroche, et le téléphone sonne de nouveau. Cette fois, c'est un journaliste de *OK*. Puis vient le tour de *People*, *Us* et quelques tabloïds britanniques dont je n'ai jamais entendu parler. Je répète la même chose chaque fois. Non, je n'ai pas de commentaires. Non, je ne donnerai pas d'entrevues. Non, je ne peux pas révéler mes sources.

Au milieu de ces appels, j'en reçois un de ma mère. Elle a lu l'article sur Internet et a quelques questions à me poser. Hier, j'ai pris mon courage à deux mains et j'ai appelé mes parents pour leur raconter toute l'affaire. Ils l'ont bien pris, quand même.

– Est-ce que cela veut dire que tu n'avais pas besoin d'aller en désintox? a demandé mon père par le téléphone sans fil grinçant de statique que je le supplie de remplacer depuis des années.

– Je n'en suis pas sûre, papa. Je pense peut-être que oui, mais je travaille encore là-dessus.

– Je pense que c'est une bonne chose, ma chérie, est intervenue ma mère par le téléphone du mur de la cuisine, le même que celui avec lequel j'ai parlé à Rory pendant des heures pendant mon adolescence.

– Je viendrai peut-être à la maison la fin de semaine prochaine, si vous le voulez, dis-je après lui avoir expliqué ce qu'est le K et comment on prend de la meth.

On en apprend, des choses, en désintox.

– Nous aimerions beaucoup cela, m'assure ma mère.

J'entoure le cordon du téléphone autour de mon doigt.

– Tu pourrais inviter Chrissie à souper, peut-être? dis-je.

– Bien sûr, ma chérie. Je ferai ta lasagne préférée.

– C'est le repas préféré de Chrissie, maman, pas le mien.

– Ah bon?

Quand le téléphone cesse enfin de sonner, il me reste une demi-heure avant ma première réunion éditoriale. Avec l'équipe de *The Line*! Oh. Mon. Dieu. Et il ne m'a fallu vendre que la moitié de mon âme pour y arriver.

Pas de problème.

Je commence à préparer une liste d'idées qui vont impressionner mes nouveaux collègues, mais je finis avec une liste des gens auprès desquels je dois m'excuser: maman, papa, Chrissie, Rory, Greer, Scott, Amber, Amy, Zack, Joanne, Sandra, Henry et moi-même.

Moi-même.

Moi-même.

Moi-même.

• • •

– Es-tu prête pour la réunion? me demande Élizabeth en sortant de son bureau quelques minutes avant 11 h.

– Absolument.

Je la suis jusqu'à la salle Nashville Skyline, nerveuse. Retourner sur les lieux du crime ne m'excite pas du tout.

Laetitia, Cora et Kevin (dont je me souviens vaguement) sont là, et nous nous présentons de nouveau. Kevin m'appelle «Undercover Brother», ce qui m'apparaît être bon signe. Si les gens vous détestent, ils utilisent votre nom devant vous et votre surnom dans votre dos, après tout.

– Alors, que se passe-t-il cette semaine? demande Élizabeth.

– La sortie du nouvel album des Jonas Brothers, dit Cora.

Kevin frissonne.

– Ouach. Dites-moi que nous n'allons pas parler de ça, hein?

– D'accord? Pas du tout notre public cible? tranche Élizabeth.

– Le nouvel album d'Arcade Fire ferait peut-être mieux l'affaire, propose Laetitia.

– Parfait? Kevin, vois si tu peux nous obtenir une entrevue? Peut-être que nous les mettrons en page couverture? Autre chose?

Je lève la main.

– Avez-vous entendu parler d'un groupe qui s'appelle The Spread?

– Nan, dit Kevin.

– Eh bien... je les suis depuis environ un an, et je suis convaincue qu'ils vont devenir énormes. On vient de leur offrir un contrat, et je crois qu'ils seront parfaits pour un article du genre «Qui écouterez-vous dans un an?».

J'attends nerveusement qu'Élizabeth réfléchisse à mon idée.

– Pas mal? Tu fais mille mots et tu me les montres? D'ici vendredi? Quoi d'autre?

• • •

À l'heure du midi, je ravale mon orgueil et apporte deux sandwichs cinq coins de rue plus loin, là où se trouve le bureau de Rory. Debout dans l'embrasure de la porte de son antre toujours encombré, j'observe ma meilleure amie lire quelque chose avec tant de concentration que ça me coupe le souffle. Ça me fait peur d'avoir traversé tout ce que j'ai fait au cours des deux derniers mois sans son soutien. Elle est la seule personne avec laquelle j'ai réussi à conserver des liens toute ma vie, et comme Sandra l'a dit, je n'ai pas du tout besoin de travailler sur mon indépendance.

– Salut, toi.

Elle lève la tête. Elle a le teint blême, et ses joues se sont à nouveau creusées.

Est-ce ma faute? Ai-je saboté sa guérison comme je l'ai fait avec la mienne?

– Salut, toi-même.

– Je peux entrer?

Elle hoche la tête. Je déplace une grosse pile de papiers sur la chaise située en face de son bureau.

– Attention!

Je souris.

– Ne t'en fais pas, je ne sèmerai pas la pagaille dans ton système.

– Que veux-tu, Kate?

Je m'assois et lui tends le sac à sandwich.

– Je pensais qu'on pourrait manger ensemble.

Elle laisse tomber le sac sur son bureau comme s'il était contaminé.

– Et puis, quoi? On oublie tout ce qui s'est passé?

– Non. Je veux te raconter tout ce qui s'est passé.

Ses yeux s'écarquillent de surprise et s'élargissent encore davantage quand je lui raconte les derniers détails de ma petite vie. Je lui raconte le souper avec Amber, le réveil avec Henry, notre tournée en enfer. Quand j'en arrive au tour que nous avons joué à Connor, je sais qu'elle ne m'en veut plus. Il me reste juste à le lui demander.

– Alors, me pardonnes-tu?

Rory saisit son sandwich délaissé sur le bureau et en prend une bouchée sans s'en rendre compte.

– Te pardonner quoi, au juste?

– Tout. De t'avoir menti. D'avoir cru que je pouvais faire cela sans toi.

– Mais tu l'as fait sans moi.

– Mais je ne veux plus le faire, Ror. J'ai besoin de toi.

Rory me tend sa main par-dessus le bureau, que je prends et serre fort. Comme ni l'une ni l'autre ne voulons pleurer à son travail, nous en restons là.

Affamée, je déballe mon sandwich et j'en mets d'un seul coup la moitié dans ma bouche. Les kilos perdus en désintox vont revenir au galop si je ne commence pas à faire attention.

– Bon, assez parlé de moi. Quoi de neuf de ton côté?

Son visage s'éclaircit.

– Ils m'ont nommée directrice.

– Il était temps.

• • •

De retour à *The Line*, je passe l'après-midi à travailler sur mon article consacré à The Spread et à répondre aux appels de journalistes. Quand je vais voir sur Internet, j'ai l'impression que tout le monde ne parle que de mon article. Est-ce vrai? Est-ce faux? Camber seront-ils réunis? Quelqu'un prétend les avoir vus ensemble dimanche, ou était-ce samedi?

Connor publie un communiqué niant tout, tandis qu'Amber demeure silencieuse. Ça semble être la bonne stratégie, parce que l'opinion médiatique penche en sa faveur. Ils trouvent tous atroce le comportement du JJB, ainsi que ses tentatives pour noircir la réputation d'Amber. C'est incroyable, mais personne ne semble deviner que cette dernière est à la source de tous ces détails croustillants. Sauf Connor et Henry, bien sûr.

Je quitte le bureau à 17 h, plus fatiguée que je ne l'ai été depuis un bon moment. Une grosse journée de travail, et ça recommence demain. Le deuxième jour du reste de ma vie. Un jour à la fois.

Quand j'arrive à l'appartement, je tombe sur Scott qui discute avec Joanne.

– Je voulais t'inviter à fêter ta première journée de célébrité, dit-il.

– C'est gentil.

Il me sourit.

– Mais…, devine-t-il.

– Mais je dois aller quelque part.

– Une réunion des AA? demande Joanne.

– Ouais.

– Je peux venir avec toi, si tu veux.

– Scott, c'est très gentil de ta part, mais c'est quelque chose qu'on doit faire seul.

– Moi, je n'ai pas de plans, Scott, dit Joanne en souriant d'une façon que je ne lui avais jamais vue auparavant.

Intéressant. Scott plaît à Joanne. À bien y penser, Joanne est en beauté, aujourd'hui. Ses cheveux font moins Annie que d'habitude, et elle a agencé son jean avec une chemise noire qui lui donne un teint de porcelaine. Est-ce une coïncidence ou savait-elle qu'il allait venir?

Scott est déconcerté.

– Euh... ouais, d'accord. Que veux-tu faire?

– Il y a ce resto thaï, près du campus. Qu'en dis-tu?

– OK, répond Scott, puis il se tourne vers moi. T'es sûre que tu ne veux pas venir?

– Ça va, merci.

Scott me regarde, l'air de dire «Pourquoi m'as-tu fait ça?» puis il suit Joanne en direction de la porte.

Désolée, Scott.

Je vais dans ma chambre, ferme la porte, avant de me coucher sur mon lit et de placer mes écouteurs sur mes oreilles, en appuyant en même temps sur le bouton «Play» de mon iTouch. Mon appareil plutôt perspicace devine mon humeur et joue *Apologies*, de Grace Potter and the Nocturnals, une chanson sur la fin de l'amour. Et à qui cela me fait-il penser? Henry. Henry, Henry, Henry.

Vous ai-je dit qu'il ne m'a jamais rappelée?

Et je suis à peu près sûre que ce n'est pas parce qu'il n'a pas reçu mon message. Ou, pour être honnête, les six messages que je lui ai laissés de vendredi à dimanche. Jusqu'à ce que je comprenne finalement son message à mon tour et cesse de l'appeler.

Il faut que je me ressaisisse. Je m'approche dangereuse-ment d'un genre de comportement (fille obsédée qui ne s'en sortira pas sans un homme en particulier) que j'ai toujours

448

voulu éviter. Il ne veut simplement pas être avec moi. Peut-être l'a-t-il déjà voulu, mais il ne veut plus, et il faut que je trouve le moyen de passer à autre chose.

Et cette musique ne m'aide en rien. Alors, je l'éteins et je regarde le plafond. Comment faire pour passer à autre chose?

Bip! Bip!

Peut-être un autre outil technologique me fournira-t-il la réponse?

C'est un texto d'Amber.

Tu viens?

Peut-être pas, après tout.

Je regarde mon téléphone, observant l'horloge électronique s'approcher de l'heure fatidique. Si je ne pars pas dans trois minutes, pas de réunion pour moi ce soir.

Et qu'est-ce que ça voudrait dire? Est-ce que je recommencerais à boire pour autant? Est-ce que je courrais le risque de ruiner le premier jour du reste de ma vie?

Vais-je tenter ma chance?

Je pose les pieds par terre et me lève.

Je n'ai plus de chance.

CHAPITRE 27

RUNNING TO STAND STILL[13]

Un mois plus tard, je rassemble mes maigres possessions tandis que Joanne lit un magazine, assise dans le fauteuil, en faisant semblant de ne pas être triste que je déménage.

– Avais-tu acheté cette passoire, ou bien était-ce moi ? dis-je en lui montrant un égouttoir vert lime.

– Je ne me rappelle pas.

– Je le laisse, alors.

Joanne tourne une page de son magazine d'un geste agressif.

– Ha.

Je m'arrête avant d'en dire plus. Je n'ai jamais pu adoucir les humeurs de ma coloc. Et ce n'est pas comme si j'allais l'appeler une fois que je serai sortie d'ici, n'est-ce pas ?

Je ferme un carton rempli d'objets de cuisine et j'en commence un autre.

– Mon Dieu, dit soudain Joanne.

– Quoi ?

Elle me montre le magazine.

– Ça dit que tu es la maîtresse lesbienne d'Amber !

– Pardon ?

---

13. Titre d'une chanson de U2 qui signifie « courir pour demeurer en place ». (NDT)

– Écoute… «Amber Sheppard a été vue par trois fois en train d'entrer dans le domicile d'une femme non identifiée au cours du dernier mois, souvent tard le soir.» Il y a même une photo. C'est l'arrière de ta tête, mais c'est bel et bien toi! Et regarde, il y a une photo de notre porte!

– Laisse-moi voir ça.

Je prends le magazine. Tel qu'annoncé, il y a plusieurs photos d'Amber qui entre dans mon immeuble, avec la date et l'heure imprimées en dessous. La première photo a été prise quand nous avons écrit l'article ensemble, et la plus récente date de cette semaine. Le reportage émet l'hypothèse qu'Amber est si affectée par la trahison ultime de Connor (il a été vu en train de chercher un appartement avec Kimberley), qu'elle joue maintenant dans l'autre équipe.

– Mon Dieu, ils sont vraiment désespérés s'ils écrivent ça, lancé-je.

Joanne me dévisage d'un air soupçonneux.

– Ce ne serait pas vrai, par hasard?

– Joanne!

– Quoi? Tu ne sors jamais avec des gars!

– Tu peux bien parler.

– En fait, je voulais t'en parler, dit-elle, gênée. J'ai un rendez-vous vendredi.

– Super. Avec qui?

– Euh… en fait, avec Scott.

On pourrait me mettre à terre en m'effleurant d'une plume.

– Scott? Mon Scott?

Elle fronce les sourcils.

– Oui.

– Désolée, je ne voulais pas dire ça comme ça. Depuis quand?

– Tu te souviens quand nous sommes sortis manger ensemble, après ton premier jour de travail?

Pas vraiment.

– Bien sûr.

– Eh bien, nous nous sommes bien amusés, et... les choses ont déboulé depuis, et...

– C'est super, Joanne.

– Ouais, bon, ça ne marchera sûrement pas... Il est plus jeune que moi.

– C'est une vieille âme.

Ses yeux brillent.

– C'est ce que je me dis aussi.

– Tu vois, heureusement que je déménage. Tu auras l'appartement pour toi toute seule.

– Il n'est pas prêt d'emménager ici, tu sais.

– On ne sait jamais.

– Ça ne te dérange pas?

– Bien sûr que non. Je fréquente Amber, tu le sais bien!

Je regarde de nouveau le magazine, étudiant les autres photos de l'article. Comme d'habitude, on y voit tout plein de stars dans des soirées, bras dessus, bras dessous. Mais l'une d'entre elles provoque presque un arrêt cardiaque chez moi.

Il s'agit de Henry. Il plisse les yeux, l'air ennuyé. À côté de lui, resplendissante, se trouve Olivia.

• • •

– Ils ont l'air de former un couple, n'est-ce pas? fais-je en étudiant la photo pour la centième fois.

Amy, Rory, Greer et moi sommes assises dans le café situé près de l'endroit où Amy et moi assistons à des réunions. J'ai demandé à Rory et à Greer de se joindre à nous pour discuter de la catastrophe de l'heure.

Amy regarde la photo que j'analyse depuis ce matin.

– Ils ont l'air d'être debout l'un à côté de l'autre, dit-elle.

– Oui, mais as-tu lu la légende?

C'est ce texte qui me tue. *Henry Slattery (le manager de Connor Parks) et Olivia Canfield (la publiciste d'Amber Sheppard) avaient l'air de planifier plus que des retrouvailles entre leurs employeurs, à Sunrise, l'autre soir!*

– C'est du gros n'importe quoi, ce magazine à scandale, dit Rory.

– Mais souvent, ils ont raison. Pense à mon article!

Greer prend une gorgée de son triple espresso.

– C'est la dernière chose à laquelle tu devrais penser, *lass*.

– Je sais, mais je ne peux pas m'en empêcher. Pourquoi ne m'a-t-il jamais rappelée?

– Il doit être fâché, dit Amy. Après tout, tu lui as menti pendant des semaines et tu as dévoilé les secrets de son meilleur ami.

Ouais... C'est vrai.

– Il doit me détester.

Rory secoue la tête.

– Ne sois pas si mélodramatique. D'après ce que tu nous as dit, il ne te déteste certainement pas.

– Mais il ne veut pas être avec moi.

– Mais *lass*, n'as-tu pas fait tout ce que tu pouvais pour l'éloigner?

– Je sais, mais c'était avant que je comprenne...

– Que tu étais amoureuse de lui ? termine Rory pour moi.

Je hoche la tête.

– Le lui as-tu dit ?

– Non, bien sûr que non.

– Pourquoi ne le fais-tu pas ?

– Tu veux dire l'appeler ENCORE et lui laisser un AUTRE message, pour lui dire que je suis amoureuse de lui ?

Rory hoche la tête, toujours logique.

– Pourquoi pas ?

– Impossible.

– Rien n'est impossible, dit Amy doucement.

– Mais j'ai l'impression que ça l'est, et n'est-ce pas ce qui compte ?

Elle m'adresse un regard triste.

– La seule chose qui compte, c'est que l'amour est une chose rare. Quand tu le trouves, il faut le saisir et ne pas le lâcher.

– Désolée, mais ça fait un peu trop cartes de vœux Hallmark à mon goût.

Je range le magazine, écœurée de voir Henry et Olivia.

– Parlons d'autre chose, voulez-vous ?

– Bonne idée.

– Vous faites toujours la course de dix kilomètres dimanche ? demande Greer à Amy.

Amy sourit, confiante.

– Bien sûr ! Es-tu sûre que tu es prête, Katie ?

– Pour courir dix kilomètres ? Probablement pas.

– Alors pourquoi le fais-tu, *lass* ?

– Qui n'essaie rien n'a rien.

Greer lève sa tasse de café.

– Je lève mon verre à la phrase du jour !

– Greer ! s'offusque Rory.

– Ah, relaxe, Ror, dis-je en levant ma tasse pour la cogner contre la sienne. On lève notre verre à quoi, déjà ?

– Tout ce qui est possible.

– À tout ce qui est possible, alors !

• • •

OK, c'est de nouveau l'heure de passer à la confession. Je me suis inscrite à la course de dix kilomètres parce qu'Amber a mentionné en passant que Henry y participerait. Même si j'ai cru (sans oser le demander) qu'elle détenait cette information d'Olivia, j'ai mentionné la course à Amy lors d'une réunion des AA, et nous nous y sommes toutes les deux inscrites.

Je regrette cet accès de faiblesse, mais j'ai fait une promesse à Amy. Et à présent, je tiens mes promesses.

Donc me voilà, en ligne avec des milliers d'autres cinglés, aux abords du parc, tôt un dimanche matin. J'ai une puce électronique attachée à ma chaussure gauche et le numéro 764 épinglé sur mon tee-shirt. Le jeton célébrant mes trente jours de sobriété est accroché à mon cou. Peut-être me portera-t-il chance.

Amy est debout à mes côtés, imperturbable. Elle me donne des conseils au sujet de la stratégie de la course et de la psychologie du sport. Je suis sûre que je n'ai absolument rien retenu de ses enseignements. Je cherche Henry parmi la foule, mon cœur se mettant à battre la chamade chaque fois que j'aperçois des cheveux roux.

Quand l'heure du départ approche, la foule bouge vers l'avant, chaque participant cherchant à démarrer près de la ligne de départ. On donne du coude et du genou, et je commence à me sentir claustrophobe. Quand un coude de trop me rentre dans les côtes, je me retourne vers le coupable, très en colère.

– Toi, tu fais attention, d'accord ?

L'homme que je viens de rabrouer recule, mais pas parce que je l'ai engueulé sans raison. C'est parce qu'il s'agit de Henry.

Nos regards se croisent, et je mets je ne sais combien de temps avant de me rendre compte que je suis plantée là, la bouche ouverte.

Pas étonnant.

Je referme la bouche d'un coup sec.

– Désolée, je ne savais pas que c'était toi.

– Ne t'en fais pas.

J'observe son visage. Il a le même air que d'habitude. Il est peut-être simplement un peu plus blême sous son bronzage.

– Je participe à la course, dis-je stupidement.

Sa bouche semble vouloir esquisser un sourire, mais ce dernier ne se rend pas jusqu'à ses yeux.

– Je vois.

Un million de pensées, de questions et d'émotions parcourent mon cerveau. Et celle qui sort sur le vif est la suivante :

– As-tu eu mes messages ?

Il détourne le regard.

– Oui, je les ai eus…

– Écoute, Henry, je comprends pourquoi tu ne m'as pas rappelée…

Avant qu'il ait pu me répondre, un autre coureur me fonce dedans, me poussant vers Henry. Celui-ci me rattrape contre sa poitrine, et nous demeurons ainsi, entourés et poussés par la foule enthousiaste. Mon cœur bat dans mes oreilles, et je suis sûre que j'entends le sien aussi.

– Kate, je…

On entend un coup de klaxon, et un officiel nous demande de nous placer à nos marques. Le mouvement de la foule s'intensifie. Nous sommes séparés avant que Henry ait pu terminer sa phrase.

Je le cherche dans la foule, mais je ne le vois plus, de même qu'Amy.

– Amy !

– Katie !

– Où es-tu ?

– Ici !

Je vois une main qui me fait signe dans la foule, et je me démène pour me rendre jusqu'à elle.

– Dix secondes ! hurle l'officiel.

– Que s'est-il passé ? me demande Amy.

– J'ai croisé Henry.

– Ça va ?

– Ouais.

– Lui as-tu parlé ?

– J'ai essayé, mais la foule nous a séparés.

– À vos marques, prêts, partez !

Le klaxon se fait de nouveau entendre, et nous avançons comme un seul homme. Le rythme est plus rapide que ce à quoi je suis habituée, mais l'adrénaline de la course et de ma rencontre avec Henry me propulse au-delà de l'horloge numérique qui surplombe la ligne de départ.

– Reste avec moi, Katie, dit Amy. Laisse les gens te dépasser, et nous trouverons notre rythme.

Je ralentis, et nous courons confortablement pendant quelques minutes, jusqu'à ce que mon cœur revienne à la normale. Nous tournons et suivons une courbe qui mène à une section droite du sentier. Je vois Henry loin devant nous, et mon cœur se remet à battre à toute vitesse, entraînant mes jambes à sa suite. Je cours trop vite, mais je suis incapable de m'arrêter.

Les yeux fixés sur sa nuque, des souvenirs perdus lors de mon amnésie éthylique commencent à me revenir en tête. Mes mains dans ses cheveux. Les siennes sur ma taille. Nos langues qui se croisent dans nos bouches. Le monde qui avait disparu, jusqu'à ce qu'il perçoive le goût d'alcool sur ma langue.

– Katie, nous devrions ralentir, sinon tu ne te rendras pas à la fin.

– Non, je pense que j'en suis capable.

Je fixe mon attention sur le dos de Henry, sur l'aisance de ses mouvements.

Il faut que je lui plaise, pour qu'il m'ait embrassée comme ça.

Mais c'était avant qu'il sache que tu étais une menteuse.

Non, je le lui avais déjà dit, ça.

Ouais, mais après, tu le lui as prouvé.

Mais j'ai arrêté de boire, depuis.

Il n'est pas au courant de ça.

J'ai essayé de le lui dire.

Tu n'as pas essayé très fort.

Je cours après lui, là, non?

Oh. Mon. Dieu. C'est vrai. Je cours. Seigneur, je cours après un homme pour lui avouer mes sentiments. Comment ai-je fait pour me retrouver dans la dernière scène d'une comédie romantique?

Et si je l'attrape, et si je lui dis tout, ensuite, que se passera-t-il? Pourquoi suis-je si sûre qu'il veut entendre ce que j'ai à lui dire? Pourquoi suis-je si convaincue que ses hésitations masquent de l'amour?

Es-tu idiote ou quoi, Katie?

Mon énergie me quitte. Mes jambes ne fonctionnent plus très bien, mes poumons non plus. J'arrête de courir, pliée en deux, peinant à respirer.

Amy s'arrête et pose la main sur mon dos.

– Katie, ça va?

Je secoue la tête, incapable de parler. J'entends Amy appeler à l'aide et, avec le soutien d'une bénévole, elle me guide vers le côté du sentier. Je tombe sur le gazon, la respiration sifflante. Quand je suis enfin capable de parler, je dis à Amy de continuer sans moi, et elle finit par accepter, malgré ses hésitations.

La bénévole, une dame très gentille, m'enveloppe dans une couverture métallique et me tend un verre de Gatorade. Je le bois lentement, tandis qu'elle me conduit en voiturette de golf vers la tente médicale. Quand nous y arrivons, on me mène vers un lit et une jeune infirmière prend ma tension. Elle me dit que cette dernière est basse et que je devrais me reposer jusqu'à ce que je me sente mieux. Je n'ai pas la force de lui dire qu'il m'est impossible de me sentir mieux, en ce moment.

Je me couche sur le petit lit et remonte la couverture métallique jusqu'à mon menton. Je suis complètement épuisée, comme si chaque molécule d'énergie que contenait mon corps avait été siphonnée. Qui aurait cru que de courir comme une folle pendant trente minutes pouvait engendrer cette sensation, qui ressemble un peu à celle qu'on ressent quand on est à mi-chemin entre la beuverie et le lendemain de veille?

J'imagine que c'est l'ivresse du coureur qui fait ça. Comme toutes les autres sortes d'ivresse.

Le temps passe. Après un moment, je commence à me sentir mieux et un peu ridicule. Quel est mon problème? Suis-je si peu coriace qu'une seule rencontre avec Henry me jette ainsi à terre? Tout ça pour un mec? Il faut que je me ressaisisse. Comme U2 l'a chanté, je suis prise dans un moment dont je ne peux pas sortir.

Tu l'as dit, Bono. Et super riff de guitare, The Edge. T'es le meilleur.

Je m'assois, et le monde reste à sa place. Je repousse la couverture. L'air frais ne me tue pas. Je détache le numéro de mon tee-shirt et la puce électronique de ma chaussure, laissant les deux sur le lit. Je dis à l'infirmière que je m'en vais. Elle me rappelle de me reposer à mon retour chez moi.

Je retrouve Amy, qui m'attend à l'extérieur de la tente avec Rory. Amy a le visage brillant et une médaille autour du cou. Je leur fais signe de la main.

– Salut, les amies.

Rory a l'air inquiet.

– Que t'est-il arrivé?

– On dirait bien que je ne suis pas *Supergirl*.

Je remarque la caméra dans la main de Rory.

– Merci d'être venue, Ror. Désolée que tu n'aies pas pu prendre de photo.

– J'avais une place réservée pour toi dans mon *scrapbook*, tu sais.

– Menteuse!

– Celui qui le dit, c'est celui qui l'est !

Amy rit.

– Vous avez toujours des conversations aussi intellec-tuelles, toutes les deux ?

– Nous nous connaissons depuis que nous avons cinq ans, explique Rory, alors nous gardons certaines habitudes.

– Ta course s'est-elle bien passée ? demandé-je à Amy, qui a l'air fière d'elle.

– Cinquante-deux minutes.

– Super ! Je m'excuse de t'avoir ralentie.

– Tu rigoles ! J'ai battu mon objectif de trois minutes, même avec l'interlude médical.

Courir comme une folle après Henry fait de moi un bon lévrier, on dirait.

– On y va ?

Amy et Rory échangent un regard coupable.

– Quoi ?

– Quelqu'un d'autre voudrait te parler, d'abord, dit Rory en pointant un doigt derrière elle.

Je regarde, mais ce n'est pas nécessaire. Je sais qu'il s'agit de Henry. Et le voilà, assis sur un banc du parc avec une tasse verte et orange de Gatorade à la main, l'air nerveux.

– Tu y vas ? demande Amy.

– J'y songe.

– Tu sais que tu dois marcher pour t'y rendre, hein ?

– Va te faire foutre, Ror.

– Veux-tu qu'on t'attende ?

– Nan. Ça ira...

Je marche vers Henry avec autant de dignité que possible. Ce n'est pas facile avec mes jambes épuisées, mon corps en sueur et mes cheveux décoiffés qui s'échappent de ma casquette. Le visage de Henry est lui aussi rouge au-dessus de son tee-shirt de course bleu. Je vois une médaille sortir de sa poche.

– On m'a dit que tu voulais me parler?

– Oui, dit-il.

– De quoi?

Il tapote le banc à côté de lui.

– Tu veux bien t'asseoir un moment?

Je m'exécute. Il joue avec sa tasse vide.

– Donc..., commencé-je.

– Donc... je voulais te dire pourquoi je ne t'ai jamais rappelée.

Ma bouche est sèche.

– Pourquoi?

– C'est un peu compliqué... mais... tu vois... merde, ce serait tellement plus facile si on pouvait parler en courant.

L'idée de courir en ce moment est si absurde que j'en ris.

– Je suis désolée, c'est impossible de mon côté.

L'inquiétude pointe dans son regard.

– Rory m'a dit que tu étais dans la tente médicale. Ça va?

– J'ai couru trop vite, c'est tout.

– Ça m'est arrivé lors de ma première course, moi aussi.

– Ah oui?

– Oui.

Nous retombons dans notre silence habituel.

Tout à coup, je n'en peux plus.

– Henry, l'un de nous va devoir dire quelque chose, ou faire quelque chose.

– Je sais, Kate.

– Tu voulais me parler...

Il sourit.

– Donc la pression est sur moi, c'est ça ?

– Ouaip.

– Tu parles comme moi, maintenant ?

– On dirait.

Il prend ma main. Surprise, je regarde ses yeux bleu gris.

– Te rappelles-tu ce que je t'ai dit, la première fois qu'on s'est rencontrés ?

Je laisse ces souvenirs très clairs me revenir en tête.

– Tu m'as dit que les femmes n'aimaient pas les hommes forts et ténébreux.

– Oui, et c'est ce que j'ai à offrir. Je sais que ce n'est pas facile, mais...

– Tu m'as rencontrée en désintox.

– Ce n'est pas juste ça, Kate. Ça, ça m'allait... mais ensuite, tu as recommencé à boire, et j'ai appris tout le reste et... tout semblait trop compliqué.

– Et les débuts d'une relation sont censés être simples.

– Oui.

– C'est drôle, parce que les choses entre nous m'ont semblé simples la plupart du temps.

– Moi aussi.

– Je n'ai donc pas imaginé ça ?

– Non.

Nous nous sourions. Ma main est chaude dans la sienne.

– Tu crois que ça pourrait redevenir simple ? lui demandé-je.

– J'aimerais essayer, en tout cas.

– Vraiment ?

– Vraiment.

Nous sourions de nouveau, et je commence à me sentir un peu ridicule. Je retire doucement ma main de la sienne.

– Alors... qu'allons-nous faire?

– Je ne sais pas... Veux-tu sortir souper avec moi?

– Un vrai rendez-vous?

– Ouais.

– Et on fera quoi lors de ce rendez-vous?

Il repousse une mèche de cheveux tombée sur ses yeux.

– Oh, tu sais, rien de compliqué. Tu porteras un ensemble sexy, je repasserai mon pantalon, et nous parlerons.

– Toi, tu vas parler?

– Oui, c'est promis.

– De quoi?

Son pouce effleure le bout de mon nez.

– Peut-être te parlerai-je de mon nouveau boulot. Je vais enseigner *Le roi Lear*, à des fils de riches dans une école privée.

– Alors, tu ne sors pas avec Olivia?

Sa main retombe.

– Mon Dieu, non!

– Bien.

– Pourquoi me demandes-tu ça?

– Oh, j'avais vu une photo...

– Dans *People*?

– Ouais.

– Tu devrais savoir mieux que les autres qu'il ne faut pas croire ce qu'on lit dans ces magazines-là, n'est-ce pas?

– Pourquoi? Tout ce que j'ai écrit était vrai.

Son visage s'assombrit.

– J'imagine que oui...

– Merde, Henry! Je suis désolée.

– Non, ne le sois pas. Ne t'excuse pas.

– Mais je veux...

– Non, Kate.

Il se penche vers moi, et nos lèvres se touchent. Les siennes sont douces, fermes, chaudes, invitantes, et je me laisse aller.

Quelqu'un pousse un hourra, et nous nous séparons.

– J'ai bien peur que ce soient mes amies.

Il sourit.

– Alors, donnons-leur quelque chose de bon à se mettre sous la dent.

Il glisse sa main derrière mon cou et m'attire vers lui. Cette fois, notre baiser est plus chaud, plus mouillé, plus ferme, plein de promesses. Et, oh oui, je me souviens ! Je me souviens, je me souviens...

Après une éternité, je recule. Et quand je regarde ses yeux, j'y lis la même promesse que celle perçue dans notre baiser.

– Alors, crois-tu que nous devrions oublier le passé ?

– Je crois que c'est pour le mieux. Pas toi ?

Embrasse-moi encore une fois, et je céderai à tout.

Je me concentre.

– Je crois que... « Je ne suis fou que par vent du nord-nord-ouest ; par vent du sud, je sais reconnaître un faucon d'un héron. »

– Tu me récites du Shakespeare ?

– J'ai l'impression de vivre ce genre de journée.

– Nous ne sommes pas fous, Kate.

– Ah non ?

Il incline mon menton vers le sien, et notre prochain baiser mérite sa place dans le livre des records. Comme le dernier baiser du film *Princess Bride*, il laisse tous les autres loin derrière. Dans la poussière.

– OK, nous sommes peut-être un petit peu fous, dit Henry quand nous nous séparons, à bout de souffle.

– Je te l'avais dit.

– Je suis prêt à prendre le risque, si tu l'es.

Il attend ma réponse.

Voilà, Kate. C'est le moment. Le moment où tu dois choisir. Es-tu prête?

– Je courais pour te rattraper, tu sais. C'est pour cela que je me suis retrouvée dans la tente médicale.

Il rit.

– Si j'avais su que tu essayais de me rattraper, j'aurais ralenti.

– Henry, c'est probablement la chose la plus romantique que j'aie jamais entendue.

– Eh bien, c'est un début, alors.

C'est notre début.

LA *PLAYLIST* DE KATIE

Chapitre 1 : *Black Horse and the Cherry Tree*, de K.T. Tunstall

Chapitre 2 : *Redemption Song*, de Bob Marley and the Wailers

Chapitre 3 : *Hey There Delilah*, de Plain White-T's

Chapitre 4 : *Displaced*, d'Azure Ray

Chapitre 5 : *Blackbird*, des Beatles

Chapitre 6 : *One Headlight*, des Wallflowers

Chapitre 7 : *Suffragette City*, de David Bowie

Chapitre 8 : *Hello Goodbye*, des Beatles

Chapitre 9 : *Come on Get Higher*, de Matt Nathanson

Chapitre 10 : *Love Song*, de Sara Bareilles

Chapitre 11 : *And the Band Played Waltzing Matilda*, des Pogues

Chapitre 12 : *Home*, de Sheryl Crow

Chapitre 13 : *Bad Day*, de Daniel Powter

Chapitre 14 : *The One Who Loves You the Most*, de Brett Dennen

Chapitre 15 : *Hide and Seek*, d'Imogen Heap

Chapitre 16 : *Tangled Up in Blue*, de Bob Dylan

Chapitre 17 : *You and Me of the 10 000 Wars*, d'Indigo Girls

Chapitre 18 : *What's That You Say Little Girl?*, de Stephen Fretwell

Chapitre 19 : *Back to Where I Was*, d'Eric Hutchinson

Chapitre 20 : *Fix You*, de Coldplay

Chapitre 21 : *When the Stars Go Blue*, de Ryan Adams

Chapitre 22 : *The Boys Are Back in Town*, de Thin Lizzy

Chapitre 23 : *Gangsta's Paradise*, de Coolio

REMERCIEMENTS

Je n'aurais jamais pu imaginer que je publierais un jour un roman en français. Pour cela, je tiens à remercier :

Toute l'équipe des Éditions Goélette, en particulier Ingrid Remazeilles, pour leur travail et la décision de me donner la chance de traduire mes mots.

Nadia Lakhdari King, qui a fait la traduction, m'a présentée à Ingrid et est devenue une bonne amie.

Mes amis auteurs, pour leur soutien et leurs encouragements, incluant Shawn Klomparens, pour son amitié et ses conseils sur la vie d'écrivain.

Mon agente extraordinaire, Abigail Koons, et toute l'équipe de Park Literary.

Mes amis, à qui ce livre est dédié, en particulier Tasha et Phyllis, mes amies de toujours.

Et ma famille : mes grand parents, Roy et Dorothy, mes parents, Sue et Bob, ma sœur, Cammy, mon frère, Michael, et David. Sans votre amour, rien de cela ne serait possible.